Als ehrgeiziger, vielversprechender Student der Naturwissenschaften verließ Freddy Montgomery Irland, um in den USA Karriere zu machen. Er heiratete eine Amerikanerin, doch die beiden stiegen nach wenigen Jahren aus dem Wissenschaftsbetrieb aus, vertrödelten im Müßiggang ihre Zeit auf warmen Mittelmeerinseln, und Freddy vergeudete Geld und Talent. Von einem äußerst zwielichtigen Menschen mußte er sich in einer finanziellen Notlage Geld leihen, und als dieser ihn plötzlich massiv unter Druck setzt, sieht sich Montgomery gezwungen, nach Irland zurückzukehren, um dort die nötige Summe aufzutreiben. Die Rückkehr gerät zur irdischen Höllenfahrt. Die frühere Heimat ist ihm fremd geworden, die Wiederbegegnungen mit Menschen aus der Vergangenheit lösen Lawinen von Selbstzweifeln und Selbstbefragung aus. Um Geld aufzutreiben, besucht er einen befreundeten Kunstsammler, und bei dem irrwitzigen Versuch, ein Bild zu stehlen, wird er vom Dienstmädchen überrascht. Als sie sich zur Wehr setzt, bringt er sie auf grausamste Weise um. Die wenigen Tage vor seiner Verhaftung durchlebt er in einem Taumel der Verzweiflung, des Alkoholrauschs und des Selbstekels.

Das monströse Verbrechen steht im Mittelpunkt des Romangeschehens – Freddy Montgomery erzählt seine Lebensgeschichte aus der Rückschau, im Untersuchungsgefängnis. Er bekennt sich ohne Umschweife des Mordes schuldig, und mit der Niederschrift seines Bekenntnisses will er nicht seine Schuld mildern, sondern seinen verworrenen Lebensweg, der in diesem Verbrechen, das letztlich ohne Motive bleibt, erzählen. Er stellt die Frage nach der Freiheit des menschlichen Willens, nach der Verantwortung für das eigene Leben und legt sich und dem Leser offen, daß es für die schreckliche Irrationalität seines Verbrechens keine rationale Erklärung gibt.

»Aus einem uralten Problem der Menschheit hat Banville einen taufrischen, faszinierenden Roman geschaffen, ein hochrangiges, literarisches Kunstwerk, dessen Ausnahmequalität aus beinahe jeder Zeile spricht.« *FAZ*

John Banville, geboren 1945 in Waxford/Irland lebt in Dublin und ist literarischer Redakteur bei der Irish Times. ›Das Buch der Beweise‹ ist der erste von mehreren Romanen, die im Fischer Taschenbuch Verlag erscheinen werden.

John Banville
Das Buch der Beweise
Roman

Aus dem Englischen von
Dorle Merkel

Fischer Taschenbuch Verlag

Veröffentlicht im Fischer Taschenbuch Verlag GmbH,
Frankfurt am Main, November 1996

Lizenzausgabe mit freundlicher Genehmigung
des Verlags Kiepenheuer & Witsch, Köln
Titel der Originalausgabe: ›The Book of Evidence‹
© 1989 John Banville
Für die deutschsprachige Ausgabe:
© 1991 by Verlag Kiepenheuer & Witsch, Köln
Gesamtherstellung: Clausen & Bosse, Leck
Printed in Germany
ISBN 3-596-13287-8

Gedruckt auf chlor- und säurefreiem Papier

Das Buch der Beweise

Euer Ehren, da Sie mich auffordern, dem Gericht das Ganze in meinen eigenen Worten zu erzählen, so werde ich folgendes sagen. Ich werde hier eingesperrt wie ein exotisches Tier, wie das letzte überlebende Exemplar einer Art, von der man glaubt, sie sei ausgestorben. Man sollte Leute hereinlassen, um mich zu besichtigen, mich, den Mädchenfresser, grazil und gefährlich, wie ich auf und ab schleiche in meinem Käfig und mein schrecklicher grüner Blick an den Gitterstäben entlangflackert; damit sie etwas haben, über das sie träumen können, wenn sie nachts behaglich zugedeckt in ihren Betten liegen. Nach meiner Gefangennahme gingen sie wie Hyänen aufeinander los, um einen Blick auf mich zu erhaschen. Ich glaube, sie wären bereit gewesen, für dieses Privileg Geld zu bezahlen. Sie warfen mir Beschimpfungen an den Kopf und schüttelten mir zähnefletschend ihre Fäuste ins Gesicht. Ihr Anblick war irgendwie unwirklich, furchterregend und belustigend zugleich, die Art, wie sie sich auf dem Pflaster hin und her schoben, als seien sie Statisten in einem Film, junge Männer in schäbigen Regenmänteln, Frauen mit Einkaufstaschen und ein paar stumme grauhaarige Typen, die nur dastanden und mich gierig fixierten, von Neid ganz ausgezehrt. Dann warf mir einer der Polizisten eine Decke über den Kopf und verfrachtete mich in einen Streifenwagen.

Ich lachte. An der Art, wie die Wirklichkeit, banal wie immer, meine schlimmsten Phantasien erfüllte, war etwas unwiderstehlich Komisches.

Übrigens, diese Decke. Haben sie die extra mitgebracht, oder haben sie immer eine im Kofferraum, für alle Fälle? Solche Fragen beunruhigen mich jetzt, ich brüte darüber.

Für einen flüchtigen Blick muß ich eine interessante Figur abgegeben haben, aufrecht auf dem Rücksitz wie eine Mumie, während das Auto durch die nassen sonnenbeschienenen Straßen raste und wichtigtuerisch blökte.

Und dann dieser Ort. Der Krach war es, der mich als allererstes beeindruckt hat. Ein fürchterlicher Lärm, Schreie und Pfiffe, johlendes Gelächter, Streitereien, Schluchzen. Aber es gibt auch Augenblicke der Stille, als hätte uns alle plötzlich eine große Angst oder eine große Trauer befallen und sprachlos gemacht. In den Fluren steht die Luft, bewegungslos wie abgestandenes Wasser. Sie ist von einem leisen Karbolgestank durchzogen, der das Leichenhaus verrät. Anfangs glaubte ich, ich sei es selbst; das heißt, ich bildete mir ein, der Geruch ginge von mir aus, sei mein eigener Beitrag. Vielleicht ist er es ja? Auch das Tageslicht ist eigenartig, selbst draußen, im Hof, als ob irgendetwas damit geschehen sei, als hätte man etwas mit ihm gemacht, bevor ihm erlaubt wurde, uns zu erreichen. Es hat einen ätzenden zitronenhaften Schimmer und tritt immer in zwei Extremen auf: entweder reicht es zum Sehen nicht aus, oder es verbrennt einem die Augen. Von den verschiedenen Arten der Dunkelheit werde ich schweigen.

Meine Zelle. Meine Zelle ist. Wozu noch weitermachen damit.

Gefangene in Untersuchungshaft kriegen die besten Zellen zugeteilt. So sollte es auch sein. Man könnte ja immerhin befinden, daß ich unschuldig bin. Oh, ich sollte nicht lachen, es tut zu weh, ich spüre ein scheußliches Stechen dabei, als ob etwas mein Herz zusammenpreßt – die Last meiner Schuld, nehme ich an. Ich habe einen Tisch und etwas, das wohl ein Sessel sein soll. Es gibt sogar einen Fernseher, ich benutze ihn jedoch selten, weil jetzt, seit mein Fall verhandelt wird, über mich nichts mehr in den Nachrichten berichtet wird. Die sanitären Anlagen lassen zu wünschen übrig.

Das Auskippen der Eimer ist eine ziemlich ekelhafte Angelegenheit. Ich muß schauen, ob es mir gelingt, einen Korydon an Land zu ziehen, oder meine ich einen Neophyt? Irgendein junger Kerl, geschickt und willig und nicht zu pingelig. Das dürfte nicht schwierig sein. Ich muß auch schauen, ob ich mir ein Wörterbuch besorgen kann.

Vor allem stört mich der Geruch von Sperma überall. Das ganze Gebäude stinkt danach.

Ich muß zugeben, daß ich hoffnungslos romantische Vorstellungen davon hatte, wie es wohl hier drin sein würde. Irgendwie hatte ich mir ausgemalt, daß ich eine gefeierte Persönlichkeit sein würde, von den anderen Häftlingen in einem Spezialtrakt abgesondert, wo ich Gruppen von ernsten, wichtigen Personen empfangen würde, um mich in ihrer Gegenwart in Abhandlungen über die zentralen zeitgenössischen Fragen zu ergehen, womit ich die Herren beeindrucken und die Damen bezaubern würde. Welch tiefes Verständnis! würden sie ausrufen. Welch umfassende Einsicht: Man sagte uns, Sie seien eine Bestie, kaltblütig, grausam, aber nun, da wir Sie gesehen haben, Ihnen zugehört haben, ja, nun –! Und ich würde derweil eine elegante Pose einnehmen, mein asketisches Profil zu dem Licht in dem vergitterten Fenster erheben, ein parfümiertes Taschentuch in den Fingern drehen und leicht süffisant lächeln; Jean-Jacques, der kultivierte Killer.

Durchaus nicht, nicht im entferntesten. Aber auch nicht wie andere Klischees. Wo sind die Krawalle im Eßsaal, die Massenausbrüche, all das, was uns von der flimmernden Leinwand so vertraut ist? Und was ist mit der Szene im Hof, in der der Spitzel mit einem Messer kaltgemacht wird, während zwei stoppelbärtige Schwergewichtler als Ablenkungsmanöver eine Rauferei in Szene setzen? Wann fangen die Gruppenvergewaltigungen an? Tatsache ist, hier drin ist es wie da draußen, nur noch intensiver. Wir sind besessen von dem

Problem unseres körperlichen Wohlbefindens. Es ist immer überheizt, wir könnten genausogut in einem Brutkasten sitzen, und trotzdem gibt es endlose Beschwerden über Zugluft, plötzliche Kälte und erfrorene Füße des Nachts. Das Essen ist auch ungemein wichtig; wir stochern in unserem Brei herum, schnuppern daran, seufzen, als wären wir in einer Feinschmecker-Konferenz. Wenn ein Päckchen abgeliefert wird, verbreitet sich die Nachricht wie ein Lauffeuer. *Psst! Sie hat ihm eine Marzipantorte geschickt! Selbstgemacht!* Eigentlich ist es wie in der Schule, diese Mischung von Elend und Behaglichkeit, die betäubte Sehnsucht, der Krach, und überall, immer, dieser gewisse übelriechendgraue, warme männliche Mief.

Man sagte mir, daß es anders war, als die politischen Gefangenen noch hier waren. Sie marschierten immer im Gänsemarsch in den Korridoren auf und ab, bellten sich etwas in schlechtem Irisch zu und verursachten große Heiterkeit unter den gewöhnlichen Kriminellen. Aber dann gingen sie alle in einen Hungerstreik oder sowas und wurden woandershin verlegt, wo sie unter sich waren, und das Leben kehrte in normale Bahnen zurück.

Warum sind wir so genügsam? Ist es das Zeug, das sie angeblich in unseren Tee schütten, um unsere Libido einzuschläfern? Oder sind es die Drogen? Euer Ehren, ich weiß, daß keiner einen Petzer leiden kann, selbst die Anklage nicht, aber ich meine, daß es meine Pflicht ist, das Gericht davon in Kenntnis zu setzen, daß in dieser Anstalt der Handel mit verbotenen Substanzen floriert. Es sind Wärter daran beteiligt; wenn Sie mir Schutz garantieren, liefere ich Ihnen ihre Nummern. Es ist alles zu haben, Aufputscher und Ruhigsteller, Speed, Tranquilizer, Horse und Crack, alles was das Herz begehrt. Nicht daß Ihnen, Euer Gnaden, solche Begriffe aus den tiefsten Tiefen der Gesellschaft geläufig wären, natürlich nicht; ich habe sie selbst erst gelernt, seit ich hierher gekommen bin. Wie Sie sich vorstellen können, sind es hauptsächlich die jungen Männer, die diesem Laster frönen. Man erkennt sie daran, daß sie wie Schlafwandler durch die Gänge taumeln, mit jenem flüchtigen, wehmütig-betäubten Lächeln der wahrhaft Abgedrifteten. Es gibt jedoch ein paar, die nicht lächeln, die in der Tat den Eindruck machen, als würden sie nie mehr lächeln. Das sind die, die verloren sind, die es nicht mehr lange machen. Sie stehen da und starren ins Leere, mit einem ausdruckslosen, gedankenverlorenen Zug im Gesicht, wie verletzte Tiere, die an uns vorbeischauen, stumm, als wären wir für sie nur Phantome und als erlitten sie ihren Schmerz in einer anderen Welt als der unsrigen.

Nein, eigentlich sind es nicht nur die Drogen. Etwas Wesentliches ist verlorengegangen, man hat uns das Mark ausgesaugt. Wir sind keine richtigen Männer mehr. Alte Knastbrüder, Typen, die einmal ein wirklich beeindruckendes Verbrechen begangen haben, stolzieren herum wie alte Witwen, bleichgesichtig, weichlich, mit hochgewölbter Brust und fettem Hintern. Sie zanken sich um Leihbücher, ein paar von ihnen stricken sogar. Die Jüngeren haben auch ihre Hobbys, sie schleichen sich im Aufenthaltsraum an mich heran, mit ihren wässrigen Kalbsaugen, und zeigen mir schüchtern ihre Handarbeiten. Wenn ich noch ein Flaschenschiff mehr bewundern muß, werde ich anfangen zu schreien. Und doch, sie sind so traurig, so verletzlich, diese Straßenräuber, Vergewaltiger, Kindesmißhandler. Wenn ich an sie denke, dann sehe ich immer, ich weiß nicht genau warum, jenen Streifen von stoppeligem Gras und den einen Baum vor mir, den ich von meinem Fenster aus undeutlich erkennen kann, wenn ich meine Wange gegen die Gitterstäbe presse und schräg an dem Stacheldraht und der Mauer vorbeischiele.

Stehen Sie bitte auf, legen Sie Ihre Hand hierhin und nennen
Sie deutlich Ihren Namen. Frederick Charles St. John Van-
derveld Montgomery. Schwören Sie, daß Sie die Wahrheit
sagen werden, die reine Wahrheit und nichts als die Wahrheit? Daß ich nicht lache! Ich möchte sofort meinen ersten
Zeugen aufrufen. Meine Frau. Daphne. Ja, das war, das ist
ihr Name. Aus irgendeinem unerfindlichen Grund fanden
die Leute ihn immer leicht komisch. Ich finde, daß er sehr
gut zu ihrer feuchten, dunklen, kurzsichtigen Schönheit
paßt. Ich sehe sie vor mir, meine Lady des Lorbeer, wie sie
in einer sonnenbetäubten Lichtung ruht und ein wenig verärgert, mit leichtem Stirnrunzeln den Kopf abwendet, während irgendein unbedeutender Gott in Gestalt eines Fauns
mit einer Schalmei um sie herumtollt und tänzelt und vergeblich sein ganzes Herz im Spiel für sie ausschüttet. Es war
jenes entrückte, leicht unzufriedene Etwas, das sie an sich
hatte, das zuerst meine Aufmerksamkeit auf sie lenkte. Sie
war keine besonders feine Frau, und gut war sie auch nicht.
Sie paßte zu mir. Vielleicht dachte ich da schon an eine Zeit
in der Zukunft, in der ich es nötig haben würde, daß mir
jemand – irgend jemand – vergibt; und wer wäre besser dazu
geeignet als jemand, der so ist wie ich.
Wenn ich sage, daß sie nicht gut war, dann meine ich nicht,
daß sie böse war oder verdorben. Ihre Fehler waren bedeutungslos, verglichen mit den gezackten Rissen, die quer
durch meine Seele liefen. Wessen man sie noch am ehesten
anklagen konnte, war eine gewisse moralische Trägheit. Es
gab Dinge, die zu tun sie einfach keine Lust hatte, ungeach-
tet aller Imperative, die ihr die Notwendigkeit eines Handelns vor die abgestumpfte Aufmerksamkeit drängten. Sie
vernachlässigte unseren Sohn, nicht weil er ihr nichts bedeutet hätte – in ihrer eigenen Art und Weise hing sie sehr an
ihm –, sondern einfach weil seine Bedürfnisse sie nicht wirklich interessierten. Manchmal überraschte ich sie dabei, wie

sie in einem Stuhl saß und ihn mit einem abwesenden Ausdruck in den Augen betrachtete, als ob sie sich daran zu erinnern versuchte, wer oder was er eigentlich war und wie es dazu gekommen war, daß er da war und sich dort auf dem Boden vor ihren Füßen in einer seiner fürchterlichen Unordnungen herumsuhlte. Daphne! murmelte ich dann. Verdammtnochmal! und meistens schaute sie mich daraufhin in der gleichen Art an, mit demselben nichtssagenden, merkwürdig abwesenden Ausdruck in ihrem Blick.

Es fällt mir auf, daß ich anscheinend nicht anders von ihr sprechen kann als in der Vergangenheit. Das kommt mir irgendwie passend vor. Obwohl sie mich oft besucht. Als sie das erste Mal kam, fragte sie, wie es denn so sei hier drin. Du liebe Güte!, sagte ich, der Krach! – und die Leute! Sie nickte nur leicht, lächelte matt und schaute sich dann träge nach den anderen Besuchern um. Wir verstehen uns, wissen Sie.

In südlichen Breiten verwandelte sich ihre Trägheit in eine Art verführerische Lässigkeit. Ich erinnere mich an einen ganz bestimmten Raum, mit grünen Fensterläden, einem schmalen Bett und einem Van-Gogh-Stuhl; draußen pulsierte der Mittag des Mittelmeers in den weißen Straßen. Ibiza? Ischia? Mykonos vielleicht? Immer eine Insel, bitte notieren Sie das, Herr Protokollführer, es könnte von Bedeutung sein. Daphne konnte sich ihrer Kleider mit einer magischen Geschwindigkeit entledigen, sie schüttelte sie einfach ab, als seien Rock, Bluse, Unterhose, alles was sie anhatte, aus einem Stück. Sie ist eine üppige Frau, nicht fett, nicht einmal schwer, aber trotzdem massiv und wunderbar ausgewogen. Immer wenn ich sie nackt sah, wollte ich sie streicheln, in derselben Art wie es mich danach verlangte, eine Skulptur zu streicheln, die Kurven in der Höhlung meiner Hand abzuwägen, mit dem Daumen an den langen, glatten Linien entlangzufahren und die Kühle zu spüren, die samtige Beschaffenheit des Steins.

Protokollführer, streichen Sie diesen letzten Satz, man wird glauben, daß er mehr bedeutet als beabsichtigt.

Diese versengenden Mittage, in jenem Raum und in zahllosen anderen ihm ähnlichen Räumen – mein Gott, ich zittere, wenn ich jetzt an sie denke. Ich konnte ihrer sorglosen Nacktheit nicht widerstehen, dem Gewicht und der Dichte dieses schimmernden Fleisches. Sie lag neben mir, eine abwesende Maya, und starrte an mir vorbei an die sich im Schatten verlierende Decke oder auf den dünnen Spalt von brennendem weißen Licht zwischen den Fensterläden, bis es mir endlich gelang, wie genau, habe ich nie verstanden, einen geheimen Nerv in ihr zu berühren, und dann wandte sie sich mir zu, schwerfällig, rasch, mit einem Stöhnen, und klammerte sich an mich als ob sie fiele, ihr Mund an meiner Kehle, ihre Fingerspitzen, die wie die einer Blinden waren, auf meinem Rücken. Sie hielt ihre Augen immer offen, ihr matter sanfter grauer Blick irrte hilflos hin und her, zuckte zusammen unter dem zärtlichen Schaden, den ich ihr zufügte. Ich kann nicht sagen, wie sehr er mich erregte, dieser schmerzliche schutzlose Blick, der ihr zu jeder anderen Zeit so wenig ähnlich sah. Ich versuchte, sie dazu zu bringen, ihre Brille aufzubehalten, wenn wir so im Bett waren, damit sie noch viel verlorener, viel schutzloser aussah, aber es gelang mir nie, egal was für ausgeklügelte Methoden ich anwendete. Und natürlich konnte ich sie nicht darum bitten. Danach war es immer so, als wenn überhaupt nichts passiert wäre, sie stand auf und schlenderte ins Badezimmer, eine Hand in ihren Haaren, und ließ mich ausgestreckt auf den völlig durchnäßten Bettüchern zurück, erschüttert, keuchend, als hätte ich einen Herzanfall erlitten, den ich auf eine gewisse Weise wohl auch tatsächlich gehabt hatte.

Sie hat nie gewußt, glaube ich, wie sehr sie mich im Innersten berührte. Ich gab darauf acht, daß sie es nicht erfuhr. Oh, mißverstehen Sie mich nicht, es war nicht so, als ob ich

Angst gehabt hätte, mich in ihre Gewalt zu geben, oder irgend etwas in der Art. Nur wäre zwischen uns ein solches Wissen, wie soll ich sagen, unpassend gewesen. Von Anfang an hatten wir uns stillschweigend darauf geeinigt, Zurückhaltung und Takt zu wahren. Wir verstanden einander, durchaus, aber das hieß nicht, daß wir uns kannten oder uns kennen wollten. Wie hätten wir sonst jene unbefangene Anmut aufrechterhalten können, die uns beiden so wichtig war, wenn wir nicht gleichzeitig die notwendige Verschlossenheit unseres innersten Selbst aufrechterhielten?

Wie gut tat es dann, am kühlen Nachmittag aufzustehen und durch die krasse Geometrie von Sonne und Schatten in den engen Straßen hinunter zum Hafen zu gehen. Ich genoß es, Daphne dabei zuzuschauen, wie sie vor mir herging und ihre kräftigen Schultern und Hüften unter dem dünnen Stoff ihres Kleides in einem gedämpften, komplexen Rhythmus bewegte. Ich genoß es auch, die Männer der Insel zu beobachten, wie sie, gebückt über ihren Pastis und ihren Fingerhüten voll trüben Kaffees sitzend, ihre Echsenaugen verdrehten, wenn sie vorbeiging. So ist's recht, ihr armen Schweine, lechzt nur, lechzt.

Am Hafen gab es immer eine Bar, immer dieselbe, egal was für eine Insel es war, mit ein paar Tischen und Plastikstühlen im Freien, geknickten Sonnenschirmen, die für Stella oder Pernod warben, und einem dunkelhäutigen fetten Inhaber, der im Türrahmen lehnte und in seinen Zähnen herumstocherte. Auch die Leute waren immer die gleichen: ein paar magere rauhe Typen in ausgewaschenen Jeans, sonnengegerbte Frauen mit hartem Blick, ein fetter alter Kerl mit einer Seglermütze und einem ergrauten Backenbart, und natürlich ein oder zwei Schwule mit Armreifen und schicken Sandalen. Sie waren unsere Freunde, unsere Clique, unser Kreis. Selten nur wußten wir ihre Namen, oder sie die unsrigen, wir nannten uns Kumpel, Kamerad, Käpten, Schätzchen. Wir tranken unsere Brandys oder unsere Ouzos oder was immer der billigste einheimische Fusel war und sprachen lebhaft von anderen Freunden, lauter Originalen, in anderen Bars, auf anderen Inseln, während wir uns die ganze Zeit genau beobachteten, selbst wenn wir lächelten, auf etwas lauernd, wir wußten nicht was, vielleicht auf eine Bresche, eine weiche, für einen Moment unbewacht gelassene Stelle, in die wir unsere Giftzähne schlagen konnten. Meine Damen und Herren Geschworenen, Sie haben uns gesehen, wir waren Teil des einheimischen Ambientes in Ihrer Pauschalreise. Sie gingen mit wehmütigem Blick an uns vorüber und wir haben Sie ignoriert.

Wir herrschten unter diesem Haufen, Daphne und ich, mit einer Art hoheitsvoller Distanz, als wären wir ein Königspaar im Exil, das täglich auf die Nachricht einer Gegenrevolution und auf den Ruf des Palastes zur Rückkehr wartet. Ich stellte fest, daß die Leute im allgemeinen ein bißchen Angst vor uns hatten, von Zeit zu Zeit beobachtete ich in ihren Augen einen beschwichtigenden, hundehaften Ausdruck, oder aber ich fing einen haßerfüllten Blick auf, verstohlen und düster. Ich habe über dieses Phänomen nachgegrübelt, es scheint mir bedeutungsvoll zu sein. Was in uns war es – oder besser gesagt, was war es, das wir an uns hatten, das sie beeindruckt hat? Nun, wir sind groß, gut gebaut, ich bin attraktiv, Daphne ist eine Schönheit, aber das kann nicht alles gewesen sein. Nein, nach langem Nachdenken bin ich zu folgendem Schluß gekommen: sie bildeten sich ein, in uns eine Geschlossenheit, eine Ganzheit zu entdecken, eine Art essentielle Authentizität, die ihnen fehlte und derer sie sich nicht ganz würdig fühlten. Wir waren – nun ja, wir waren Helden.

Ich fand das alles natürlich lächerlich. Nein, warten Sie, ich stehe hier unter Eid, ich muß die Wahrheit sagen. Ich genoß es. Ich genoß es, entspannt in der Sonne zu sitzen, mit meiner glanzvollen, von einem skandalösen Hauch umgebenen Gemahlin an meiner Seite, und würdevoll den Tribut zu empfangen, den unsere bunt gemischte Hofgesellschaft uns zollte. Es gab ein besonderes, ganz leichtes Lächeln, das ich an mir hatte, gelassen, tolerant, mit nur einer Idee von Verachtung, das ich besonders den Beschränkteren unter ihnen zuteil werden ließ, den armen Narren, die mit Kappe und Schelle plappernd um uns herumtollten und wie besessen lachend ihre erbärmlichen Mätzchen machten. Wenn ich in ihre Augen schaute, sah ich mich darin geadelt wieder und konnte so einen Augenblick lang vergessen, was ich war; ein schäbiges zitterndes Ding, genau wie sie, voll von Sehnsucht und Abscheu, einsam, ängstlich, von Zweifeln gequält und dem Tod ausgeliefert.

So kam es, daß ich in die Hände von Gaunern geriet, ich hatte mir erlaubt, mich in dem Glauben einzulullen, unverletzbar zu sein. Ich versuche nicht, Euer Ehren, meine Handlungsweise zu entschuldigen, ich möchte sie nur erklären. Jenes Leben, das Sichtreibenlassen von Insel zu Insel, förderte Illusionen. Die Sonne, die salzige Luft laugten die Dinge aus, entleerten sie ihrer Bedeutung, so daß sie ihr wahres Gewicht verloren. Meine Instinkte, die Instinkte unseres Stammes, jene in den dunklen Wäldern des Nordens geschmiedeten Sprungfedern wurden dort unten lasch, Euer Ehren, tatsächlich, das wurden sie. Wie könnte irgend etwas gefährlich oder böse sein in solch zärtlichem blauen Wasserfarbenwetter? Und überhaupt, schlechte Sachen sind immer solche, die anderswo passieren, und schlechte Menschen gehören nie zu denen, die man selber kennt. Der Amerikaner zum Beispiel schien in keiner Weise schlechter zu sein als irgend jemand sonst aus dem in jenem Jahr versammelten Trupp. Tatsächlich schien er mir nicht schlechter zu sein als ich selbst, jedenfalls nicht schlechter, als ich damals zu sein glaubte, denn dies war selbstverständlich, bevor ich entdeckte, wozu ich fähig war.

Ich nenne ihn »den Amerikaner«, weil ich seinen Namen nicht kannte oder ihn vergessen habe, aber ich bin nicht sicher, ob er überhaupt ein Amerikaner war. Er sprach mit einem näselnden Tonfall, den er sich auch im Kino hätte angeeignet haben können, und die Art und Weise, wie er sich beim Sprechen mit zusammengekniffenen Augen umschaute, erinnerte mich an den einen oder anderen Filmstar. Ich konnte ihn unmöglich ernst nehmen. Wenn ich ihn in meiner herrlich treffenden Weise nachahmte – ich war schon immer ein guter Imitator – lachten die Leute laut auf in überraschtem Wiedererkennen. Zunächst dachte ich, daß er noch ein ziemlich junger Mann sei, aber Daphne lächelte und fragte mich, ob ich mal einen Blick auf seine Hände geworfen hätte. (Sie hatte einen Blick für sowas.) Er war mager und muskulös, mit einem scharfgeschnittenen Gesicht und jungenhaft kurzgeschorenem Haar und hatte eine Vorliebe für enge Jeans, hochhackige Stiefel und Ledergürtel mit riesigen Schnallen. Er gab sich entschieden den Anstrich eines verhinderten Wildwesthelden. Ich werde ihn – lassen Sie mich überlegen –, ich werde ihn Randolph nennen. Er war hinter Daphne her. Ich beobachtete ihn dabei, wie er sich an sie heranschlich, die Hände in die engen Hosentaschen gequetscht, und um sie herumzuschnüffeln begann, selbstgefällig und nervös zugleich, wie so viele andere vor ihm; und wie bei diesen konnte man ihm sein Verlangen aus einer gewissen angespannten Blässe zwischen den Augen ablesen. Mich behandelte er mit wachsamer Zuvorkommenheit, nannte mich Freund und sogar – bilde ich es mir nur ein? – Partner. Ich erinnere mich an das erste Mal, als er sich an unseren Tisch setzte und sich auf einen Ellbogen gestützt nach vorne lehnte, während seine Spinnenbeine sich um den Stuhl wanden. Es fehlte nur noch, daß er seinen Tabaksbeutel hervorzog und sich mit einer Hand eine Zigarette drehte. Der Kellner, Paco oder Pablo, ein junger Mann mit brennenden Augen und aristokratischen Ambitionen, brachte uns aus Versehen die falschen Getränke, und Randolph benutzte die Gelegenheit, um gnadenlos über ihn herzufallen. Der arme Junge stand da, seine Schultern gebeugt unter den wie Peitschenhieben auf ihn niederprasselnden Beschimpfungen, und war wieder der Bauernsohn, der er immer schon gewesen. Nachdem er davongestolpert war, schaute Randolph Daphne an und entblößte grinsend eine Reihe von langen dunkelgelben Zähnen, wodurch er mich an einen Hund erinnerte, der stolz wie Oskar vor seiner Herrin Männchen macht, nachdem er ihr eine tote Ratte vor die Füße gelegt hat. Gottverdammte Kanaken, sagte er lässig, und machte ein Geräusch mit den Mundwinkeln, als spucke er aus. Ich sprang auf, packte den Rand des Tisches und kippte ihn um, wobei ich die vollen Gläser in seinen Schoß schleuderte; Steh auf und zieh, du Scheißkerl! brüllte ich ihn an. Nein, nein, natürlich tat ich nichts dergleichen. Wie sehr auch immer ich es genossen hätte, einen Tisch voller zerbrochener Gläser in seinen auf groteske Weise bis zum Platzen vollgestopften Hosenstall zu kippen, das war nicht meine Art, jedenfalls damals nicht. Und nebenbei gesagt, ich hatte es genau wie alle anderen auch genossen, mit anzusehen, wie Pablo oder Paco seine Quittung bekam, dieser Einfaltspinsel mit seinen seelenvollen Blicken, seinen zarten Händen und diesem ekelhaften Schamhaarschnurrbart.

Randolph erweckte gern den Eindruck, ein gefährlicher Typ zu sein. Er erzählte von finsteren Machenschaften in einem fremden Land, das er »zu Hause in den Staaten« nannte. Ich ermunterte ihn zu diesen Draufgängergeschichten, heimlich entzückt von der »Ach-was«- und »Nicht-der-Rede-wert«-Art, in der er sie zum Besten gab. Es war etwas herrlich Lächerliches in dem Ganzen; der verschlagene Blick des Angebers, sein durchtrieben bescheidener Tonfall, sein Gehabe voll euphorischer Selbstbeweihräucherung und die Art, wie

er sich unter der Wärme meiner still nickenden, mit ehr-
fürchtiger Scheu erfüllten Reaktion wie eine Blume öffnete.
Die kleinen Verderbtheiten in meinen Mitmenschen haben
mir schon immer Befriedigung bereitet. Es ist ein besonderes
Vergnügen, einen Idioten und Lügner so zu behandeln, als
sähe ich in ihm den Inbegriff aller Redlichkeit, und auf seine
Posen und Schwindeleien scheinbar einzugehen. Er behauptete, ein Maler zu sein, bis ich ihm ein paar unschuldige
Fragen zu diesem Thema stellte; da wurde plötzlich ein
Schriftsteller aus ihm. In Wirklichkeit verdiente er sein Geld,
wie er mir eines Nachts in betrunkenem Zustand mitteilte,
mit Drogenhandel für die vermögenden Urlauber der Insel.
Natürlich war ich schockiert, betrachtete es jedoch als eine
wertvolle Information; und später, als –
Aber dies alles hängt mir zum Hals raus, lassen Sie mich es
hinter mich bringen. Ich bat ihn, mir etwas Geld zu leihen.
Er weigerte sich. Ich erinnerte ihn an jene durchzechte
Nacht und sagte, daß ich sicher sei, die Guardia würde sich
für das, was er mir erzählt hatte, interessieren. Er war bestürzt. Er überlegte es sich. So viel Knete, wie ich verlangte,
habe er nicht, sagte er, er müßte sie irgendwo für mich besorgen, vielleicht von den Leuten, die er kannte. Und er
kaute an seinen Lippen. Ich sagte, das ginge in Ordnung, es
sei mir egal, wo es herkäme. Ich war amüsiert und zufrieden
mit mir und der Art, wie ich den Erpresser spielte. Ich hatte
nicht wirklich damit gerechnet, daß er mich ernst nehmen
würde, aber es schien so, als hätte ich seine Feigheit unter-
schätzt. Er beschaffte das Geld, und für eine Weile lebten
Daphne und ich auf großem Fuße; alles war bestens, außer
daß Randolph wie eine Klette an mir hing, wo immer ich
auch hinging. In seiner Interpretation von Wörtern wie »leihen« und »zurückzahlen« ließ er es bedauerlicherweise sehr
an Phantasie fehlen. Hatte ich nicht sein schmuddeliges kleines Geheimnis für mich behalten, sagte ich ihm, war das kein

fairer Tausch? Diese Leute verstehen keinen Spaß, sagte er mit einem schrecklichen, zuckenden Versuch, zu grinsen. Ich sagte, daß ich erfreut sei, das zu hören, schließlich würde man doch ungern glauben wollen, daß man, wenn auch nur aus zweiter Hand, mit Leuten gehandelt habe, die bloß leichtsinnig seien. Daraufhin drohte er, ihnen meinen Namen zu geben. Ich lachte ihm ins Gesicht und ging davon. Es war mir noch immer unmöglich, irgend etwas daran ernst zu nehmen. Ein paar Tage später kam ein kleines, in braunes Papier gewickeltes Paket an, das in einer kaum lesbaren Schrift an mich adressiert war. Daphne machte den Fehler, es zu öffnen. Der Inhalt war eine Tabaksdose – Balkan Sobranie, was dem Ganzen einen merkwürdig internationalen Anstrich verlieh – gefüllt mit Baumwolle, in die sich ein eigenartig gewundenes, bleiches, knorpeliges Stück Fleisch schmiegte, das von getrocknetem Blut verkrustet war. Es dauerte eine Weile, bis ich es als ein menschliches Ohr identifizierte. Wer auch immer es abgeschnitten hatte, hatte schlampige Arbeit geleistet, mit so etwas wie einem Brotmesser, dem gezackten schartigen Rand nach zu urteilen. Qualvoll. Ich nehme an, das war die beabsichtigte Wirkung. Ich weiß noch, wie ich dachte: Wie passend, ein Ohr, in diesem Land der Toreros! Ziemlich lustig, eigentlich.

Ich begab mich auf die Suche nach Randolph. An die linke Seite seines Kopfes hatte er ein großes Stück Mullbinde gepreßt, das in einem verwegenen Winkel von einem nicht sehr sauberen Verband an seinem Platz gehalten wurde. Bei seinem Anblick dachte ich nicht mehr an den Wilden Westen. Jetzt, als hätte das Schicksal sich entschlossen, seine Behauptung, ein Künstler zu sein, zu unterstützen, hatte er eine bemerkenswerte Ähnlichkeit mit dem armen verrückten Vincent in jenem Selbstportrait, das entstanden war, nachdem er sich um der Liebe willen entstellt hatte. Als er mich sah, dachte ich, er würde anfangen zu heulen, so voller Selbstmitleid und entrüstet sah er aus. Jetzt werd allein mit ihnen fertig, sagte er, du schuldest ihnen was, nicht ich, ich hab bezahlt, und er berührte verbissen seinen bandagierten Kopf mit der Hand. Dann schmiß er mir ein unflätiges Schimpfwort an den Kopf und stahl sich durch eine enge Gasse davon. Trotz der Mittagssonne lief mir ein Schauer den Rücken herunter, wie ein grauer Wind, der übers Wasser streicht. Nachdenklich verweilte ich noch einen Moment dort, an der weißen Ecke. Ein alter Mann auf einem Esel grüßte mich. In der Nähe läutete eine blecherne Kirchenglocke wie wild. Warum, fragte ich mich, warum lebe ich so?

Das ist eine Frage, auf die ohne Zweifel auch das Gericht gerne eine Antwort hätte. Bei meiner Herkunft, meiner Erziehung, meinem – allerdings – meinem Geschmack, wie konnte ich ein solches Leben führen, mit solchen Leuten verkehren, in eine derartige Klemme geraten? Die Antwort ist – ich weiß die Antwort nicht. Oder ich weiß sie, und sie ist zu weitreichend und verworren, um sie hier in Angriff zu nehmen. Wie jeder andere glaubte ich damals daran, daß ich den Lauf meines eigenen Lebens selbst bestimmte, gemäß meinen eigenen Entscheidungen. Nach und nach, als sich immer mehr Vergangenheit ansammelte, auf die ich zurückblicken konnte, begriff ich jedoch, daß ich das, was ich getan hatte, deswegen getan hatte, weil ich nichts anderes tun konnte. Bitte denken Sie nicht, Euer Ehren, – ich beeile mich, dies hinzuzufügen – denken Sie nicht, daß ich das als eine Art Rechtfertigung oder Verteidigung meine. Ich möchte für meine Handlungen die volle Verantwortung übernehmen – immerhin sind sie das einzige, das ich mein eigen nennen kann –, und ich erkläre im voraus, daß ich das Urteil des Gerichts widerspruchslos hinnehmen werde. Ich

frage nur, mit allem Respekt, ob es möglich ist, das Prinzip
der moralischen Schuld aufrechtzuerhalten, sobald die Idee
des freien Willens aufgegeben worden ist. Es ist dies, das
gebe ich Ihnen zu, eine knifflige Frage, eine von der Sorte,
über die wir hier drinnen des Abends bei Kakao und Zigaretten gerne diskutieren, wenn die Zeit bleiern auf uns lastet.
Wie gesagt, ich habe mir mein Leben nicht immer als ein
Gefängnis vorgestellt, in dem alle Handlungen nach einem
von einer unbekannten und gefühllosen Macht willkürlich
hingeworfenen Muster bestimmt werden. Tatsächlich sah
ich mich, als ich jung war, als ein Baumeister, der eines Tages
ein wunderbares Gebäude um mich herum errichten würde,
eine Art Pavillon, luftig und hell, der mich völlig umschlie-
ßen und in dem ich doch frei sein würde. Sieh, würden sie
dann sagen, die Erhebung von weitem erkennend, sieh, wie
stabil es ist, wie solide; natürlich, das ist er, ja, kein Zweifel,
ganz er selbst. In der Zwischenzeit jedoch, unterkunftslos,
fühlte ich mich allen Blicken ausgesetzt und gleichzeitig un-
sichtbar. Wie soll ich es beschreiben, dieses Gefühl meiner
selbst als etwas Gewichtslosem, ohne Verankerung, ein vor-
übertreibendes, unwirkliches Trugbild? Andere Leute schienen eine Dichte zu haben, eine Gegenwart, die mir fehlte.
Ich war unter ihnen, diesen großen, sorglosen Wesen, wie
ein Kind unter Erwachsenen. Ich beobachtete sie mit weit
aufgerissenen Augen und wunderte mich über ihre gelassene
Zuversicht im Angesicht einer verwirrenden und grotesken
Welt. Mißverstehen Sie mich nicht, ich war durchaus kein
Mauerblümchen, ich lachte, grölte und prahlte wie alle anderen auch – nur im Innern, in jenem trostlosen, dunklen Stol-
len, den ich mein Herz nenne, stand ich unbehaglich da, mit
einer Hand am Mund, still, neidisch und unsicher. Sie verstanden die Dinge oder akzeptierten sie wenigstens. Sie
wußten, was sie über eine Sache dachten, sie hatten Meinungen. Sie hatten den umfassenden Überblick, als ob ihnen

nicht klargeworden sei, daß alles unendlich teilbar ist. Sie sprachen von Ursache und Wirkung, als ob sie glaubten, daß es möglich sei, ein Ereignis abzusondern und es in einem leeren zeitlosen Raum, außerhalb des irrsinnigen Wirbels der Dinge einer Untersuchung zu unterziehen. Sie sprachen von ganzen Völkern, als ob sie von einem einzigen Individuum sprächen, während es mir schon tollkühn vorkam, selbst von einem Individuum mit irgendeiner Gewißheit zu sprechen. Oh, sie kannten keine Grenzen.

Und als ob die Leute in der Außenwelt nicht genug waren, hatte ich auch in meinem Innern ein mustergültiges Gegen-über, eine Art Aufsichtsperson, vor der ich meinen Mangel an Überzeugung verbergen mußte. Wenn ich zum Beispiel etwas las, eine These in irgendeinem Buch, und ihr begeistert zustimmte, um dann am Ende zu entdecken, daß ich völlig mißverstanden hatte, was der Autor eigentlich hatte sagen wollen, daß ich das Ganze in der Tat völlig falsch herum aufgezäumt hatte, dann sah ich mich gezwungen, blitz-schnell eine Kehrtwende zu machen und zu mir selbst, ich meine zu meinem anderen Selbst, jenem strengen inneren Feldwebel, zu sagen, daß das, was gesagt wurde, wahr sei, daß ich niemals wirklich anders gedacht hatte und daß, selbst wenn es so gewesen wäre, es nur der Beweis für Offenheit sei, wenn man so zwischen den Meinungen hin- und her-wechseln kann, ohne es überhaupt zu merken. Dann wischte ich mir die Stirn ab, räusperte mich, richtete mich auf und ging voll unterdrückter Bestürzung behutsam zum nächsten Punkt über. Aber warum rede ich in der Vergangenheit? Hat sich irgend etwas geändert? Nur daß der Beobachter aus meinem Innern hervorgetreten ist und die Sache in die Hand genommen hat, während der verwirrte vormalige Bewohner der Außenseite sich im Innern duckt.

Ich frage mich, ob sich das Gericht darüber klar ist, was mich dieses Geständnis kostet?

Ich nahm das Studium der Wissenschaft auf, um Gewißheit zu finden. Nein, das stimmt nicht ganz. Sagen wir lieber, ich wandte mich der Wissenschaft zu, um mit dem Mangel an Gewißheit besser zurechtzukommen. Ich glaubte, hier einen Weg gefunden zu haben, um auf dem Sand, der sich immer und überall tückisch unter mir verschob, einen soliden Bau zu errichten. Und ich war erfolgreich, ich hatte Talent. Die Tatsache, daß ich in bezug auf das Wesen der Realität, der Wahrheit und der Ethik, all dieser großen Dinge, keinerlei Überzeugung vertrat, war eine Hilfe. Tatsächlich tat sich mir in der Wissenschaft die Vision einer unberechenbar wuchernden Welt auf, die mir, dem Materie immer schon als ein Wirbel von zufälligen Zusammenstößen erschienen war, auf unheimliche Weise vertraut war. Statistik, Wahrscheinlichkeitstheorie, das war mein Gebiet. Abgehobenes Zeug, ich werde mich hier nicht weiter darüber auslassen. Ich hatte eine gewisse kalte Begabung, die nicht unbedeutend war, selbst an den ehrfurchtgebietenden Maßstäben dieser Disziplin gemessen. Meine studentischen Arbeiten waren ein Muster an Klarheit und Präzision. Meine Lehrer liebten mich, diese schäbigen alten Kerle, die nach Zigarettenrauch und schlechten Zähnen stanken, erkannten in mir jenen seltenen unbarmherzigen Zug, dessen Fehlen sie zu einem Leben voll stumpfsinniger Plackerei am Katheder verurteilt hatte. Und dann entdeckten mich die Amerikaner.

Wie habe ich Amerika geliebt, das Leben dort an jener pastellfarbenen sonnenüberfluteten Westküste, es hat mich für alles andere verdorben. Ich sehe es noch in meinen Träumen, es ist alles da, unangetastet, die ockerfarbenen Hügel, die Bucht, die herrlich anmutige rostrote Brücke, vom Nebel umhüllt. Ich kam mir vor, als sei ich zu einem hohen sagenumwobenen Plateau aufgestiegen, zu einer Art Arkadien. Welch Reichtum, welche Muße, welche Unschuld. Von allen Erinnerungen, die ich an diesen Ort habe, wähle ich eine beliebig aus. Ein Frühlingstag, die Cafeteria der Universität. Es ist Mittagszeit. Draußen, auf dem Hof beim Springbrunnen, ergötzen sich atemberaubende Mädchen in der Sonne. Wir haben an jenem Morgen dem Gastvortrag eines wissenschaftlichen Genies gelauscht, einem der Großmeister dieser Loge, der nun mit an unserem Tisch sitzt, Kaffee aus einem Pappbecher trinkt und mit seinen Zähnen Pistazienkerne knackt. Eine magere, schlaksige Person mit einer wilden Mähne aus krausem, sich grau färbendem Haar. Sein Blick ist humorvoll, mit einem Funken Boshaftigkeit, und huscht ruhelos hin und her, als ob er nach etwas sucht, das ihn zum Lachen bringen könnte. Tatsache ist, sagt er, daß die ganze verdammte Sache nur Zufall ist, Freunde, reiner Zufall. Und plötzlich läßt er sein Haifischlächeln aufblitzen und zwinkert mir zu, mir, der ich auch ein Außenseiter bin. Die um den Tisch versammelten Mitglieder der Fakultät, große braungebrannte ernste Männer in kurzärmeligen Hemden und Schuhen mit breiten Sohlen, nicken und schweigen. Einer kratzt sich am Kinn, ein anderer schaut träge auf seine klobige Armbanduhr. In kurzen Hosen und ohne Hemd geht draußen ein flötespielender Junge vorbei. Die Mädchen erheben sich langsam, in Zweierpaaren, und gehen über das Gras davon, mit verschränkten Armen und wie Brustharnische gegen den Leib gepreßten Büchern. Mein Gott, kann es sein, daß ich wirklich dort gewesen bin? Es scheint mir nun, hier an diesem Ort, eher Traum als Erinnerung zu sein, die Musik, die sanften Mänaden, und wir an unserem Tisch, blasse bewegungslose Figuren, die Weisen, hinter Glas regierend, in dem sich die Blätter der Bäume spiegelten.

Sie waren fasziniert von mir dort drüben, von meinem Akzent, von den Fliegen, die ich mir umband, von dem leicht finsterem Charme der alten Welt, den ich an mir hatte. Ich war vierundzwanzig; unter ihnen fühlte ich mich, als sei ich Ende dreißig. Sie schmissen sich mit feierlicher Inbrunst an mich heran, als gelte es, sich an einer Art Selbstverbesserung zu beteiligen. Zu jener Zeit war gerade einer ihrer kleinen ausländischen Kriege in vollem Gange, jeder außer mir, so schien es, protestierte – ich wollte nichts zu tun haben mit ihren Märschen, ihren Sitzstreiks und der ohrenzersplitternden Echophrasie, die sie für eine Diskussion hielten – aber selbst meine politischen Ansichten, oder das Fehlen derselben, wirkte nicht abschreckend, und mit zitternden Blütenblättern fielen Blumenkinder in allen Größen und Farben in mein Bett. An wenige von ihnen kann ich mich mit einiger Präzision erinnern, wenn ich an sie denke, sehe ich so etwas wie eine Mixtur vor mir, mit den Händen der einen, den Augen der anderen, dem Schluchzen einer dritten. Von jenen Tagen, jenen Nächten bleibt nur ein ferner, bittersüßer Geschmack zurück, und eine Spur, ein verschwindender Nachglanz jenes Zustands von Schwerelosigkeit, von, wie soll ich sagen, von diaphanischer, ataraxischer Glückseligkeit – Oh ja, es ist mir gelungen, ein Wörterbuch zu besorgen – so ließen sie mich zurück, meine Muskeln noch schmerzend von ihrer erschöpfenden Fürsorge, mein Fleisch in dem Balsam ihres Schweißes gebadet.

Es war dort in Amerika, daß ich Daphne kennenlernte. Eines Nachmittags auf einer Party im Haus irgendeines Professors stand ich auf der Veranda, mit einem dreifachen Gin in der Hand, als ich unter mir auf dem Rasen die Stimme meiner Heimat hörte; leise, doch klar, wie der Klang von auf Glas fallenden Wassers und mit jenem Hauch von Trägheit, welcher der unverwechselbare Ton unserer Kreise ist. Ich schaute hin, und da war sie, in einem geblümten Kleid und unmodischen Schuhen, ihr Haar in dem Afro-Look frisiert, der damals gerade in Mode gekommen war. Sie starrte stirnrunzelnd an der Schulter eines Mannes vorbei, der eine Jacke in schreienden Farben trug und mit blasierten Gesten auf etwas antwortete, das sie gefragt hatte, während sie ernsthaft nickte und überhaupt nicht zuhörte. Ich hatte nur diesen flüchtigen Blick von ihr, dann wandte ich mich ab, ich weiß nicht genau warum. Ich hatte eine meiner schlechten Launen und war halbwegs betrunken. Diesen Moment sehe ich als ein Emblem unseres gemeinsamen Lebens. Ich sollte die nächsten fünfzehn Jahre damit verbringen, mich von ihr abzuwenden, auf die ein oder andere Weise, bis zu jenem Morgen, als ich an der Reling des Inseldampfers stand, die schmierige Luft des Hafens einsog und ihr und dem Kind, zwei winzigen Gestalten unter mir auf dem Kai, halbherzig zuwinkte. An jenem Tag war sie es, die sich von mir abwandte, mit einer, wie es mir jetzt scheint, unendlich traurigen Endgültigkeit.

Das Bewußtsein meiner eigenen Dummheit bedrückte mich ebensosehr wie die Angst vor dem Kommenden. Ich kam mir lächerlich vor. Die Klemme, in die ich geraten war, war unwirklich: einer dieser verrückten Träume, aus denen irgendein unfähiger, fetter kleiner Mann einen drittklassigen Film drehen würde. Oft verdrängte ich es einfach für längere Zeit, wie man einen Traum verdrängt, egal wie schrecklich er war; aber es dauerte nie lange, bis dieses scheußliche, polypenhafte Monstrum wieder hervorgekrochen kam und eine heiße Welle von panischer Angst und Scham in mir emporstieg – ich schämte mich darüber, wie dumm ich gewesen war, auf welch unverantwortliche Weise es mir an Voraussicht gefehlt hatte; wie hatte ich mir bloß eine solche Suppe einbrocken können!

Da ich durch Randolph in eine Art Vorfilm gestolpert zu sein schien, hatte ich erwartet, daß die Besetzung dieser Komödie aus lauter Schurken bestehen würde, beängstigenden Typen mit niedrigen Stirnen und kleinen dünnen Schnurrbärten, die mit den Händen in den Hosentaschen im Kreis um mich herumstehen, gräßlich grinsen und an Zahnstochern nagen würden. Statt dessen wurde ich zu einer

Audienz mit einem silberhaarigen Hidalgo im weißen Anzug zitiert, der mich mit einem langen festen Händedruck begrüßte und mir mitteilte, daß sein Name Aguirre sei. Sein Benehmen war höflich und enthielt eine Spur des Bedauerns. Er paßte schlecht zu seiner Umgebung. Ich war in einem engen Treppenhaus zu einem schmutzigen niedrigen Raum über einer Bar hinaufgestiegen, in dem ein mit einem Wachstuch bedeckter Tisch und ein paar Korbstühle standen. Auf dem Boden unter dem Tisch saß ein völlig verdrecktes Kleinkind und saugte an einem hölzernen Löffel. Ein übergroßes Fernsehgerät kauerte in einer Ecke, in dessen leerem, drohenden Bildschirm ich mein Spiegelbild sah, unheimlich groß und dünn und in einem Bogen gekrümmt. Es roch nach gebratenem Essen. Mit einer leicht angeekelten Grimasse prüfte Señor Aguirre den Sitz eines der Stühle und ließ sich nieder. Er goß Wein für uns ein und leerte sein Glas, indem er auf mein Wohl trank. Er sei ein Geschäftsmann, sagte er, ein einfacher Geschäftsmann, kein berühmter Professor – und er lächelte mich an und verbeugte sich leicht – aber trotz alledem wisse er, daß es gewisse Regeln gebe, gewisse moralische Imperative. Er dächte besonders an einen, vielleicht könne ich mir denken, welchen? Stumm schüttelte ich den Kopf. Ich fühlte mich wie eine Maus, mit der eine geschmeidige, gelangweilte, alte Katze spielt. Sein Bedauern vertiefte sich. Darlehen, sagte er sanft, Darlehen sollten zurückgezahlt werden. Das sei das Gesetz, auf dem sich der Handel gründe. Er hoffe, daß ich seinen Standpunkt verstünde. Es folgte ein Schweigen. Eine Art entsetztes Erstaunen hatte mich ergriffen: dies war die harte Wirklichkeit, die Welt der Angst und der Schmerzen und der Vergeltung, ein bedrohlicher Ort, nicht jener sonnige Spielplatz, auf dem ich ganze Hände voll Geldes vergeudet hatte, das nicht das meine war. Ich werde nach Hause fahren müssen, sagte ich endlich, mit einer Stimme, die nicht meine eigene zu sein schien, dort gibt es Leute, die mir helfen werden, Freunde, Familie, von ihnen kann ich mir etwas leihen. Er überlegte. Ob ich alleine fahren werde? fragte er. Für einen Moment war mir nicht klar, worauf er hinauswollte. Dann wandte ich meinen Blick von ihm ab und sagte langsam ja, ja, meine Frau und mein Sohn werden wahrscheinlich hier bleiben. Und indem ich dies sagte, kam es mir vor, als hörte ich ein scheußlich meckerndes Lachen, ein urwaldhaftes verächtliches Gejohle direkt hinter meiner Schulter. Er lächelte und goß vorsichtig noch ein paar Tropfen Wein ein. Das Kind, das mit meinen Schnürsenkeln gespielt hatte, begann zu heulen. Ich war aufgeregt und hatte das Balg nicht absichtlich getreten. Señor Aguirre verzog das Gesicht und rief etwas über seine Schulter. Eine Tür hinter ihm öffnete sich und eine unwahrscheinlich fette, ärgerlich aussehende junge Frau steckte ihren Kopf herein und knurrte ihn an. Sie trug ein schwarzes ärmelloses Kleid mit schiefem Saum und eine glänzende schwarze Perücke, die so hoch war wie ein Bienenstock, mit dazu passenden falschen Augenwimpern. Sie kam hereingewatschelt, bückte sich mühevoll, hob das Kind auf und gab ihm einen klatschenden Schlag ins Gesicht. Es zuckte überrascht zusammen und starrte mich, indem es einen mächtigen Schluchzer herunterschluckte, mit seinen runden Augen ernst an. Die Frau warf mir ebenfalls einen wütenden Blick zu, nahm den hölzernen Löffel und schmiß ihn mit Geklapper vor mich auf den Tisch. Dann stampfte sie aus dem Raum, das Kind fest auf eine ihrer immensen Hüften gepflanzt, und knallte die Tür hinter sich zu. Señor Aguirre zuckte leicht und entschuldigend mit den Schultern. Er lächelte wieder und zwinkerte mir zu. Was ich denn von den Frauen der Insel hielte? Ich zögerte. Nun, nun, sagte er fröhlich, ich hätte doch bestimmt eine Meinung zu solch wichtigen Angelegenheiten. Ich sagte, sie seien hübsch, sehr hübsch, so ziemlich die Hübschesten, die ich je gesehen hätte. Er nickte glücklich, es war die Antwort, die er von mir erwartet hatte. Nein, sagte er, nein, zu dunkel, überall zu dunkel, selbst an den Stellen, die der Sonne nie ausgesetzt sind. Und er lehnte sich vor, mit seinem zerknitterten silbrigen Lächeln und tippte mir mit einem Finger leicht auf das Handgelenk. Die Frauen aus dem Norden dagegen, ah, diese bleichen Frauen aus dem Norden. Was für eine weiße Haut! So zart! So zerbrechlich! Ihre Frau zum Beispiel, sagte er. Es folgte ein weiteres atemloses Schweigen. Entfernt konnte ich scheppernde Musikfetzen aus dem Radio in der Bar unter uns hören. Stierkampfmusik. Mein Stuhl machte ein knakkendes Geräusch unter mir, wie eine gemurmelte Warnung. Señor Aguirre legte seine El-Greco-Hände zusammen und schaute mich über den Dachfirst seiner Fingerspitzen hinweg an. Ihre Fhrau, sagte er, das Wort herausatmend, Ihre wunderschöne Fhrau, Sie werden zu ihr zurückkommen? Es war keine wirkliche Frage. Was konnte ich zu ihm sagen, was konnte ich tun? Auch das sind keine wirklichen Fragen. Ich erzählte Daphne so wenig wie möglich. Sie schien zu verstehen. Sie machte keine Schwierigkeiten. Das war immer schon das Großartige an Daphne: sie macht keine Schwierigkeiten.

Es war eine lange Reise nach Hause. Bei Einbruch der Dunkelheit legte der Dampfer im Hafen von Valencia an. Ich hasse Spanien, es ist ein brutales und langweiliges Land. Die Stadt roch nach Sex und Chlor. Ich nahm den Nachtzug, eingekeilt in einem Dritte-Klasse-Abteil, zusammen mit einem halben Dutzend stinkender Bauern in billigen Anzügen. Ich konnte nicht schlafen. Mir war heiß, mein Kopf schmerzte. Ich konnte spüren, wie die Lokomotive sich den langen Hang zum Plateau hinaufquälte, während die Räder unaufhörlich immer wieder denselben Rhythmus trommelten. In Madrid dämmerte ein blaugewaschener Morgen. Ich blieb vor dem Bahnhof stehen und beobachtete einen Schwarm Vögel, der in unendlicher Höhe umherkreiste und durcheinanderwirbelte, und seltsamerweise durchströmte mich eine Welle der Euphorie, oder etwas der Euphorie sehr ähnliches, die mich zum Zittern brachte und mir die Tränen in die Augen trieb. Es war der Mangel an Schlaf, nehme ich an, und eine Folge der dünnen Höhenluft. Warum, frage ich mich, erinnere ich mich so deutlich daran, wie ich dort stand, an die Farbe des Himmels, an die Vögel und an diesen Schauer fieberhafter Zuversicht? Ich war an einem Wendepunkt, werden Sie mir sagen, genau dort gabelte sich die Zukunft für mich, und ich nahm den falschen Weg, ohne es zu merken – das werden Sie mir sagen, nicht wahr, Sie, die Sie in allem eine Bedeutung sehen müssen, nach Bedeutung geradezu lüstern, mit klebrigen Händen und brennenden Gesichtern. Aber beruhige dich, Frederick, beruhige dich. Vergeben Sie mir diesen Ausbruch, Euer Ehren. Es ist nur so, daß ich nicht glaube, daß solche Momente etwas bedeuten – genausowenig wie irgendwelche anderen Momente. Sie sind wichtig, allem Anschein nach. Sie könnten vielleicht sogar einen Wert haben. Aber sie bedeuten nichts.

So, jetzt habe ich mich meines Glaubens bekannt.

Wo war ich stehengeblieben? In Madrid. Dabei, wie ich Madrid verließ. Ich stieg in einen anderen Zug um und fuhr weiter in Richtung Norden. Wir hielten an jeder Station auf der Strecke, ich dachte, ich käme nie heraus aus diesem schrecklichen Land. Einmal blieben wir für eine Stunde irgendwo mitten im Nichts stehen. Ich saß in der tickenden Stille und starrte lustlos durch das Fenster. Hinter dem mit Müll übersäten Schienenstrang der Gegenrichtung sah man ein riesiges hochgewachsenes gelbes Feld und in der Ferne eine Kette von blauen Bergen, die ich zunächst für Wolken hielt. Die Sonne schien. Eine müde Krähe flatterte vorbei.

Jemand hustete. Ich dachte, wie merkwürdig es war, daß ich dort war, dort und nicht irgendwo sonst, meine ich. Nicht daß es mir weniger merkwürdig erschienen wäre, irgendwo sonst zu sein. Was ich damit meine, ist – ach, ich weiß nicht, was ich damit meine. Die Luft im Abteil war zäh. Die Sitze strömten einen staubigen, abgesessenen Geruch aus. Ein kleiner, dunkelhäutiger Mann mit tiefliegenden Augen, der mir gegenüber saß, fing meinen Blick auf und gab ihn nicht mehr frei. In diesem Augenblick wurde mir klar, daß ich auf dem Weg dazu war, etwas sehr Schlechtes zu tun, etwas wahrhaft Entsetzliches, etwas, für das es keine Vergebung geben würde. Es war keine Vorahnung, das wäre ein zu ungenaues Wort. Ich wußte es. Ich kann nicht erklären, wie, aber ich wußte es. Ich war über mich selbst schockiert, mein Atem beschleunigte sich, mein Gesicht pochte, als schämte ich mich; aber ebenso wie den Schock spürte ich eine Art übermütige Freude, die in meiner Kehle aufstieg und mich zu ersticken drohte. Dieser Bauer beobachtete mich noch immer. Er saß ein wenig nach vorne geneigt, seine Hände lagen entspannt auf seinen Knien, die Stirn war gesenkt, und er schien sowohl konzentriert als auch abwesend. Sie starren so, diese Leute, sie sind ihrer selbst so wenig bewußt, daß sie augenscheinlich glauben, ihre Handlungen würden von anderen nicht bemerkt werden. Als schauten sie aus einer anderen Welt zu uns herein.

Natürlich wußte ich sehr genau, daß ich davonlief.

Ich hatte damit gerechnet, im Regen anzukommen, und in Holyhead fiel tatsächlich ein dünner warmer Nieselregen; als wir jedoch auf den Kanal hinauskamen, brach wieder die Sonne hervor. Es war Abend. Die See war ruhig, ein geölter straff gespannter Meniskus, malvenfarben und seltsam hoch und gebogen. Aus dem Salon im vorderen Teil, in dem ich saß, schien es so, als hebe sich der Bug immer höher, so als sei das ganze Schiff verzweifelt darum bemüht, sich in die Lüfte zu schwingen. Vor uns zerlief der Himmel purpurrot, über blassem Blau und silbrigem Grün. Ich hielt mein Gesicht dem ruhigen Meereslicht entgegen, bezaubert, erwartungsvoll, und grinste wie ein armer Irrer. Ich muß zugeben, daß ich nicht mehr ganz nüchtern war, ich war bereits über die mir zugestandene Menge an zollfreiem Alkohol hergefallen, und die Haut an meinen Schläfen und um meine Augen spannte sich auf beunruhigende Weise. Es war jedoch nicht nur das Trinken, daß mich in eine so glückliche Stimmung versetzt hatte, sondern auch die allgemeine Zärtlichkeit der Dinge, die einfache Güte der Welt. Dieser Sonnenuntergang zum Beispiel, wie großzügig war er inszeniert, die Wolken, das Licht auf dem Meer, diese herzzerreißende blaugrüne Ferne, alles dies inszeniert, als ob es gelte, irgendeinen verirrten, leidgeplagten Wanderer zu trösten. Ich habe mich niemals wirklich daran gewöhnt, auf dieser Erde zu sein. Manchmal glaube ich, daß unsere Gegenwart hier die Folge eines kosmischen Fehlgriffs ist, daß wir für einen völlig anderen Planeten vorgesehen waren, mit anderen Bedingungen, anderen Gesetzen, und mit einem anderen, erbarmungsloseren Himmel. Ich versuche, ihn mir vorzustellen, unseren wahren Aufenthaltsort, draußen am anderen Ende der Galaxis, unaufhörlich im Kreis herumwirbelnd. Und die, die eigentlich hierher gehörten, sind sie dort draußen, verblüfft und heimwehkrank, wie wir? Nein, sie wären schon längst ausgestorben. Wie können sie überleben, diese sanften Erdlinge, in einer Welt, die geschaffen wurde, um *uns* zu enthalten?

Was mich als allererstes überraschte, waren die Stimmen. Der Akzent klang so sehr wie eine Karikatur, daß ich dachte, er müsse vorgetäuscht sein. Zwei Hafenarbeiter mit rohen Gesichtern und Glimmstengeln im Mund, ein Zollbeamter mit Mütze: meine Landsleute. Ich ging durch einen riesigen Wellblechschuppen und hinaus in das müde Gold des Sommerabends. Ein Bus fuhr vorbei und ein Arbeiter auf einem Fahrrad. Der Uhrenturm, dessen träge Uhr immer noch die falsche Zeit angab. Ich war überrascht, wie rührend das alles war. Der Pier, die Promenade, der grüne Musikpavillon; ich war gerne hier, als Kind. Es lag immer ein bezauberndes Gefühl der Melancholie in der Luft, ein leises Bedauern, als ob irgendeine merkwürdig fröhliche Musik, die letzte der Saison, gerade in der Luft verklungen sei. Mein Vater hatte den Ort nie anders als Kingstown genannt; er hatte keine Zeit für das einheimische Kauderwelsch. Sonntags nachmittags brachte er mich immer hierher, manchmal, in den Schulferien, auch an Wochentagen. Es war eine lange Fahrt von Coolgrange. Er parkte jedes Mal auf der Straße über dem Pier, gab mir einen Shilling und machte sich davon, indem er mich, wie er es nannte, meinem Schicksal überließ. Ich sehe mich dort sitzen, ich, der Froschkönig, wie ich auf dem hohen Rücksitz des Morris Oxford throne und ein Eis verzehre, wobei ich den sich verkleinernden, schmierigen Knubbel mit wissenschaftlichem Eifer rundherum ableckte und die vorbeipromenierenden Spaziergänger anstarrte, die bei dem Anblick meines bösartigen Gesichtsausdrucks und meiner umherzuckenden, sahnigen Zunge erbleichten. Die vom Meer her wehende Brise bildete eine weiche salzige Wand aus Luft in dem offenen Fenster des Autos, vermischt mit einer Spur von Rauch von dem Postdampfer, der unter mir angelegt hatte. Auf dem Dach des Yachtclubs erschauerten knatternd die Fahnen, und ein Dickicht von Schiffsmasten im Hafen schwankte und klimperte wie ein orientalisches Orchester.

Auf diesen Ausflügen begleitete uns meine Mutter nie. Sie waren, wie ich jetzt weiß, nur ein Vorwand für meinen Vater, um die Geliebte zu besuchen, die er sich dort hielt. Ich erinnere mich nicht daran, daß er sich irgendwie heimlichtuerisch verhalten hätte, jedenfalls nicht mehr als gewöhnlich. Er war ein zierlicher, gut gewachsener Mann, mit fahlen Augenbrauen, wässrigen Augen und einem kleinen blonden, leicht unanständigen Schnurrbart, der wie ein weiches, flaumiges Stück Fell wirkte, das seinen Weg versehentlich von einem anderen, geheimeren Teil seiner Person zu seinem Gesicht gefunden hatte. Der Schnurrbart machte seinen Mund erschreckend lebendig, ein hungriges, brutales, rotfarbenes Ding, das knirschte und knurrte. Er war immer mehr oder weniger ärgerlich und kochte vor Wut und Entrüstung. Hinter dem Getöse jedoch war er ein Feigling, glaube ich. Er bemitleidete sich selbst und war davon überzeugt, daß die Welt ihn schlecht behandelt hatte. Zur Entschädigung verhätschelte er sich und gönnte sich besondere Freuden. Er trug handgemachte Schuhe und Schlipse von Charvet, trank teuren Bordeaux und rauchte Zigaretten, die in luftdichten Dosen aus einem Laden in der Burlington Arcade speziell für ihn importiert worden waren. Ich habe, beziehungsweise hatte noch seinen Spazierstock aus Malakka. Er war unbeschreiblich stolz darauf und genoß es, mir zu zeigen, wie er gemacht war, aus vier – oder vielleicht waren es auch acht – Stücken Spanischen Rohrs, die von einem meisterlichen Handwerker zurechtgeschnitzt und zusammengefügt worden waren. Ich mußte mich sehr zusammenreißen, um nicht in Gelächter auszubrechen, er war so lächerlich ernsthaft dabei. Er machte den Fehler, sich einzubilden, daß seine Besitztümer ein Maßstab für seinen eigenen Wert waren, und während er seine Sachen zur Schau stellte, krähte und stolzierte er herum, wie ein Schuljunge, der mit seiner siegreichen Schleuder protzt. In der Tat hatte er etwas von einem ewigen Schuljungen an sich, etwas Vorläufiges und Pubertäres. Wenn ich mir uns beide zusammen vorstelle, dann kommt er mir auf eine unmögliche Art jung vor, während ich mich selbst als schon erwachsen sehe, des Ganzen überdrüssig, verbittert. Ich habe den Verdacht, daß er ein wenig Angst vor mir hatte. Mit zwölf oder dreizehn war ich bereits so groß wie er, oder jedenfalls genauso dick, denn obwohl ich seine blasse Färbung geerbt hatte, kam ich der Form nach ganz auf meine Mutter und neigte schon in diesem Alter dazu, Speck anzusetzen. (Jawohl, mein Freund, Sie sehen einen Mann mittlerer Größe vor sich, in dem ein Fettwanst steckt, der versucht, nicht hervorzubrechen. Er ist nämlich einmal losgelassen worden, der Kerl, nur einmal, und sehen Sie, was passiert ist.)

Ich hoffe, ich habe nicht den Eindruck erweckt, daß ich meinen Vater nicht mochte. Wir haben uns nicht sehr oft unterhalten, aber wir waren durchaus freundlich zueinander, wie Väter und Söhne halt zueinander sind. Genauso wie er mich ein wenig fürchtete, war auch ich weise genug, um mich vor *ihm* in acht zu nehmen – ein Verhalten, daß man leicht für gegenseitige Wertschätzung halten konnte; selbst uns unterlief dieser Irrtum manchmal. Wir empfanden einen großen Widerwillen für den Rest der Welt, soviel hatten wir gemeinsam. Ich stelle fest, daß ich sein Lachen geerbt habe, jenes leise nasale Kichern, das sein einziger Kommentar zu den wichtigsten Ereignissen seiner Zeit war. Konflikte, Kriege, Katastrophen, was bedeuteten ihm solche Lappalien? – die Welt, die einzige Welt, die es wert war, in ihr zu leben, hatte aufgehört, als der letzte Vizekönig diese Küsten verließ; danach wurde alles nur noch zum Gerangel zwischen Bauern. Er hat tatsächlich versucht, an dieses Hirngespinst eines großen, wundervollen Landes zu glauben, das uns und unsresgleichen weggenommen worden war – wir, das waren die Katholiken, die England treu geblieben waren, wie er gerne sagte, jawohl, mein Herr, die englandtreuen Katholiken, und stolz darauf. Aber ich denke, daß der Kummer den Stolz überwog. Ich glaube, im geheimen schämte er sich, kein Protestant zu sein: er hätte nicht so viel erklären, nicht so oft eine Rechtfertigung ablegen müssen. Er sah sich selbst als eine tragische Figur, als ein Gentleman der alten Schule, der in die falsche Zeit geraten ist. Ich stelle ihn mir an jenen Sonntagnachmittagen mit seiner Geliebten vor; eine üppige junge Dame, vermute ich, mit Locken, die ihr nicht stehen und einem freizügigen Ausschnitt; er kniet vor ihr, indem er zitternd auf einem Bein balanciert und starrt ihr atemlos ins Gesicht, während sein Schnurrbart zuckt und sein feuchter roter Mund flehend geöffnet ist. Oh, ich sollte mich nicht so über ihn lustig machen. Ehrlich, ich habe nicht schlecht von ihm gedacht – das heißt, wenn man einmal davon absieht, daß es mich tief in mir drin danach verlangte, ihn zu töten, um meine Mutter heiraten zu können, eine neue bezwingende Idee, die mein Verteidiger mir mit einem bedeutungsvollen Ausdruck in den Augen häufig aufdrängt.

Aber ich schweife ab.

Der Charme, den Kingstown, oder besser gesagt Dun Laoghaire auf mich ausgeübt hatte, hielt nicht bis in die Stadt an. Von meinem Platz auf dem oberen Deck des Busses – mein gewohnheitsmäßiger Platz, mein Lieblingsplatz! – sah ich

Szenen, die ich kaum wiedererkannte. In den zehn Jahren, seit ich das letzte Mal hier gewesen war, war etwas passiert, war irgend etwas mit diesem Ort geschehen. Ganze Straßenzüge waren verschwunden, die Häuser waren herausgerissen und durch beängstigende Blöcke aus Stahl und schwarzem Glas ersetzt worden. Einen alten Platz, an dem Daphne und ich für eine Weile gelebt hatten, hatte man zerstört und in einen riesigen, verdreckten Parkplatz verwandelt. Ich sah eine Kirche, die zum Verkauf angeboten wurde – eine Kirche, zum Verkauf! Oh, etwas Fürchterliches war passiert. Sogar die Luft hatte sich verändert. Trotz der späten Stunde war noch ein leichter Hauch von Tageslicht zurückgeblieben, dicht und staubbeladen, wie der Dunstschleier nach einer Explosion oder einer großen Feuersbrunst. Die Leute in den Straßen hatten den erschütterten Gesichtsausdruck von Überlebenden einer Katastrophe, es schien so, als taumelten sie mehr, als daß sie gingen. Ich stieg aus dem Bus aus und schlängelte mich mit gesenktem Blick zwischen ihnen hindurch, aus Angst, irgend etwas Furchtbares zu sehen. Barfußige Gassenkinder liefen neben mir her und jammerten nach Pennies. Überall Betrunkene, freudlose, verwirrte Kerle, die vor sich hinstolperten und fluchten. Aus einem Keller, in dem es vor lauter Musik rhythmisch dröhnte, tauchte ein erstaunliches Paar auf; ein bedrohlich aussehender, pockennarbiger junger Mann mit einem orangefarbenen Haarkamm, und ein grellgesichtiges Mädchen mit Gladiatorenstiefeln und zerlumpten, rußschwarzen Kleidern. Sie hatten sich mit Seilen und Ketten behängt, und mit etwas, das wie ein Patronengürtel aussah, und ihre Nasenflügel waren von goldenen Ohrsteckern durchbohrt. Noch nie hatte ich solche Wesen gesehen, ich hielt sie für Mitglieder irgendeiner skurrilen Sekte. Ich floh vor ihnen, indem ich in Wally's Pub hineinhechtete. Hechten ist das richtige Wort. Ich hatte erwartet, es verändert vorzufinden, wie alles andere auch. Ich war gern bei Wally's. Als ich noch Student war, habe ich dort immer getrunken, und auch später, als ich für die Regierung arbeitete. Der Laden hatte immer einen Anflug von Schäbigkeit, der mir sympathisch war. Ich weiß, daß man der Tatsache, daß dieser Ort von Homosexuellen frequentiert wurde, große Bedeutung beigemessen hat, aber ich vertraue darauf, daß das hohe Gericht die Schlußfolgerungen, die stillschweigend daraus gezogen worden sind, insbesondere von der Boulevardpresse, von sich weisen wird. Ich bin nicht schwul. Ich habe nichts gegen diejenigen, die es sind, abgesehen davon, daß ich sie natürlich verachte und den Gedanken an die Dinge, die sie miteinander treiben – was auch immer das sein mag – ekelhaft finde. Aber ihre Gegenwart verlieh der Atmosphäre in Wally's eine gewisse liederliche Heiterkeit, einen leicht bedrohlichen Anstrich. Ich genoß den Schauder von Verlegenheit und maliziöser Angst, der mir wie ein Tropfen Quecksilber das Rückgrat hinaufrann, wenn eine Horde von ihnen plötzlich in schrilles Papageiengelächter ausbrach; oder wenn sie betrunken waren und anfingen, sich mit laut gebrüllten Beschimpfungen zu überschütten und Sachen zu zerschmeißen. An diesem Abend, als ich hereingehastet kam, um vor der verwundeten Stadt Schutz zu suchen, waren sie das erste, was ich sah; ein halbes Dutzend von ihnen an einem Tisch neben der Tür, mit zusammengesteckten Köpfen, flüsternd, kichernd und einander fröhlich betatschend. Wally selbst war hinter der Theke. Er war noch fetter geworden, was ich nicht für möglich gehalten hätte, aber abgesehen davon hatte er sich in den zehn Jahren nicht verändert. Ich begrüßte ihn sehr herzlich. Ich habe den Verdacht, daß er sich an mich erinnerte, obwohl er das natürlich nie zugeben würde: Wally hielt sehr viel auf sein griesgrämiges Benehmen. Ich bestellte einen großen, einen gigantischen Gin Tonic, und mit einem widerwilligen Seufzer wuchtete er sich von dem Barhocker herunter, auf den er sich gepflanzt hatte. Er bewegte sich sehr langsam, als befinde er sich unter Wasser, und wogte in seinem Fett wie eine Qualle. Ich erzählte ihm von der zum Verkauf angebotenen Kirche, die ich gesehen hatte. Er zuckte mit den Schultern und war keineswegs überrascht, solche Dinge waren heutzutage alltäglich. Als er mein Glas vor mich hinstellte, platzte der dicht zusammengedrängte Schwulenclub neben der Tür plötzlich mit laut klatschendem Gelächter auseinander, und er runzelte mißbilligend die Stirn, während er seinen winzigen Mund verzog, der daraufhin in den Falten seines fetten Kinns fast verschwand. Er tat so, als verachtete er seine Kundschaft, obwohl man sich erzählte, daß er sich selbst eine Schar von Jungen hielt, über die er mit großer Strenge herrschte, eifersüchtig und furchtgebietend wie eine aus einer Beardsley-Zeichnung entstiegene Königin.

Ich leerte mein Glas. Gin hat etwas an sich, den scharfen Geruch aus den Tiefen des urwüchsigen Waldes vielleicht, das mich immer an Zwielicht und Nebel und tote Jungfern denken läßt. An diesem Abend gluckste er in meinem Mund wie heimliches Gelächter. Ich schaute mich um. Nein, Wally's hatte sich nicht verändert, in keinster Weise. Dies war meine Domäne, die von leisem Murmeln erfüllte Düsternis, die Spiegel, die hinter der Theke aufgereihten Flaschen, jede mit einer Perle rubinfarbenen Lichts. Ja, dies war die Hexenküche, mit einer fürchterlichen, fetten Königin und einer kichernden Schar Feenvolks. Und siehe, es gab sogar einen Menschenfresser – Gilles, den Schrecklichen, *c'est moi.* Ich war glücklich. Ich genieße das Unpassende, das Anrüchige. Das gebe ich zu. In verrufenen Spelunken wie dieser fällt die Last meiner Geburt und Erziehung von mir ab, und ich fühle, ich fühle – ich weiß nicht, was ich fühle. Ich weiß es nicht. Und ohnehin ist das Tempus falsch. Ich wandte mich Wally zu, hielt ihm mein Glas entgegen und beobachtete in

einer Art betäubter Euphorie, wie er noch einen Zauber-
trank in einen kleinen silbernen Kelch für mich ausschenkte.
Das blaue Aufleuchten, als er das Eis hinzugab, woran erinnert es mich? Blaue Augen. Ja, natürlich.

Habe ich wirklich »tote Jungfern« gesagt? Du liebe Güte.

So saß ich also in Wally's Pub und trank und sprach zu
Wally von diesem und jenem – wobei sich sein Teil der Unterhaltung auf Schulterzucken, schwerfälliges Grunzen und
ein gelegentliches boshaftes Kichern beschränkte – und allmählich wurde das Dröhnen in meinem Kopf, das ich vom
Reisen immer bekomme, zum Schweigen gebracht. Ich
fühlte mich, als ob ich, anstatt mit Schiff und Bahn gereist zu
sein, durch die Luft gefallen sei, um an diesem Ort schließlich zu landen, erschöpft und glücklich, und auf eine ange-
nehme, fast wollüstige Art verletzlich. Diese zehn Jahre, die
ich in rastloser Wanderung verbracht hatte, waren wie
nichts, eine Traumreise, unwirklich, immateriell. Wie weit
weg das alles zu sein schien, jene Inseln in einem blauen
Meer, jene brennenden Mittagsstunden, und Randolph und
Señor Aguirre, sogar meine Frau und mein Kind, wie weit,
weit weg. So kam es, daß ich Charlie French, als er hereinkam, begrüßte, als hätte ich ihn erst gestern noch gesehen.

Ich weiß, daß Charlie darauf besteht, daß er mich nicht in
Wally's Pub getroffen hat, daß er dem Ort niemals auch nur
nahe gekommen ist, aber alles, was ich bereit bin, zuzugeben, ist die Möglichkeit, daß es nicht ausgerechnet jener
Abend war, an dem ich ihn dort gesehen habe. Ich erinnere
mich an den Augenblick mit absoluter Klarheit, die flüstern-
den Schwulen, und Wally, wie er mit geübten und unnach-
ahmlich verächtlichen Bewegungen aus dem Handgelenk ein
Glas poliert, und ich, wie ich an der Bar sitze mit einem
riesen Glas Gin in der Faust und meinem alten schweinsle-
dernen Koffer zu meinen Füßen, und Charlie, wie er dort
zögernd stehenbleibt, in seinen Nadelstreifen und abgewetz-

ten Schuhen, ein vergeßlicher Eumaios, der unsicher lächelt und mich mit einer vagen Vermutung mustert. Trotzdem ist es wohl möglich, daß ich in meiner Erinnerung zwei verschiedene Gelegenheiten zusammengefaßt habe. Es ist möglich. Was kann ich sonst noch dazu sagen? Ich hoffe, Charles, daß dieses Zugeständnis die Kränkung, die du empfindest, mildern wird, wenn auch nur ein wenig.

Die Leute denken, ich sei herzlos, aber ich bin es nicht. Ich empfinde großes Mitleid für Charlie French. Ich habe ihm viel Kummer bereitet, darüber gibt es keinen Zweifel. Ich habe ihn vor der Welt gedemütigt. Was für ein Schmerz muß das gewesen sein, für einen Mann wie Charlie. Trotzdem hat er sich sehr anständig verhalten. Während jener letzten, entsetzlichen und entsetzlich komischen Szene, als ich in Handschellen aus dem Haus geführt wurde, hat er mich nicht vorwurfsvoll, sondern mit einer Art Traurigkeit angeschaut. Fast hat er gelächelt. Und ich war dankbar. Er ist für mich nun eine Quelle von Schuldgefühlen und Verdruß, aber er war mein Freund, und –

Er war mein Freund. So ein schlichter Satz und doch so rührend. Ich glaube nicht, daß ich ihn je vorher benutzt habe. Als ich ihn niederschrieb, mußte ich bestürzt innehalten. Etwas stieg in meiner Kehle hoch, als ob ich drauf und dran sei zu, ja, zu heulen. Was passiert mit mir? Ist es das, was sie mit Rehabilitation meinen? Vielleicht werde ich diesen Ort ja doch noch als bekehrte Seele verlassen.

Der arme Charlie hat mich zunächst gar nicht erkannt, und ich merkte, daß es ihm außerordentlich unangenehm war, an diesem Ort, auf eine solch vertrauliche Weise von einer Person angesprochen zu werden, von der er glaubte, daß sie ein völlig Fremder sei. Ich genoß die Situation, es war, als sei ich verkleidet. Ich bot ihm einen Drink an, aber er lehnte mit ausgesuchter Höflichkeit ab. Er war alt geworden. Er war eigentlich Anfang sechzig, sah aber älter aus. Er war gebeugt, hatte einen kleinen, eiförmigen Wanst, und seine aschfarbenen Wangen waren von einem Filigrangewebe geborstener Adern durchzogen. Und doch erweckte er einen Eindruck von, wie soll ich es nennen, von Ausgeglichenheit, der neu an ihm war. Es wirkte so, als würde er endlich den ihm zugewiesenen Platz ausfüllen. In der Zeit damals, als ich ihn kannte, war er ein mickriger, kleiner Händler für Gemälde und Antiquitäten gewesen. Nun hatte er ein Auftreten, das fast etwas Majestätisches hatte und das in der grellen Ausstattung von Wallys Kneipe um so mehr auffiel. Zwar war, das stimmt, immer noch jener altbekannte Ausdruck in seinen Augen, zugleich spitzbübisch und verlegen, aber ich mußte genau hinsehen, um ihn zu entdecken. Er begann, sich vorsichtig von mir zu entfernen, wobei er immer noch irritiert lächelte, aber dann muß er seinerseits etwas Vertrautes in meinen Augen entdeckt haben und erkannte mich endlich. Erleichtert gab er ein gehauchtes Lachen von sich und schaute sich in der Bar um. Daran erinnere ich mich, an diesen Rundumblick, als hätte er gerade entdeckt, daß sein Hosenstall offen war und wollte nun schauen, ob es jemand bemerkt hatte. Freddie! sagte er. Ja so was! Er zündete sich mit etwas zittrigen Fingern eine Zigarette an und blies eine gewaltige Rauchwolke an die Decke. Ich versuchte, mich daran zu erinnern, wann ich ihn das erste Mal gesehen hatte. Als mein Vater noch lebte, kam er immer nach Coolgrange runter, lungerte verstohlen im Haus herum und sah jedesmal so aus, als wollte er sich für seine Gegenwart entschuldigen. Sie waren zusammen jung gewesen, er und meine Eltern, und immer, wenn sie etwas beschwipst waren, ergingen sie sich in Erinnerungen über Jagdbälle vor dem Krieg und die alljährliche Hetze runter in die Stadt wegen der Dublin Horse Show und lauter ähnliches Zeug. Ich hörte diesem Kram mit grenzenloser Verachtung zu, während ich meine vom ersten pubertären Flaum bedeckten Lippen kräuselte.

Sie klangen wie Schauspieler, die sich mit irgendeiner alten, ausgelaugten Salonkomödie herumschlagen, wobei sie alle fürchterlich angaben, besonders meine Mutter, mit ihren scharlachroten Fingernägeln, den metallfarbenen Dauerwellen und dieser heiseren Gin-und-Zigaretten-Stimme. Aber um Charles gerecht zu werden, ich glaube nicht, daß er sich wirklich auf dieses Hirngespinst der geliebten alten Zeiten eingelassen hat. Unmöglich konnte er den leisen Hauch von Hysterie ignorieren, der die kropfige Kehle meiner Mutter zum Zittern brachte, noch die Art, wie mein Vater sie manchmal anschaute, auf der Stuhlkante balancierend, spannungsgeladen wie eine Peitsche, bleich und mit hervorquellenden Augen und einem Gesichtsausdruck voll fassungsloser Abscheu. Wenn sie so in Fahrt gerieten, die beiden, vergaßen sie alles andere, ihren Sohn, ihren Freund, alles, und waren in einer Art makabrer Trance ineinander verbissen. Das hatte zur Folge, daß Charlie und ich uns oft Gesellschaft leisteten. Er behandelte mich außerordentlich vorsichtig, als ob ich etwas sei, das jeden Moment vor seiner Nase explodieren könnte. Ich war sehr wild in jener Zeit und floß sozusagen über vor Ungeduld und Verachtung. Wir müssen ein höchst eigenartiges Paar abgegeben haben, und doch kamen wir, auf einer mehr untergründigen Ebene, gut miteinander aus. Vielleicht sah er den Sohn in mir, den er nie haben würde, vielleicht sah ich den Vater in ihm, den ich nie gehabt hatte. (Dies ist wieder eine Idee, die mein Verteidiger mir vorgeschlagen hat. Es ist mir ein Rätsel, wo um alles in der Welt du so was immer hernimmst, Maolseachlainn!) Wo war ich stehengeblieben? Charlie. Er nahm mich einmal zum Rennen mit, als ich noch ein Junge war. Er war für die Gelegenheit perfekt ausgerüstet, im Tweedanzug, braunen Schnürstiefeln und einem Filzhut, den er sich in einem verwegen schiefen Winkel ins Gesicht gezogen hatte. Er hatte sogar ein Fernglas, schien jedoch nicht in der Lage zu sein, es auf die nötige Schärfe einzustellen. Er spielte seine Rolle gut, abgesehen davon, daß er sich irgendwie verkrampft benahm, so als würde er jeden Moment in hilfloses Gekicher über sich und seine Prahlerei ausbrechen. Ich war fünfzehn oder sechzehn. Im Festzelt fragte er mich höflich, was ich zu trinken wünsche, Whiskey oder Scotch – und brachte mich abends in völlig betrunkenem und trotzig gröhlendem Zustand nach Hause. Mein Vater war furchtbar wütend, meine Mutter lachte nur. Charlie behielt eine gelassene Ruhe bei, tat so, als sei alles in schönster Ordnung und steckte mir einen Geldschein zu, als ich ins Bett stolperte.

Ach Charles, es tut mir leid, ehrlich.

An diesem Abend, als ob auch er sich daran erinnerte, bestand er darauf, mich auf einen Drink einzuladen, und verzog tadelnd den Mund, als ich einen Gin bestellte. Er selbst schwor ausschließlich auf Whiskey. Das war ein Bestandteil seiner Verkleidung, ebenso wie der gestreifte Anzug, die handgemachten Schuhe und dieser wunderbare helmartige Haarschopf, der nun ganz versilbert war und der, wie meine Mutter immer sagte, der Grund dafür war, daß er zu etwas Großem ausersehen war. Er hatte es jedoch immer verstanden, sein diesbezügliches Schicksal zu umgehen. Ich fragte ihn, was er gegenwärtig so tue. Nun, sagte er, ich leite eine Galerie. Und er schaute sich mit einem abwesenden, verwunderten Lächeln um, als ob er selbst über eine solche Idee überrascht sei. Ich nickte. Also das war es, was ihn hatte aufleben lassen, was ihn so selbstbewußt gemacht hatte. Ich stellte ihn mir in einem staubigen Raum in der tiefsten Provinz vor, mit ein paar düsteren Bildern an den Wänden, und mit einer alten Jungfer als Sekretärin, die sich mit ihm über ihr Pausengeld zankt und ihm jedes Jahr zu Weihnachten eine in Seidenpapier eingewickelte Krawatte schenkt. Armer Charles, nun war er schließlich doch gezwungen, sich selbst ernst zu nehmen, mit einem Geschäft, um das er sich kümmern muß und mit Künstlern, die ihm wegen ihres Geldes hinterherrennen. Hier, sagte ich, laß mich das übernehmen, schälte einen Geldschein aus meinem rapide abnehmenden Geldvorrat und knallte ihn auf die Bar.

Aber um ehrlich zu sein, ich hatte daran gedacht, ihn um einen Kredit zu bitten. Was mich davon abhielt, war – nun, dies wird einige Mitglieder des hohen Gerichts zum Lachen bringen, ich weiß, Tatsache ist jedoch, daß ich das Gefühl hatte, daß das von schlechtem Geschmack gezeugt hätte. Nicht daß ich zimperlich wäre in solchen Angelegenheiten, ich habe in meinem Leben schon traurigere Fälle als Charles angepumpt, aber wie die Umstände lagen, hielt mich etwas zurück. Es war tatsächlich so, als seien wir Vater und Sohn – nicht *mein* Vater natürlich, und sicherlich nicht *dieser* Sohn –, die sich zufällig in einem Bordell trafen. Befangen, traurig und leicht beschämt taten wir so, als sei alles in schönster Ordnung, machten ein Riesengetöse, stießen unsere Gläser zusammen und tranken auf die guten alten Zeiten. Aber es hatte keinen Zweck, nach kurzer Zeit stockten wir und verfielen in ein düsteres Schweigen. Dann schaute Charlie mich plötzlich an, mit einem fast blitzartig aufflakkernden schmerzlichen Gesichtsausdruck, und sagte mit leiser, leidenschaftlicher Stimme, Freddie, was hast du bloß mit dir gemacht? Er schämte sich sofort und rückte angstvoll von mir ab, während er verzweifelt grinste und zur Tarnung eine Rauchwolke ausstieß. Erst war ich wütend und dann deprimiert. Ich war wirklich nicht in der rechten Stimmung für so was. Ich warf einen Blick auf die Uhr hinter der Theke und sagte, indem ich ihn vorsätzlich mißverstand, ja, das sei wahr, es sei ein langer Tag gewesen und ich hätte mich wohl übernommen, trank mein Glas aus, schüttelte ihm die Hand, nahm meine Tasche und ging.

Da war sie wieder, dieselbe Frage, nur in einem anderen Gewand: Warum, Freddie, warum lebst du so? Auf meiner Fahrt nach Coolgrange am nächsten Morgen grübelte ich darüber nach. Der Tag sah so aus, wie ich mich fühlte, grau, fade und schwerfällig. Der Bus wälzte sich mühsam stampfend und schlingernd die engen Landstraßen hinunter, und es schien mir, als sei das dumpfe Heulen und Zischen, das er dabei von sich gab, das Geräusch meines eigenen Blutes, wie es in meinem Gehirn pocht. Die unzähligen Möglichkeiten meiner Vergangenheit lagen hinter mir, ein Trümmerhaufen. War denn irgendwo darin eine besondere Scherbe, die mir zeigen würde, wie ich denn nun eigentlich zu meinem gegenwärtigen Zustand gekommen war – eine Entscheidung, die ich getroffen hatte, ein Weg, den ich gewählt, ein Wegweiser, dem ich gefolgt war? Nein, natürlich nicht. Meine Reise, wie die aller anderen, auch die Ihre, Euer Ehren, war nicht von Wegweisern, von entschlossenem Marschieren bestimmt gewesen, sondern lediglich von ziellosem Treiben, war eine Art langsames Absacken, während sich meine Schultern beugten unter der allmählichen Ansammlung all dessen, was ich getan hatte. Und doch kann ich verstehen, daß ich jemandem wie Charles, der das Ganze von unten beobachtete, wie ein Fabelwesen vorgekommen sein muß, das die fernen Gipfel erklimmt, höher und höher steigt und sich schließlich von der Bergesspitze aus in einen wundervollen, feurigen Höhenflug stürzt, den Kopf von Flammen bekränzt. Aber ich bin nicht Euphorion. Ich bin nicht einmal sein Vater.

Die Frage ist falsch, da liegt das Problem. Sie geht von der Voraussetzung aus, daß alle Handlungen von freier Willensentscheidung bestimmt sind, von einem wohlüberlegten Gedankengang, von vorsichtigem Gegeneinanderabwägen von Tatsachen; all dieses Marionettentheatergezucke, das man allgemeinhin für Bewußtsein hält. Ich lebte so, weil ich eben so lebte, es gibt keine andere Antwort. Wenn ich zurückblicke, kann ich keinen klaren Bruch zwischen einem Abschnitt und dem nächsten entdecken, so sehr ich es auch versuchen mag. Es ist ein nahtloses Strömen – obwohl, Strömen ist das falsche Wort. Eher eine Art geschäftiger Stillstand, eine Art auf der Stelle treten. Sogar das war jedoch zu schnell für mich, ich blieb immer ein wenig zurück, hinkte dem Schlußlicht meines eigenen Lebens hinterher. In Dublin war ich immer noch der Junge, der in Coolgrange aufwächst, in Amerika war ich der unreife junge Mann der Dubliner Tage, auf den Inseln wurde ich eine Art Amerikaner. Alles würde noch kommen, war auf dem Weg, war im Begriff zu passieren. Und nichts reichte aus. Während ich in der Vergangenheit steckengeblieben war, schielte ich an der Gegenwart vorbei in eine grenzenlose Zukunft. Ich denke, jetzt könnte man vielleicht sagen, daß die Zukunft endlich eingetroffen ist.

Nichts davon bedeutet irgend etwas. Nichts von irgendwelcher Tragweite, meine ich. Ich sinniere, amüsiere, verliere mich nur in einem Wortmeer. Denn Wörter sind hier drinnen ein Luxus, etwas Sinnliches, sie sind alles, was man uns zu behalten erlaubt hat von der reichen verschwenderischen Welt, von der wir ausgeschlossen worden sind.

O Gott, Jesus, holt mich hier raus!

Irgend jemand!

Ich muß damit aufhören, ich kriege schon wieder Kopfschmerzen. Sie stellen sich immer häufiger ein. Keine Sorge, Euer Ehren, es besteht keine Notwendigkeit, den Ordnungsbeamten oder den Gerichtsdiener zu rufen, oder wie auch immer er sich nennen mag – es sind nur Kopfschmerzen. Ich werde nicht plötzlich zu toben anfangen, meinen Kopf umklammern und brüllen, nach meiner – aber wenn man vom Teufel spricht, hier ist sie ja, Ma Jarrett persönlich. Komm, tritt ein in den Zeugenstand, Mutter.

Es war noch früh am Nachmittag, als ich in Coolgrange eintraf. Ich stieg an der Kreuzung aus und schaute dem davonrumpelnden Bus nach, dessen breites Hinterteil irgendwie hämisch aussah. Das Geräusch des Motors verklang allmählich, und die pochende Stille des Sommers senkte sich wieder auf die Felder herab. Der Himmel war noch bewölkt, aber irgendwo hatte die Sonne sich durchgesetzt, und das Licht, das vorher trüb und fade gewesen war, hatte nun einen zarten perlgrauen Schimmer. Ich stand da und schaute mich um. Was ist doch das Vertraute immer für eine Überraschung! Es war alles da, das zerbrochene Gatter, die Auffahrt, der breite Rasen, das Eichenwäldchen – zu Hause! – alles genau an seinem Platz, alles wartete auf mich, ein bißchen kleiner, als ich es in Erinnerung hatte, als sei es eine maßstabsgetreue Nachbildung seiner selbst. Ich lachte. Es war kein echtes Lachen, eher ein Ausruf des Erschreckens und des Wiedererkennens. In einer Szenerie wie dieser – Bäume, die schimmernden Felder, das sanfte, weiche Licht – fühle ich mich immer wie ein Wanderer, der im Begriff ist aufzubrechen. Selbst bei der Ankunft schien es mir, als wendete ich mich ab, mit einem sehnsüchtigen Blick auf das verlorene Land. Ich machte mich auf den Weg die Auffahrt hinauf, den Regenmantel über die Schulter gehängt und die zerbeulte Tasche in der Hand, das personifizierte Klischee; obwohl man sagen muß, daß ich für die Rolle des verlorenen Sohnes ein paar Jahre zuviel auf dem Buckel hatte und auch etwas zu fleischig geraten war. Ein Hund tauchte aus der Hecke auf und schlich mit einem gutturalen Knurren und bis aufs Zahnfleisch entblößten Zähnen auf mich zu. Ich blieb

stehen. Ich mag Hunde nicht. Dieser hier war ein schwarz-
weißes Subjekt mit tückischem Blick und bewegte sich im
Halbkreis vor mir hin und her, wobei er immer noch knurrte
und seinen Bauch fast über den Boden schleifte. Ich hielt den
Koffer als Schild vor meine Knie und sprach in scharfem
Ton auf ihn ein, als ob ich zu einem ungezogenen Kind spräche, aber meine Stimme hatte sich plötzlich in ein gebroche-
nes Falsett verwandelt, und für einen Augenblick entstand
der Eindruck einer allgemeinen Fröhlichkeit, als ob zwischen den Blättern Gesichter versteckt seien, die lachten.
Dann ertönte ein Pfiff, und die Bestie winselte und wandte
sich schuldbewußt dem Hause zu. Meine Mutter stand auf
der Eingangstreppe. Sie lachte. Plötzlich brach in einer laut-
losen Explosion die Sonne hervor. Grundgütiger, sagte sie,
du bist es!, ich dachte schon, ich sehe Gespenster.

Ich zögere. Es ist nicht, als fehlten mir die Worte, eher das
Gegenteil. Es gibt so viel zu sagen, daß ich nicht weiß, wo
ich anfangen soll. Ich spüre, wie ich langsam rückwärts tau-
mele, während ich in meinen ausgestreckten Armen eine gewaltige, sperrige und doch schwerelose Last umklammert
halte. Sie ist so viel, und gleichzeitig gar nichts. Ich muß
vorsichtig vorgehen, dies ist gefährliches Gebiet. Natürlich,
ich weiß, was auch immer ich sagen werde, wird mir ein
wissendes und süffisantes Lächeln der im Gerichtssaal so
zahlreich versammelten Hobbypsychologen eintragen. Sobald es um das Thema »Mütter« geht, ist Einfachheit strengstens verboten. Wie dem auch immer sei, ich werde versuchen, ehrlich zu sein und mich klar auszudrücken. Ihr Name
ist Dorothy, obwohl sie von allen immer Dolly genannt
wurde, ich weiß nicht, warum, denn sie hat nichts Puppen-
haftes an sich. Sie ist eine korpulente, energische Frau und
hat das breite Gesicht und die üppigen Haare einer Kessel-

flickerin. Ich möchte nicht respektlos klingen, wenn ich sie so beschreibe. Auf ihre eigene Art und Weise ist sie sehr imposant und ebenso majestätisch wie verlottert. Wenn ich an meine Kindheit denke, dann ist sie darin eine dauernde, aber ferne Gegenwart, standbildhaft, mit ausdruckslosen Augen. In dieser Erinnerung sieht sie unwahrscheinlich gut aus, auf eine Art, als sei sie dem alten Rom entstiegen, wie eine Marmorstatue in der hintersten Ecke des Gartens. Später jedoch legte sie sich einen beachtlichen Vorbau und einen breiten Hintern zu, während ihre Beine schlank blieben; ein Kontrast, der mich, als ich ein Jugendlicher mit einem krankhaften Interesse an solchen Dingen war, zu Vermutungen darüber verleitete, welch komplizierte Architektur unter ihrem Rock wohl nötig sein müsse, um die Kluft zwischen ihren wohlgeformten Knien und dieser breiten Taille zu überbrücken. Hallo Mutter, sagte ich, und wandte unwillig meinen Blick von ihr ab, um mich nach etwas Neutralem umzusehen, auf daß ich mich konzentrieren konnte. Bereits jetzt war ich verärgert. Einen solchen Effekt hat sie jedesmal auf mich, ich brauche nur vor ihr zu stehen, um zu spüren, wie ich vor Gereiztheit und Groll zu kochen beginne. Das überraschte mich. Ich hatte geglaubt, daß nach zehn Jahren wenigstens ein kurzer Augenblick voller Zuneigung zwischen unserem Wiedersehen und der ersten Attacke kindlicher Kolik liegen würde. Aber nicht im Geringsten, da stand ich mit aufeinandergebissenen Zähnen und starrte giftig auf ein Büschel Unkraut, das aus einem Riß in den Steintreppen emporsproß, auf denen sie stand. Sie hatte sich kaum verändert. Ihr Busen, der förmlich danach schreit, als üppig bezeichnet zu werden, war bis kurz über ihre Taille herabgewandert. Auch war ihr ein kleiner Schnurrbart gewachsen. Sie trug ausgebeulte Kordhosen und eine zerschlissene Strickjacke. Als sie mir die Treppe herunter entgegenkam, fing sie wieder an zu lachen. Du hast zugenommen, Freddie, sagte sie, du bist fett geworden. Dann streckte sie eine Hand aus und – es ist wahr, ich schwöre es – und grapschte sich ein Stück meines Bauches, das sie spielerisch zwischen Daumen und Zeigefinger hin- und herrollte. Diese Frau, diese Frau – ich weiß nicht, was ich sagen soll. Ich war achtunddreißig, ein vielseitiger und gestandener Mann mit Frau und Sohn und einer vom Mittelmeer beeindruckend gebräunten Haut, meine Haltung war würdevoll mit einem leichten Hauch von Bedrohlichkeit, und sie, was tat sie? – sie zwickte mich in den Bauch und gab ihr typisch träges Lachen von sich. Ist es denn ein Wunder, daß ich im Gefängnis gelandet bin? Na? Als der Hund sah, daß ich jemand war, den man zu akzeptieren hatte, schlich er sich an mich heran und versuchte, meine Hand zu lecken, was mir die Gelegenheit gab, ihm einen gezielten und kräftigen Fußtritt in die Rippen zu verabreichen. Danach fühlte ich mich besser, aber nicht viel und nicht sehr lange.

Gibt es irgend etwas so Machtvolles, etwas, das auf eine so durchdringende Art Erinnerungen heraufbeschwört wie der Geruch eines Hauses, in dem man seine Kindheit verbracht hat? Wie das hohe Gericht zweifellos bemerkt hat, versuche ich, Verallgemeinerungen zu vermeiden; dieses jedoch läßt sich sicherlich als universell bezeichnen, dieses unfreiwillige Zucken des Wiedererkennens, hervorgerufen durch den ersten Hauch jenes bescheidenen, tristen, bräunlichen Geruchs, der kaum ein wirklicher Geruch ist, mehr eine Ausstrahlung, eine Art Seufzer, den die tausend bekannten, aber nicht recht bewußt gewordenen Dinge ausgestoßen haben, die gemeinsam das bilden, was man zu Hause nennt. Ich ging in die Eingangshalle, und für einen Augenblick war es so, als sei ich lautlos durch die Membran der Zeit selbst hindurchgegangen. Ich stockte, innerlich taumelnd. Garderobenständer mit kaputtem Regenschirm, diese Bodenkachel, die immer noch locker saß. Hau ab, Patch, du blödes Vieh!

sagte meine Mutter hinter mir, und der Hund jaulte. Unerklärlicherweise füllte sich mein Mund mit dem Geschmack
von Äpfeln. Ich hatte das vage Gefühl, als sei etwas Bedeut-
sames geschehen, als wäre alles um mich herum blitzartig
weggewischt und sofort durch eine genaue Nachbildung ersetzt worden, stimmig bis ins kleinste Detail, bis hinunter
zum letzten Staubkorn. Ich ging weiter in diese vertauschte
Welt hinein, indem ich taktvoll eine ausdruckslose Miene
aufsetzte, und es schien mir, als hörte ich, wie ein körperlos
angehaltener Atem befreit losgelassen wurde, aus Erleichterung darüber, daß das schwierige Kunststück wieder einmal
gelungen war.

Wir gingen in die Küche, in der es aussah wie in der Höhle
irgendeines riesigen aasfressenden Tieres. Um Gottes willen,
Mutter, sagte ich, *wohnst* du hierdrin? Zwischen das Geschirr auf der Anrichte waren lauter Kleidungsstücke gestopft, die so aussahen wie die Lumpen einer alter Landstrei-
cherin. Die Spitzen von drei oder vier Paar Schuhen lugten
unter einem Schrank hervor; ein entnervender Anblick, als
ob die Träger derselben aneinandergekauert dort drin säßen,
die kurzen, dicken Arme einander um die gebeugten Schultern gelegt, und lauschten. Möbelstücke waren von allen
Teilen des Hauses hierher gewandert, der kleine schmale Se-
kretär aus dem Arbeitszimmer meines Vaters, die Hausbar
aus Nußbaumholz, die früher im Wohnzimmer gestanden
hatte, der samtbezogene Sessel mit den kahlwerdenden
Armlehnen, in dem meine Großtante Alice, eine winzige,
furchterregende Frau, eines Sonntagnachmittags im Sommer
ohne einen Seufzer gestorben war. Das riesige alte Radio,
das den Salon unangefochten beherrscht hatte, stand nun so
schief auf der Spüle, als sei es betrunken, und spielte sich
selbst leise, schnulzige Lieder vor, während sein grünes
Auge pulsierte. Der Raum war alles andere als sauber. Auf
dem Tisch war ein aufgeschlagenes Rechnungsbuch, die

Rechnungen lagen zerstreut zwischen verschmierten Tellern und ungespülten Teetassen. Sie war offensichtlich mit der Abrechnung beschäftigt gewesen. Für einen kurzen Augenblick überlegte ich, ob ich nicht die Hauptsache – das Geld – direkt zur Sprache bringen sollte, entschied mich dann aber dagegen. Amüsiert schaute sie von mir zu den Unterlagen und wieder zurück, als hätte sie eine dunkle Ahnung davon, was in meinem Kopf vorging. Ich wandte mich von ihr ab, dem Fenster zu. Draußen auf der Wiese führte ein stämmiges Mädchen in Reithosen eine Reihe von Connemara-Ponys im Kreis herum. Ich erinnerte mich dunkel daran, daß meine Mutter mir in einem ihrer seltenen und kaum lesbaren Briefe etwas von irgendeinem hirnverbrannten, diese Tiere betreffenden Plan erzählt hatte. Sie kam und stellte sich neben mich. Schweigend schauten wir den Ponys dabei zu, wie sie im Kreise herumtrotteten. Sind das nicht häßliche Viecher! sagte sie fröhlich. Das Bewußtsein dessen, wie sinnlos und unwichtig alles war, überkam mich, und gesellte sich zu dem seit meiner Ankunft in mir brodelnden Gefühl der Gereiztheit. Ich hatte schon immer eine Neigung zur Lethargie. Es ist ein Zustand, oder ich sollte vielleicht eher sagen eine Kraft, deren Bedeutung in menschlichen Angelegenheiten den Historikern und ihresgleichen anscheinend nicht recht bewußt geworden ist. Ich würde alles tun, um ihn zu vermeiden , alles. Meine Mutter sprach über ihre Kunden, die anscheinend zum Großteil Japaner und Deutsche waren – die benehmen sich, als gehörte ihnen das ganze verdammte Land, Freddie, ich sag's dir. Die Preise, zu denen sie Ponys für ihre verwöhnten Sprößlinge kauften, waren, wie sie vergnügt zugab, unverschämt. Die sind allesamt übergeschnappt, sagte sie. Wir lachten, um danach wieder in hilfloses Schweigen zu verfallen. Auf der Wiese lag die Sonne, und eine riesige weiße Wolke rollte sich langsam über dem vor Hitze flimmernden Buchenwald auf. Ich dachte, wie merkwürdig es war dazustehen, gelangweilt, reizbar, die Hände in den Hosentaschen, und den Tag mit Trübsinn zu überziehen, während in all dieser Zeit, tief irgendwo in mir drin und ohne daß ich es mir recht eingestehen wollte, der Kummer in großen Tropfen herabperlte, unaufhörlich, ein silbriger Ichor, ganz rein und seltsam kostbar. Zu Hause, ja, zu Hause ist immer überraschend.

Sie bestand darauf, daß ich mir, wie sie es nannte, das Haus anschaute. Immerhin, sagte sie, wird alles dies eines Tages dir gehören, mein Junge. Und dann ließ sie ihr kehlig mekkerndes Gekicher erklingen. Ich konnte mich nicht daran erinnern, daß sie früher so leicht zu belustigen gewesen wäre. Es war fast etwas Widerspenstiges in ihrem Lachen, ein Sich-Gehen-Lassen. Ich ärgerte mich ein wenig darüber, ich fand, daß es nicht schicklich war. Sie zündete sich eine Zigarette an und begann mit dem Hausrundgang. Die Zigarettenschachtel und die Streichhölzer hielt sie dabei mit ihrer linken Klaue fest umklammert. Ich folgte grimmig in ihrem verqualmten Kielwasser. Das Haus war im Begriff zu verrotten, an manchen Stellen war es damit schon so weit fortgeschritten, daß sogar sie entsetzt war. Sie redete und redete. Ich nickte dumpf, während ich auf die feuchten Wände, die durchhängenden Böden und die verfaulten Fensterrahmen starrte. In meinem alten Zimmer war das Bett kaputt, und in der Mitte der Matratze wuchs etwas. Der Blick aus dem Fenster – Bäume, ein abschüssiges Feld, das rote Dach einer Scheune – war so exakt und vertraut wie eine Halluzination. Da war der Schrank, den ich gebaut hatte; und sofort erstand das Bild meiner selbst in mir, ein kleiner Junge mit grimmigem Stirnrunzeln, der mit einer stumpfen Säge in der Hand auf ein Stück Sperrholz einhackt; und mein kummervolles Herz erzitterte, als ob nicht ich selbst es sei, an den ich mich erinnerte, sondern etwas wie ein geliebter und verletzlicher Sohn, der mir auf immer in den Tiefen meiner eigenen Vergangenheit verlorengegangen war. Als ich mich umdrehte, war meine Mutter nicht mehr da. Ich fand sie auf der Treppe, um die Augen herum sah sie etwas mitgenommen aus. Sie ging weiter. Ich müsse das Grundstück sehen, rief sie, die Stallungen, den Eichenwald. Sie hatte sich in den Kopf gesetzt, daß ich alles sehen müsse, alles.

Draußen belebten sich meine Geister ein wenig. Wie weich war hier die Sommerluft. Ich hatte zu viel Zeit unter dem rauhen Himmel des Südens verbracht. Und die Bäume, die riesigen Bäume! Diese geduldigen, ruhig leidenden Wesen, die so stocksteif da standen, als seien sie verlegen, während ihr tragischer Blick von uns abgewandt war. Patch, der Hund – ich sehe schon, daß ich dieses Vieh nicht mehr loswerde – Patch erschien, verdrehte seine irren Augen und wand sich. Er kam lautlos über die Wiese hinter uns her. Das Stallmädchen, das unsere Annäherung aus den Augenwinkeln beobachtete, schien drauf und dran zu sein, vor Angst die Flucht zu ergreifen. Ihr Name war Joan, oder Jean, oder so etwas ähnliches. Breiter Hintern, breiter Busen – offensichtlich hatte meine Mutter eine Verwandtschaft verspürt. Als ich zu ihr sprach, wurde das arme Mädchen knallrot und hielt mir zitternd eine schwielige kleine Tatze hin, so vorsichtig, als hätte sie Angst, daß ich sie behalten könnte. Ich ließ ihr jenes besondere Lächeln zuteil werden und sah mich selbst mit ihren Augen, ein großes gebräuntes Mannsstück in einem Leinenanzug, das sich auf einer Sommerwiese über sie beugt und dunkle Worte murmelt. Tinker! kreischte sie, hau ab! Das Pony, das die Reihe angeführt hatte, eine unterentwickelte Kreatur mit trotzigem Blick, schob sich in der diesen Viechern eigenen dumpf entschlossenen Art seitwärts und gab mir einen kräftigen Stubs. Ich legte meine Hand auf seine Flanke, um es wegzuschieben und war von der Massivität, der Realität dieses Tieres überrascht; das grobe, trokkene Fell, das dichte und unnachgiebige Fleisch darunter, die

Wärme des Blutes. Schockiert zog ich schnell meine Hand zurück und machte einen Schritt rückwärts. Ich hatte plötzlich ein lebhaftes, übelkeitserregendes Bewußtsein meiner selbst, ich war nicht mehr das gebräunte Idol von eben, sondern etwas anderes, etwas, das bleich und schlaff und wabbelig war. Ich wurde mir meiner Zehnägel, meines Afters und meines feuchten, eingezwängten Geschlechtsteils bewußt. Und ich schämte mich. Ich kann es nicht erklären. Das heißt, ich könnte, will aber nicht. Dann fing der Hund an zu bellen, stürzte sich auf die Hufe des Ponys, das Pony schnaubte, zog sein Maul auseinander und schnappte mit seinen alarmierenden Zähnen. Meine Mutter trat den Hund, und das Mädchen zog den Kopf des Ponys zur Seite. Der Hund heulte, die Ponys bockten und wieherten. Was für ein Krawall! Aus allem wird am Ende immer eine Farce. Mir fiel ein, daß ich einen Kater hatte. Ich hatte einen Drink nötig.

Erst Gin, dann irgendeine Sorte schrecklichen Sherrys, dann folgten einige Krüge von dem edlen Bordeaux meines verstorbenen Vaters; der letzte Rest aus dem Faß, leider. Ich war schon ordentlich angesäuselt, als ich in den Keller hinunterstieg, um den Bordeaux zu holen. Ich saß auf einer Kiste inmitten der muffigen Düsternis und blies Gin-Dämpfe aus geblähten Nasenlöchern. Ein herabströmender Speer von Sonnenlicht, in dem es vor Staub wimmelte, durchbohrte das niedrige, von Spinnweben überzogene Fenster über meinem Kopf. Dinge drängten sich in der Dunkelheit um mich; ein ramponiertes Schaukelpferd, ein altes Hochrad, ein Bündel uralter Tennisschläger – die Umrisse verwischt, grau, verblassend, als sei dieser Ort ein Rastplatz, an dem die Vergangenheit auf ihrem Weg hinunter in das Vergessen noch einmal kurz halt macht. Ich lachte. Altes Mistvieh, sagte ich laut, und in der Stille klirrte es wie zerbrechendes Glas. In den letzten Monaten bevor er starb, war er immer hier unten. Er, der sein ganzes Leben lang von wilden, zwanghaften Energien getrieben worden war, vertrödelte nun seine Zeit. Meine Mutter schickte mich immer runter, um nach ihm zu sehen, für den Fall, daß ihm etwas passiert sein könnte, wie sie sich vorsichtig ausdrückte. Dann fand ich ihn, wie er in Ecken herumstocherte, mit Sachen herumspielte, oder nur in einem merkwürdig schrägen Winkel dastand und ins Nichts starrte. Wenn ich ihn ansprach, erschrak er immer fürchterlich, schnauzte mich dann ärgerlich an und spielte den Beleidigten, so als hätte ich ihn bei etwas Schändlichem erwischt. Aber diese plötzlichen Anwandlungen von Lebhaftigkeit dauerten nie lange, einen Moment später trieb er wieder davon ins Unbestimmte, Geistesabwesende. Es war, als stürbe er nicht an einer Krankheit, sondern an einer Art allgemeiner Zerstreutheit: als ob mitten drin in seinem heftigen Tun eines Tages etwas seine Aufmerksamkeit erregt, ihm aus der Dunkelheit ein Zeichen gegeben hätte, woraufhin er sich getroffen umwandte und ihm mit der qualvollen und verwirrten Konzentration eines Schlafwandlers entgegenging. Ich war vielleicht zweiundzwanzig, dreiundzwanzig Jahre alt. Die langwierige Prozedur seines Sterbens ermüdete und verärgerte mich in gleichem Maße. Natürlich bemitleidete ich ihn auch, aber ich glaube, für mich ist Mitleid immer nur die zulässigere Variante eines Dranges, schwache Menschen kräftig durchzurütteln. Er fing an zu schrumpfen. Plötzlich waren die Krägen seiner Hemden zu weit für diesen wackeligen Schildkrötenhals mit den beiden schlaffen Sehnen. Alles war ihm zu weit, seine Kleider hatten mehr Substanz als er selbst, es war, als würde er in ihnen gleich einem Spielball hin und her geworfen. Seine Augen waren riesig, hatten einen gejagten Ausdruck und trübten sich bereits. Damals war es Sommer, genau wie jetzt. Licht war sein Element nicht mehr, er war lieber hier unten in dem moosartigen Halbdunkel, inmitten der sich vertiefenden Schatten.

Ich zog mich auf die Füße, sammelte einen Armvoll staubiger Flaschen zusammen und schwankte mit ihnen die feuchten Steinstufen hinauf.

Und doch ist er oben gestorben, in dem großen vorderen Schlafzimmer, dem luftigsten Raum im ganzen Haus. Es war so schrecklich heiß während dieser ganzen Woche. Sie öffneten sein Fenster ganz weit und schoben auf seinen Wunsch hin das Bett so weit nach vorne, bis der Fuß desselben draußen auf dem Balkon war. Er lag da mit zurückgeschlagener Bettdecke und entblößter Brust, lieferte sich der Sonne aus, dem endlosen Himmel, und starb in das blaugoldene Gleißen des Sommers hinein. Seine Hände. Der fliegende Takt seines Atmens. Seine –

Genug. Ich sprach von meiner Mutter.

Ich hatte die Flaschen auf den Tisch gestellt und klaubte den Staub und die Spinnweben von ihnen herunter, als sie mir mitteilte, daß sie nicht mehr trank. Das war erstaunlich – früher hatte sie mit den härtesten Trinkern mithalten können. Ich starrte sie an, und sie wandte schulterzuckend den Blick ab. Eine ärztliche Verordnung, sagte sie. Ich prüfte sie mit erneuter Aufmerksamkeit. Irgend etwas stimmte nicht mit ihrem linken Auge, und ihr Mund hing auf dieser Stelle etwas herunter. Ich rief mir die merkwürdige Art ins Gedächtnis, wie sie die Zigarettenschachtel und die Streichhölzer mit ihrer linken Hand umklammert hatte, als sie mich im Haus herumführte. Sie zuckte noch einmal mit den Schultern. Ein leichter Schlag, sagte sie, voriges Jahr. Ich dachte, was für ein komischer Ausdruck das sei: ein leichter Schlag. Als hätte irgendeine wohlwollende, doch tolpatschige Gewalt ihr einen liebevollen, spielerischen Klaps versetzt und sie dabei versehentlich beschädigt. Sie schaute nun aus den Augenwinkeln zu mir herüber, mit einem vorsichtigen, fast mädchenhaften und melancholischen kleinen Lächeln. Es war, als hätte sie etwas gebeichtet, eine kleine Jugendsünde, bedeutungslos, doch peinlich. Tut mir leid, das zu hören, altes Haus, sagte ich, und drängte sie, na komm schon, trink 'nen Tropfen Wein, vergiß die verdammten Ärzte. Sie schien mich nicht zu hören. Und dann passierte etwas wahrhaft Erstaunliches. Das Mädchen, Joan oder Jean – ich werde einen Kompromiß schließen und sie Jane nennen – stand plötzlich mit einem verzweiflungsvollen Stöhnen von ihrem Platz auf und schlang ihren Arm unbeholfen um den Kopf meiner Mutter, umklammerte sie in einer Art Schwitzkasten und legte ihr die Hand auf die Stirn. Ich hatte erwartet, daß meine Mutter ihr einen kräftigen Stoß geben und sie wegschicken würde, aber nein, sie saß da, ließ die Umarmung des Mädchens ruhig über sich ergehen und schaute mich immer noch mit diesem kleinen Lächeln an. Ich starrte voller Erstaunen zurück, während ich die Weinflasche über meinem Glas schweben ließ. Das Ganze war absolut komisch. Die enorme Hüfte des Mädchens war an der Schulter meiner Mutter, und ich mußte unwillkürlich an das Pony denken, das sich auf der Wiese mit dieser beharrlichen, rohen Anhänglichkeit an mich gedrängt hatte. Ein Schweigen entstand. Dann fing das Mädchen, das heißt, Jane, meinen Blick auf, wurde bleich, zog ihren Arm zurück und setzte sich hastig wieder hin. Hier eine Frage: Wenn der Mensch ein krankes Tier, ein wahnsinniges Tier ist, wie ich Grund habe anzunehmen, wie erklären wir uns dann diese kleinen, unaufgeforderten Gesten der Güte und Anteilnahme? Ist es Ihnen eigentlich je in den Sinn gekommen, Euer Ehren, daß Leute unserer Art – wenn ich mir erlauben darf, heraufzuklettern und mich für einen Moment auf die Bank zu Ihnen zu gesellen – daß wir etwas verpaßt haben, ich meine, etwas Allgemeines, ein universelles Prinzip, das so einfach, so offensichtlich ist, daß niemand je daran gedacht hat, uns darüber in Kenntnis zu setzen? Sie wissen alle, was es ist, mein gelehrter Freund, dieses Wissen ist das Abzeichen ihrer Bruderschaft. Und sie sind überall, eine riesige, traurige, eingeweihte Menge. Sie schauen aus dem Gerichtssaal zu uns herauf und sagen nichts, lächeln nur ein wenig mit dieser Mischung von Mitgefühl und teilnahmsvoller Ironie, mit der mich auch meine Mutter jetzt anlächelte. Sie lehnte sich über den Tisch, tätschelte die Hand des Mädchens und empfahl ihr, sich nichts aus mir zu machen. Ich glotzte. Was hatte ich getan? Das Kind saß da und hatte die Augen auf den Teller geheftet, während sie blind nach Messer und Gabel tastete. Ihre Wangen brannten, fast konnte ich hören, wie es in ihnen summte. Und all das wegen eines Blickes von mir? Ich seufzte, ich armer Menschenfresser, und aß eine Kartoffel. Sie war roh und wächsern in der Mitte. Noch einen Drink.

Du gerätst doch wohl nicht in eine deiner Launen, Freddie, oder? sagte meine Mutter.

Ich frage mich, ob ich meine schlechten Launen erwähnt habe. Sehr schwarz, außerordentlich schwarz. Als ob die Welt plötzlich ganz trüb geworden wäre und etwas die Luft verpestet hätte. Meine Depressionen beängstigten die Leute sogar, als ich noch ein Kind war. Er steckt mal wieder drin, was? sagten sie immer, und dann kicherten sie beklommen und rückten von mir ab. In der Schule war ich der Schrecken der anderen – aber nein, ich werde Sie mit meinen Schultagen verschonen. Ich stellte fest, daß sich meine Mutter nicht mehr länger von meiner Düsterkeit beeindrucken ließ. Ihr Lächeln, mit diesem leichten schiefen Winkel an der Seite, wurde regelrecht sardonisch. Ich erzählte, daß ich Charlie French in der Stadt getroffen hatte. Oh, Charlie, sagte sie, schüttelte ihren Kopf und lachte. Ich nickte. Armer Charlie, er gehört zu den Menschen, über die man auf diese Weise »oh« sagt und lacht. Wieder lustloses Schweigen. Warum in aller Welt war ich hierher zurückgekehrt. Ich nahm eine Flasche hoch und war überrascht darüber, daß sie leer war. Also öffnete ich die nächste, indem ich sie zwischen meine Knie klemmte und beim Herausziehen des Korkens ächzend hin und her schwankte. Ah! und mit einem fröhlichen Plop kam er heraus. Draußen auf der Wiese verdichteten sich für einen kurzen Augenblick die letzten Sonnenstrahlen des Tages, um dann zu verblassen. Meine Mutter fragte nach Daphne und dem Kind. Bei dem Gedanken an sie blähte sich unter meinem Brustbein so etwas wie ein großer Schluchzer auf, schwermütig und ein wenig lächerlich. Jane – nein, ich kann sie so nicht nennen, das paßt nicht zu ihr – Joan räumte den Tisch ab, und meine Mutter holte, ausgerechnet, eine Karaffe voll Portwein hervor und schob sie mir über den Tisch zu. Du verlangst doch nicht, daß wir uns zurückziehen, oder? sagte sie mit diesem Grinsen. Du kannst dir ja einfach vorstellen, ich sei ein Mann, ich bin alt genug dafür. Ich begann ernsthaft damit, ihr von meinen finanziellen Schwierigkeiten zu erzählen, verhaspelte mich jedoch und mußte wieder aufhören. Außerdem hatte ich den Verdacht, daß sie mir gar nicht richtig zuhörte. Sie saß da, alt und mit wässerigen Augen, und hatte ihr Gesicht halb dem kupfernen Abendlicht im Fenster zugewandt, wobei man die breite Stirn und die hohen Wangenknochen ihrer niederländischen Vorfahren, der Kumpane König Willis, erkennen konnte. Du solltest eine Halskrause und ein Spitzenhäubchen tragen, Mama, sagte ich. Ich lachte laut und ärgerte mich dann. Mein Gesicht begann, taub zu werden. Jean bot mir vorsichtig eine Tasse Kaffee an. Nein danke, meine Liebe, sagte ich feierlich mit meiner Fürstenstimme und deutete auf mein Portglas, das unerklärlicherweise leer war. Ich füllte es wieder auf und bewunderte dabei die Ruhe der Hand, die die Karaffe hielt. Die Zeit verging. Vögel riefen durch die blaugraue Dämmerung. Ich saß abwesend da, stocksteif aufgerichtet, in heiterem Elend, und hörte ihnen zu. Dann wuchtete ich mich grunzend hoch, schmatzte mit den Lippen, blinzelte und schaute mich um. Meine Mutter und das Mädchen waren verschwunden.

Es war Abend, als er starb. Das Zimmer war noch schwül von der Hitze des langen Tages. Ich saß auf einem Stuhl neben seinem Bett am offenen Fenster und hielt seine Hand. Seine Hand. Wächsern fühlte sie sich an. Wie hell der Himmel über den Bäumen, hell und blau, wie der grenzenlose Himmel der Kindheit. Ich legte meinen Arm um ihn, legte eine Hand auf seine Stirn. Er sagte zu mir: Mach dir nichts aus ihr. Er sagte zu mir –

Aufhören, hör auf damit. Ich war gar nicht da. Ich war noch nie bei irgend jemandes Tod zugegen. Er starb allein, schlich sich davon, als niemand hinsah, und wir blieben uns selbst überlassen. Sie hatten ihn schon fertig für den Sarg zusammengebündelt, als ich aus der Stadt eintraf. Er lag auf dem Bett mit über der Brust gefalteten Händen und fest geschlossenen Augen, wie ein braves Kind. Sein Haar war adrett über die Stirn gestriegelt. Seine Ohren waren sehr weiß, daran erinnere ich mich. Außergewöhnlich: all dieser Ärger und Groll, diese wütende, unkontrollierte Energie: weg.

Ich nahm, was vom Port übrig geblieben war und stolperte über die Treppen nach oben. Meine Knie zitterten, und ich fühlte mich, als schleppte ich eine Leiche auf meinem Rükken. Es kam mir vor, als hätte man die Lichtschalter verlegt, und im Halbdunkeln stieß ich lachend und fluchend immer wieder mit irgendwelchen Sachen zusammen. Dann landete ich aus Versehen in Joannes Zimmer. (Joanne: das war's!) Sie muß wach gewesen sein und meinem Herumgepoltere gelauscht haben, ich hatte kaum die Tür geöffnet, als sie schon die Lampe anknipste. Ich stand schwankend auf der Schwelle und glotzte sie an. Sie lag in einem riesigen, ausgeleierten Bett und hatte die Decke bis ans Kinn hochgezogen; aus irgendwelchen Gründen war ich überzeugt, daß sie immer noch ihre Reithosen, den weiten Pullover und sogar noch die Reitstiefel anhatte. Sie sagte nichts, lächelte mich nur ängstlich an, und für einen wilden Augenblick überlegte ich, ob ich nicht zu ihr ins Bett kriechen sollte, mit Schuhen und allem, damit sie *meinen* armen, sich drehenden Kopf in dem Schoß ihres rundlichen jungen Arms wiegte. Ihr bemerkenswertes, flammendrotes Haar war mir vorher noch gar nicht aufgefallen, und der Anblick dessen, wie es auf dem Kissen ausgebreitet lag, brachte mich fast zum Heulen. Dann war der Augenblick vorüber, und ich zog mich mit einem feierlichen Nicken leise zurück, wie ein alter, trauriger, grauer zerrinnender Geist, um mit vorsichtigem, würdevollen Schritt über den Flur zu dem Zimmer zu schreiten, in dem man ein Bett für mich aufgestellt hatte. Dort entdeckte ich, daß ich irgendwo unterwegs den Port vergessen hatte.

Ich saß auf der Bettkante, ließ die Arme zwischen meinen Knien baumeln und war plötzlich erschöpft. In meinem Kopf sprudelte es, meine Augen brannten, und doch konnte ich mich nicht dazu bringen, mich hinzulegen und zu schlafen. Ich kam mir vor wie ein Kind, das nach einem übermütigen Ausflugstag nach Hause gekommen ist. Ich war weit gereist. Langsam, mit Unterwasserbewegungen, knüpfte ich meine Schuhe auf. Ein Schuh fiel runter, und dann –

Ich fuhr mit einem scheußlichen Schreck aus dem Schlaf hoch, in meinen Ohren sauste es, als habe in meinem Kopf eine Explosion stattgefunden. Ein Traum: irgend etwas mit Fleisch. Es war hell, aber ich war nicht sicher, ob es die Morgenröte oder noch die Abenddämmerung war. Ebensowenig wußte ich, wo ich mich befand. Sogar nachdem mir klar geworden war, daß ich in Coolgrange war, erkannte ich das Zimmer zunächst nicht. Sehr hoch und breit, mit großen Fenstern, die bis auf die Erde hinunter reichten. Und auch schäbig, auf eine merkwürdig beleidigte Weise, als ob es sich der Tatsache bewußt sei, daß es einst ein wichtiger Ort gewesen war. Ich stand vorsichtig aus dem Bett auf und ging und schaute auf die Wiese hinunter. Das Gras war grau, und unter den Bäumen lagen taubenfarbene Schatten. In meinem Hirn pochte es dumpf. Es mußte die Morgendämmerung sein: in dem Eichenwäldchen, unter einem stählernen Himmel, prüfte ein einsamer Vogel die sich erhellende Luft mit einem einzelnen, wiederholten Flötenton. Ich drückte meine Stirn gegen das Fenster und schauderte bei der Berührung des kalten, klammen Glases. Ich war den größten Teil der Woche unterwegs gewesen, hatte so gut wie gar nichts gegessen und zu viel Alkohol getrunken, und all das rächte sich jetzt. Ich fühlte mich krank, durchweicht, ausgehöhlt. Meine Augenlider brannten, meine Spucke schmeckte nach Asche. Mir schien, als beobachtete mich der Garten auf seine verstohlene und undurchdringliche Weise, oder als sei er sich zumindest meiner Gegenwart bewußt, wie ich dort händeringend stand, vom Fenster eingerahmt, ein vom Schicksal geschlagener Ausschauhaltender – wie viele andere davon muß es in all den Jahren gegeben haben! – während die schwerelose Dunkelheit des Zimmers in meinem Rücken lastete. Ich hatte in meinen Kleidern geschlafen.

Der Traum. (Es wird nötig sein, dem hohen Gericht von meinen Träumen zu erzählen.) Ich erinnerte mich plötzlich daran. Es war nicht viel darin passiert. Meine Träume sind nicht das wilde Durcheinander von Ereignissen, in dessen Genuß andere Leute behaupten zu kommen, sondern eher Gefühlszustände, Stimmungen, besondere Launen, wellenartige Emotionen, die oft von extremen körperlichen Erscheinungen begleitet werden: Ich schluchze, oder ich schlage um mich, knirsche mit den Zähnen, lache, schreie auf. Dieses Mal war es ein trockenes Würgen gewesen, die Halsschmerzen beim Aufwachen hatten es mir wieder zu Bewußtsein gebracht. Ich hatte geträumt, daß ich an dem herausgerissenen Brustbein irgendeines Tieres nagte, möglicherweise war es auch das eines Menschen. Es schien halbgar gekocht worden zu sein, denn das Fleisch daran war weich und weiß. Mittlerweile war es kaum noch warm, zerkrümelte in meinem Mund wie Pastetenteig und brachte mich zum Würgen. Glauben Sie mir, Euer Ehren, ich genieße es ebensowenig, diese Dinge zu erzählen, wie das Gericht es genießt, ihnen zuzuhören. Und es wird noch schlimmer kommen, wie Sie wissen. Wie dem auch sei, ich mümmelte da also an diesem fürchterlichen Fleischklumpen herum, und mir drehte sich sogar im Schlaf der Magen um. Das war eigentlich alles, außer dem unterschwelligen Gefühl, daß hier ein zwar aufgezwungener, aber doch auf schreckliche Weise angenehmer Verstoß stattfand. Warten Sie einen Moment. Ich möchte dies genau erklären, es ist wichtig; warum, weiß ich nicht. Irgendeine namenlose Macht zwang mich, diese schrecklichen Dinge zu tun, sie stand mit verschränkten Armen unversöhnlich über mir, während ich sog und sabberte, und trotzdem – oder vielleicht gerade deswegen – trotz des Grauens und der Übelkeit, jubelte etwas, tief in meinem Innern.

Übrigens, wenn ich mein Wörterbuch durchblättere, fällt mir zu meinem Erstaunen die Armut der Sprache auf, wenn es um das Beschreiben oder Benennen des Bösen geht. Boshaftigkeit, Gemeinheit, Schurkerei, all diese Worte setzen einen Handelnden voraus, das bewußte, oder jedenfalls aktive Tun von etwas Schlechtem. Was sie in ihrer Bedeutung nicht erfassen, ist der Zustand des Bösen, in dem es inaktiv, neutral und absolut ist. Dann gibt es die Adjektive: schrecklich, scheußlich, abscheulich, übel, und so weiter. Sie sind mehr Urteil als Beschreibung. Sie haben das Gewicht eines mit Furcht gemischten Tadels. Ist das nicht ein seltsamer Zustand? Es verwundert mich. Ich frage mich, ob nicht vielleicht die Sache selbst – *das Böse* – gar nicht existiert, ob nicht all diese merkwürdig vagen und unpräzisen Wörter nur eine List sind, eine Art komplizierte Tarnung der Tatsache, daß gar nichts dahinter ist. Oder andererseits, vielleicht *gibt* es etwas, das jedoch von den Wörtern erst erfunden worden ist. Solche Überlegungen machen mich schwindelig, als hätte die Welt für einen kurzen Augenblick ein Loch bekommen. Worüber sprach ich noch gleich? Ach ja, meine Träume. Da gab es noch den, der immer wieder auftauchte, der, in dem – aber nein, nein, lassen wir das erstmal.

Ich stehe am Fenster, im Schlafzimmer meiner Eltern. Ja, ich hatte erkannt, daß dies ihr Zimmer war, beziehungsweise gewesen war. Die graue Morgendämmerung wich einer bleichen Flut von Sonnenlicht. Meine Lippen klebten von dem Portwein der vergangenen Nacht. Das Zimmer, das Haus, der Garten und die Felder, alles war mir fremd, ich erkannte es jetzt nicht wieder – fremd, und doch auch bekannt, wie ein Ort in – ja, in einem Traum. Ich stand da in meinem zerknitterten Anzug, mit schmerzendem Kopf und schmierigem Mund, mit weit aufgerissenen Augen, aber nicht ganz

wach, und starrte unbeweglich auf das von der Sonne be-
schienene Stück Garten; mit dem betäubten Erstaunen von
jemandem, der sein Gedächtnis verloren hat. Aber bin ich
denn nicht immer so, mehr oder weniger? Wenn ich darüber
nachdenke, so scheint es mir, als hätte ich einen Großteil
meines Lebens so verbracht, gefangen zwischen Schlafen
und Wachen, unfähig, zwischen Traum und der Welt des
Tageslichts zu unterscheiden. In meiner Erinnerung gibt es
Orte, Momente, Ereignisse, die so regungslos, so isoliert
sind, daß ich nicht sicher bin, ob es sie wirklich gegeben
haben kann, die mir jedoch, wenn ich sie mir an jenem Morgen ins Gedächtnis gerufen hätte, lebhafter und kräftiger erschienen wären als die wirklichen Dinge, die mich umga-
ben. Ich erinnere mich da zum Beispiel an die Diele eines
Bauernhauses, zu dem ich einmal als Kind gegangen bin, um
Äpfel zu kaufen. Ich habe den gebohnerten Steinboden vor
Augen, er leuchtet kardinalsrot. Ich kann das Bohnerwachs
riechen. Es steht eine knorrige Topfgeranie da, und eine
große Pendeluhr, der der Minutenzeiger fehlt. Ich kann die
Bauersfrau in den dämmrigen Tiefen des Hauses sprechen
hören, sie fragt jemanden etwas. Ich kann die umliegenden
Felder spüren, das Licht auf den Feldern, den grenzenlosen,
langsamen Spätsommertag. Ich bin dort. Wenn ich mich an
solche Momente erinnere, dann bin ich dort, in einer Weise,
in der ich in Coolgrange niemals gewesen bin, in der ich zu
keiner Zeit je irgendwo gewesen bin, beziehungsweise zu
sein scheine; genau wie ich, oder ein wesentlicher Teil von
mir, sogar an jenem Tag, an den ich mich erinnerte, nicht da
gewesen bin, an dem Tag, als ich zu dem Bauernhaus inmitten der Felder ging, um bei der Bauersfrau Äpfel zu kaufen.
So bin ich immer gewesen, niemals ganz da, niemals, nirgendwo, und mit niemandem. Selbst als Kind kam ich mir
wie ein Reisender vor, der mitten in einer dringenden Reise
aufgehalten worden ist. Das Leben war ein unerträglich lan-

ges Warten, währenddessen man auf dem Bahnsteig auf und ab ging und nach dem Zug Ausschau hielt. Leute standen im Weg und versperrten mir die Aussicht, ich mußte meinen Hals recken, um an ihnen vorbeizusehen. Ja, so war ich, genau so.

Ich fand meinen Weg durch das schweigende Haus zur Küche. Im Morgenlicht wirkte der Raum sauber geschrubbt und irgendwie erwartungsvoll. Ich bewegte mich vorsichtig, um nicht diese Atmosphäre gedämpfter Erwartung zu stören, und fühlte mich wie ein Uneingeweihter bei irgendeiner großartigen, verzückten Zeremonie des Lichts und des Wetters. Der Hund lag auf einem dreckigen alten Teppich neben dem Ofen, hatte die Schnauze zwischen die Pfoten gesteckt und beobachtete mich, wobei das Weiße beider Augen sichelförmig schimmerte. Ich machte eine Kanne Tee, setzte mich an den Tisch und ließ ihn ziehen, als Joanne hereinkam. Sie trug einen mausgrauen Bademantel, der in der Taille fest zugeknotet war. Ihr Haar war hinten zusammengebunden, in einem passend reiterartigen Haarbusch. Seine Farbe war wirklich bemerkenswert, ein frühlingshaftes gelblich-braunes Feuer. Sofort, und nicht zum ersten Mal, erwischte ich mich dabei, daß ich mir vorstellte, wie ihr Fell wohl anderwärtig aussehen mochte, und schämte mich dann, als hätte ich das arme Kind mißbraucht. Als sie mich sah, blieb sie natürlich stehen, zur Flucht bereit. Ich hob die Teekanne in einer freundlichen Geste und lud sie ein, sich zu mir zu setzen. Sie schloß die Tür, schob sich mit einem panischen Lächeln vorsichtig an mir vorbei, wobei sie darauf achtete, daß der Tisch immer zwischen uns war, und nahm eine Tasse und einen Untersetzer aus dem Schrank. Ihre Fersen waren rot, und ihre Waden sehr weiß und dick. Ich hielt sie für ungefähr siebzehn. Durch den Nebel meines Katzenjammers hindurch kam mir in den Sinn, daß sie höchstwahrscheinlich etwas über den Zustand der Finanzen meiner

Mutter wußte – ob zum Beispiel diese Ponys Geld einbrachten. Ich gab ihr ein Lächeln, das jungenhaft und ermutigend sein sollte, obwohl ich den Verdacht habe, daß ein anzügliches Grinsen daraus wurde, und forderte sie auf, sich zu setzen und mit mir zu plaudern. Der Tee war jedoch nicht für sie selbst, sondern für meine Mutter – für Dolly, sagte sie. Oho! dachte ich, Dolly, so weit sind wir also schon. Sie machte sich sofort davon, wobei sie den Untersetzer mit beiden Händen umklammerte und ihr aufgeregtes Lächeln auf die zitternde Flüssigkeit in der Tasse geheftet hielt. Nachdem sie gegangen war, stöberte ich für eine Weile mißmutig herum und suchte nach den Unterlagen, die gestern noch auf dem Tisch gelegen hatten, den Rechnungen, Akten, Scheckbüchern, fand aber nichts. Eine Schublade des kleinen Sekretärs aus dem Arbeitszimmer meines Vaters war abgeschlossen. Ich spielte mit dem Gedanken, sie aufzubrechen, hielt mich dann aber zurück: in meiner Katerstimmung hätte ich wahrscheinlich das ganze Ding in Stücke geschlagen.

Ich ging aus dem Zimmer und durch das Haus, wobei ich meine Teetasse mitnahm. Im Wohnzimmer war der Teppich verschwunden, eine der Fensterscheiben war zerbrochen, und auf dem Boden lag Glas. Ich bemerkte, daß ich keine Schuhe anhatte. Ich öffnete die Glastür und ging auf Strümpfen nach draußen. In der ausgewaschenen, seidigen Luft roch es nach sonnengewärmtem Gras und entfernt nach Misthaufen. Der schwarze Schatten des Hauses lag über der Wiese wie eine umgestürzte Theaterkulisse. Ich wagte mich ein oder zwei Schritte auf den weichen Rasen vor, und der Tau sickerte zwischen meinen Zehen empor. Ich fühlte mich wie ein alter Mann, wie ich da mit wackeligen Schritten einherging; meine Tasse klapperte auf ihrem Untersetzer, und meine Hosenbeine waren um die Knöchel ganz naß und zerknittert. Das Rosenbeet unter dem Fenster war jahrelang nicht gepflegt worden, und ein Gewirr von wilden Ranken wucherte über das Fensterbrett. Die verblichenen Rosen hingen dichtgedrängt, schwer, wie ein Tuch. Ihr besonders bleicher rosaner Farbton und das Helldunkel der gesamten Szenerie brachte mich auf einen Gedanken. Ich blieb stehen, verzog das Gesicht. Die Bilder – natürlich. Ich ging zurück in das Wohnzimmer. Ja, die Wände waren leer, hier und da war ein viereckiger Fleck, an dem die Tapete nicht so verblichen war wie anderswo. Sicherlich hatte sie nicht –? Ich stellte meine Tasse vorsichtig auf den Kaminsims und atmete langsam und tief durch. Dieses Miststück! sagte ich laut, ich wette, sie hat's getan! Hinter mir hatten meine Füße nasse Schwimmhautabdrücke auf den Bodendielen hinterlassen. Ich ging durch einen Raum nach dem anderen und überflog mit meinen Augen die Wände. Dann nahm ich das obere Stockwerk in Angriff. Aber ich wußte, daß ich nichts finden würde. Ich stand im Flur des ersten Stocks und fluchte unterdrückt. Es waren Stimmen in der Nähe. Ich riß eine Schlafzimmertür auf. Meine Mutter und Joanne saßen aufrecht nebeneinander in dem breiten Bett des Mädchens. Sie schauten mich leicht erstaunt an, und für einen Augenblick zögerte ich, während etwas an meinem Bewußtsein entlangstrich, ein Flügelschlag ungläubiger Vermutung. Meine Mutter trug ein gestricktes gelbes Bettjäckchen mit Bommeln und winzigen Satinschleifchen, das ihr das Aussehen einer ungeheuer überdimensionalen Osterhenne gab. Wo, sagte ich mit einer Ruhe, die mich überraschte, – wo sind die Bilder, bitte? Es folgte ein kurzes, lächerliches Durcheinander, in dem meine Mutter *Was? Was?* sagte, und ich brüllte *Die Bilder, die Bilder, verdammt noch mal!* Schließlich verstummten wir beide. Das Mädchen hatte uns beobachtet und ihre Augen langsam von einem zum anderen wandern lassen, wie ein Zuschauer bei einem Tennisspiel. Nun nahm sie eine Hand an ihren Mund und lachte. Ich starrte sie an, und sie wurde rot. Es entstand ein kurzes Schweigen. Ich sehe dich unten, Mutter, sagte ich mit einer Stimme, die so steifgefroren war, daß sie regelrecht knackte.

Als ich mich von der Tür entfernte, glaubte ich, sie beide kichern zu hören.

Meine Mutter erschien barfuß in der Küche. Der Anblick ihrer Zehen und ihrer großen, gelben Zehnägel verärgerte mich. Sie hatte sich in ein unmögliches Hauskleid von changierender Seide gehüllt und sah so überladen aus wie eines der ruinierten Flittchen aus den Bildern Lautrecs. Ich bemühte mich, nicht zu zeigen, wieviel Ekel ich empfand. Sie schlenderte herum, tat völlig unbekümmert und ignorierte mich. Nun? sagte ich, aber sie zog nur leicht ihre Augenbrauen hoch und sagte, Nun was? Sie grinste fast. Das gab mir den Rest. Ich schrie, drohte mit den Fäusten, stampfte auf steifen Beinen umher und war außer mir. Wo sie wären, die Bilder, schrie ich, was hatte sie mit ihnen gemacht? Ich *befahl* ihr, es mir zu sagen. Sie gehörten mir, meine Erbschaft, meine Zukunft und die Zukunft meines Sohnes. Und so weiter. Ich war von meiner Wut und Empörung beeindruckt. Ich war gerührt. Fast hätte ich Tränen vergossen. Ich tat mir unheimlich leid. Sie ließ mich für eine Weile so weitermachen, stand da mit einer Hand auf der Hüfte und zurückgeworfenem Kopf und betrachtete mich mit einem hämischen Lächeln. Dann, als ich eine kurze Atempause einlegte, fing sie an. Ich befahl also, hmm? – Ich, der ich gegangen war und meine verwitwete Mutter verlassen hatte, der ich nach Amerika abgehauen war und geheiratet hatte, ohne es ihr überhaupt mitzuteilen, der ich kein einziges Mal mein Kind, ihren Enkel, zu ihr zu Besuch gebracht hatte, – ich, der ich zehn Jahre lang wie ein Kesselflicker durch die Weltgeschichte gebummelt war, ohne je auch nur den kleinen Finger zu rühren, von dem wenigen Geld meines toten Vaters gelebt und den ganzen Besitz ausgeschröpft hatte – was für ein Recht, kreischte sie, was für ein Recht hatte ich, hier irgend etwas zu befehlen? Sie hielt inne und wartete, als ob sie tatsächlich mit einer Antwort rechnete. Ich ging einen Schritt zurück. Ich hatte vergessen, wie sie ist, wenn sie in Fahrt kommt. Dann raffte ich mich zusammen und stürzte mich in den nächsten Angriff. Sie kam mir mit prachtvoll geblähten Segeln entgegen. Es war genau wie in alten Tagen. Wir stritten uns, daß die Fetzen flogen. Es war so aufwühlend, daß sogar der Hund mitmachte, bellte, winselte und auf seinen Vorderpfoten auf und ab tanzte, bis meine Mutter ihm einen Hieb verpaßte und ihn andonnerte, liegen zu bleiben. Ich brüllte, sie sei eine alte Sau, und sie konterte, indem sie mich einen fiesen Bock nannte. Ich sagte, wenn ich ein Bock bin, was bist du denn dann, du blöde Zicke, und schnell wie der Blitz sagte sie, wenn ich eine Sau bin, was bist denn dann du, du mieses Ferkel! Ach, es war großartig, eine großartige Partie. Wir waren wie wütende Kinder – nein, keine Kinder, sondern gewaltige, vor Wut rasende urweltliche Kreaturen – Mastodons, oder sowas ähnliches –, die auf einer Urwaldlichtung aufeinander einschlagen und sich in Stücke reißen, inmitten eines Sturms voll peitschender Lianen und entwurzelter Vegetation. Die Luft zwischen uns dröhnte, zähflüssig und von Blut getrübt. Dinge schienen sich um uns versammelt zu haben, kleine Wesen, die sich im Unterholz zusammengekauert hatten und uns in einer Trance des Schreckens und voll ehrfürchtiger Scheu beobachteten. Schließlich hatten wir genug, lösten die Umklammerung unserer Stoßzähne und wandten uns ab. Ich barg meinen hämmernden Kopf in den Händen. Sie stand am Waschbecken, hielt sich am Wasserhahn fest und schaute mit wogendem Busen aus dem Fenster in den Garten. Wir konnten uns gegenseitig atmen hören. Im Klo im oberen Stockwerk wurde abgezogen, ein gedämpftes, vorsichtiges Geräusch, als wollte das Mädchen uns taktvoll an ihre Gegenwart im Haus erinnern. Meine Mutter seufzte. Sie hatte die Bilder an Binkie Behrens verkauft. Ich nickte. Behrens: natürlich. Alle? sagte ich. Sie gab keine Antwort. Zeit verging. Sie seufzte erneut. Du hast das Geld gekriegt, sagte sie, was davon übrig war – er hat mir nur Schulden hinterlassen. Plötzlich lachte sie. Einen Katholiken zu heiraten!, sagte sie, ich hätte es besser wissen müssen. Sie schaute mich über die Schultern an und zuckte mit den Achseln. Nun war es an mir zu seufzen. Ach je, sagte ich. Ach herrjeh.

Zufällige Übereinstimmungen machen in Gerichtsaussagen immer einen ziemlich platten Eindruck – ich bin sicher, Euer Ehren, daß Ihnen das nach einer Weile aufgefallen ist – so ähnlich wie Witze, die eigentlich wirklich lustig sein müßten, aber kein einziges Lachen hervorrufen. Berichte von absolut bizarren Unternehmungen des Angeklagten werden mit völligem Gleichmut aufgenommen, aber sobald irgendeine triviale Simultaneität von Ereignissen erwähnt wird, fangen auf der Galerie Füße zu scharren an, Rechtsanwälte räuspern sich, und Journalisten flüchten sich in die Betrachtung des Stucks an der Decke. Das zeugt, wie ich glaube, weniger von Skepsis als vielmehr von Verlegenheit. Es ist, als wäre jemand, als wäre derjenige, der aus dem Verborgenen diese ganze verworrene, erstaunliche Angelegenheit arrangiert hat und sich bis jetzt noch keinen einzigen Schnitzer geleistet hatte, plötzlich ein wenig zu weit gegangen, als hätte er versucht, eine Idee zu raffiniert zu sein; und wir sind nun alle enttäuscht und irgendwie traurig.

Es beeindruckt mich zum Beispiel die Häufigkeit, mit der Bilder in diesem Fall auftreten. Es war die Kunst, durch die meine Eltern Helmut Behrens kennenlernten – nun, nicht eigentlich Kunst, sondern nur das Sammeln derselben. Habe ich erwähnt, daß mein Vater sich für einen Kunstsammler hielt? Natürlich waren ihm die Kunstwerke selber völlig egal, es kam ihm nur auf ihren Wert an. Er benutzte seinen Ruf als verwegener Reiter und einstmals schmucker Bursche, um sich in die Häuser von tatterigen alten Bekannten hineinzuschmeicheln, an deren Wände er dreißig oder vierzig Jahre zuvor eine Landschaft, oder ein Stilleben oder das verrußte Portrait eines schielenden Vorfahren ausfindig gemacht hatte, und das mittlerweile den ein oder anderen Shilling wert sein mochte. Er hatte ein geradezu unheimliches Gespür für den richtigen Zeitpunkt und traf oft ganz kurz vor den Erben ein. Ich sehe ihn vor mir, neben einem Himmelbett im Kerzenlicht, noch atemlos vom Treppensteigen, wie er sich herunterbeugt und hastig etwas Geld in eine gichtige, papierene Hand drückt. Er häufte eine Menge Müll an, aber es waren ein paar Stücke darunter, die ich nicht ganz schlecht fand und die wahrscheinlich etwas wert waren. Die meisten davon hatte er einer alten Dame abgeschmeichelt, der sein eigener Vater in ihrer Jugend für eine kurze Zeit den Hof gemacht hatte. Er war unwahrscheinlich stolz auf diesen raffinierten Winkelzug, ich nehme an, er bildete sich ein, daß ihn das mit den großen, von ihm so sehr bewunderten Räuberhauptmännern der Vergangenheit auf eine Stufe stellen würde, mit den Guggenheims, den Pierpont Morgans und, in der Tat, den Behrenses. Vielleicht waren es gerade diese Bilder, die dazu führten, daß er Helmut Behrens kennenlernte. Vielleicht stritten sie sich über dem Sterbebett der alten Dame darum, mit zusammengekniffenen Augen und mit in wütender Entschlossenheit zusammengepreßten Lippen.

Es war auch die Kunst, durch die ich Anna Behrens traf – oder sie wiedertraf, sollte ich sagen. Wir kannten einander ein bißchen, als wir jung waren. Es kommt mir so vor, als könnte ich mich daran erinnern, wie wir einmal in Whitewater nach draußen geschickt wurden, um miteinander zu spielen. Spielen! Ein guter Witz. Selbst damals hatte sie schon diese distanzierte und leicht amüsiert wirkende Art, die ich immer sehr entnervend fand. Später, in Dublin, trat sie ab und zu in Erscheinung und schwebte durch unsere studentischen Prahlereien, gelassen, schweigend, eine bleiche Schönheit. Natürlich gab man ihr den Spitznamen »Die Eiskönigin«. Ich verlor sie aus den Augen, vergaß sie, bis ich sie eines Tages in Berkeley – hier beginnen die Zufälle – in einer Galerie in der Shattuck Avenue entdeckte. Ich hatte nicht gewußt, daß sie in Amerika war, aber es überraschte mich nicht. Das ist eine von Annas Eigenschaften, wo immer sie gerade zufällig sein mag, dort gehört sie hin. Für einen Moment stand ich auf der Straße und beobachtete sie – bewunderte sie, nehme ich an. Die Galerie war ein großer, hoher, weißer Raum mit einer breiten Fensterfront. Sie stand gegen einen Schreibtisch gelehnt, hielt ein Bündel Papiere in der Hand und las. Sie hatte ein weißes Kleid an. Ihr Haar, von der Sonne silbern gebleicht, war auf komplizierte Art frisiert, wobei ein einzelner schwerer Zopf an ihrer Schulter herabhing. Sie stand so bewegungslos in dem hohen, schattenlosen Licht, hinter dem Glas, in dem sich die Sonne spiegelte, daß man hätte meinen können, auch sie sei ein Ausstellungsstück. Ich ging hinein und sprach sie an, während ich erneut dieses längliche, leicht asymmetrische, melancholische Gesicht mit den eng zusammenstehenden Augen und dem florentinischen Mund bewunderte. Ich erkannte die beiden winzigen, weißen Punkte auf ihrem Nasenrücken wieder, an denen sich die Haut eng über den Knochen spannte. Sie war freundlich, auf ihre distanzierte Art. Während ich sprach, schaute sie auf meine Lippen. An den Wänden waren zwei oder drei riesige Gemälde in dem witzig minimalistischen Stil jener Zeit, die man in ihrer pastellfarbenen Nacktheit kaum von den sie umgebenden kahlen Wänden unterscheiden konnte. Ich fragte sie, ob sie sich mit dem Gedanken trug, etwas zu kaufen. Das amüsierte sie. Ich arbeite hier, sagte sie und schob den blonden Zopf von ihrer Schulter. Ich lud sie zum Mittagessen ein, aber sie schüttelte den Kopf. Sie gab mir ihre Telefonnummer. Als ich auf die sonnenbeschienene Straße hinaustrat, flog ein Düsenjäger dicht über die Häuser hinweg, und seine Motoren ließen die Luft erdröhnen. Es roch nach Zypressen und Autoabgasen, und aus der Richtung der Universität kam ein entfernter Geruch von Tränengas. All dies ist fünfzehn Jahre her. Ich knüllte die Karteikarte zusammen, auf die sie ihre Nummer geschrieben hatte und war im Begriff, sie wegzuwerfen. Aber dann behielt ich sie doch.

Sie wohnte in den Hügeln, in einem Holzhaus mit Dachschindeln im pseudotiroler Stil, das sie von einer verrückten Witwe gemietet hatte. Mehr als einmal stand ich unterwegs auf, um aus dem Bus auszusteigen und nach Hause zu fahren, weil ich bereits bei dem Gedanken an Annas amüsierten, abschätzenden Blick und dieses undurchdringliche Lächeln ziemlich lustlos und verdrossen wurde. Als ich sie anrief, hatte sie kaum ein Dutzend Wörter gesprochen und zweimal ihre Hand über die Muschel gelegt, um mit jemandem zu sprechen, der mit ihr im Zimmer war. Trotzdem hatte ich mich an jenem Morgen besonders sorgfältig rasiert, ein neues Hemd angezogen und einen besonders beeindrukkenden Band mathematischer Theorien ausgewählt, um ihn mit mir herumzutragen. Als der Bus sich nun die engen Straßen hinaufschlängelte, wurde ich von einem Gefühl des Abscheus überfallen, ich kam mir vor wie ein verdammenswertes, lüsternes Objekt, das sich schaudernd unter den stechenden Blicken seiner Umgebung windet; mit meiner verhätschelten, gepuderten Haut, meinem babyblauen Hemd und dem flapsigen Buch, das ich in meiner Hand wie ein Fleischpaket umklammert hielt. Der Himmel war bewölkt, und in den Kiefern hing der Nebel. Ich kletterte im Zickzack die Treppen zum Haus hinauf, schaute mich mit einem Aus-

druck höflichen Interesses um und versuchte, möglichst unschuldig auszusehen, wie immer, wenn ich mich auf unbe-
kanntem Gebiet befinde. Anna hatte kurze Hosen an und
trug ihr Haar offen. Sie dort plötzlich im Türrahmen zu sehen, aschblond, unbefangen, mit langen, nackten Beinen,
rief einen Schmerz an der Wurzel meiner Zunge hervor. Das
Innere des Hauses lag im Halbdunkeln. Ein paar Bücher,
Graphiken an den Wänden, ein Strohhut an einem Haken.
Die Katzen der Witwe hatten ihre Spuren auf den Teppichen
und Stühlen hinterlassen, ein scharfer, säuerlicher, nicht
ganz unangenehmer Gestank.
Daphne saß im Schneidersitz auf einem Klappstuhl und
schälte Erbsen in eine Blechschüssel. Sie hatte einen Bademantel an, und ihre Haare waren in ein Handtuch gewickelt.
Wieder ein Zufall, wie Sie sehen.
Worüber sprachen wir drei an jenem Tag? Was habe ich gemacht? Mich hinzugesetzt, nehme ich an, ein Bier getrunken, meine Beine ausgestreckt, mich zurückgelehnt, und so
getan, als wäre ich entspannt. Ich kann es nicht genau sagen.
Ich war eine Art schwebendes Auge, das beobachtete, zur
Kenntnis nahm, Pläne schmiedete. Anna ging zwischen
Wohnzimmer und Küche hin und her, brachte Käse, Oran-
gen und in Scheiben geschnittene Avocados. Es war Sonntag. Das Haus war still. Ich schaute durch das Fenster dem
Nebel zu, wie er zwischen den Bäumen umherschlich. Das
Telefon klingelte, und Anna nahm ab, drehte uns den Rükken zu und murmelte etwas in den Hörer. Daphne lächelte
mich an. Ihr Blick war verschwommen, eine Art sanftes Tasten nach den sie umgebenden Gegenständen. Sie stand auf,
reichte mir die Schüssel und die restlichen Erbsen und ging
nach oben. Als sie nach einer Weile zurückkam, war sie angezogen, ihr Haar war getrocknet und sie trug eine Brille;
und zunächst erkannte ich sie nicht und hielt sie für einen
weiteren Bewohner dieses Hauses. Erst da wurde mir klar,

daß sie es gewesen war, die ich an jenem Tag auf der Party des Professor Sowieso auf der Wiese gesehen hatte. Ich fing an, ihr zu erzählen, daß ich sie gesehen hatte, aber dann überlegte ich es mir anders, aus demselben unbekannten Grund, aus dem ich mich dieses erste Mal von ihr abgewandt hatte, ohne sie anzusprechen. Sie nahm mir die Schüssel mit den Erbsen ab und setzte sich wieder. Anna bekam einen weiteren Telefonanruf, murmelte, lachte leise. Mir wurde bewußt, daß meine Gegenwart ihren Tagesablauf kaum beeinflußte, daß sie genau dasselbe getan hätten, wenn ich nicht dagewesen wäre. Es war ein beruhigender Gedanke. Ich war nicht zum Abendessen eingeladen worden, aber es schien selbstverständlich, daß ich bleiben würde. Nachdem wir gegessen hatten, blieben wir noch lange am Tisch sitzen. Der Nebel wurde dichter und preßte sich gegen die Fensterscheiben. Ich sehe die beiden vor mir, wie sie mir dort in dem milchigen Zwielicht gegenübersitzen, die Dunkle und die Blonde: sie haben etwas Komplizenhaftes, heimlich Belustigtes an sich, als amüsierten sie sich über einen harmlosen, nicht sehr unfreundlichen Witz auf meine Kosten. Wie weit weg das alles zu sein scheint, ein ganzes Zeitalter her, als wir noch unschuldig waren, wenn das das richtige Wort ist, was ich bezweifle.

Ich war fasziniert von ihnen, ich gebe es zu, fasziniert von ihrem Aussehen, ihrer Haltung, ihrem lässigen Egoismus. Sie verkörperten ein Ideal, von dem mir erst jetzt bewußt wurde, daß ich es gehabt hatte. Ich arbeitete damals immer noch an meiner Wissenschaft; ich plante, einer dieser kühlen, genialen Techniker, einer der heimlichen Beherrscher der Welt zu werden. Nun eröffnete sich plötzlich eine andere Zukunft, als hätten diese beiden eine ganze Felswand zum Einsturz gebracht und mir hinter dem aufwirbelnden Staub eine grenzenlose, strahlende Weite offenbart. Sie waren großartig, träge und draufgängerisch in einem. Sie kamen mir vor wie ein Paar Abenteuerinnen aus dem letzten Jahrhundert. Im vorigen Winter waren sie in New York angekommen und hatten sich dann etappenweise durch das Land bis zu diesen goldbraunen, sonnigen Küsten treiben lassen, wo sie nun verharrten, als stünden sie auf Zehenspitzen und hielten sich mit augestreckten Armen an der Hand, während sich der Pazifik zu ihren Füßen ausdehnte. Obwohl sie schon fast ein halbes Jahr in diesem Haus gewohnt hatten, hatten sie in ihm nur so leichte, flüchtige Abdrücke hinterlassen, daß die Räume ihre Gegenwart kaum registriert hatten. Sie schienen kein Eigentum zu haben – sogar der Strohhut, der an der Tür hing, war von dem vorherigen Mieter zurückgelassen worden. Sie müssen Freunde, oder wenigstens Bekannte gehabt haben – ich denke an diese Telefonanrufe – aber ich bekam sie nie zu Gesicht. Ab und zu bekamen sie einen Überfall von ihrer Vermieterin, eine dunkle, dramatische Person mit seelenvollen Augen und sehr schwarzem Haar, das fest in einen Knoten gedreht und von gebogenen, hölzernen Nadeln aufgespießt war. Sie kleidete sich wie eine indianische Squaw und behängte sich mit Perlen und Schals in grellen Farben. Es war ihre Gewohnheit, beunruhigt durch das Haus zu wogen, wobei sie den Geruch ihres intensiven, moschusartigen Parfüms hinter sich herzog. Sodann pflegte sie sich mit einem ballerinahaften Satz auf die Couch im Wohnzimmer zu werfen, eine Stunde lang ihr Leid zu klagen – zum Großteil eine Folge dessen, was sie mit dröhnender Stimme als *Männerprobleme* bezeichnete – und sich zwischenzeitlich stetig und tränenreich an Calvados zu betrinken, von dem sie sich einen Vorrat in einem verschlossenen Schrank in der Küche hielt. Eine schauderhafte Frau, ich konnte sie nicht ausstehen, diese lederne Haut und der verschmierte Mund, all diese Hysterie, diese chaotische Einsamkeit. Die Mädchen fanden sie jedoch außerordentlich unterhaltsam, ahmten sie genußvoll nach und zitierten ihre

Äußerungen, als seien es Aphorismen. Manchmal, wenn ich ihnen dabei zuhörte, wie sie sie nachäfften, fragte ich mich, ob sie nicht vielleicht mich genauso behandelten, wenn ich nicht da war, sich gegenseitig Bemerkungen in einer komisch-feierlichen Kopie meiner Stimme zuwarfen und leise darüber lachten, in der matten Art, die ihnen eigen war, als sei der Witz nicht wirklich lustig gewesen, sondern nur lächerlich.

Auch das Land fanden sie zum Schreien, besonders Kalifornien. Es machte uns großen Spaß, über die Amerikaner zu lachen, die gerade damals in jenes Stadium verhängnisvoller, hedonistischer Fröhlichkeit eintraten, das wir, die goldene Jugend des armen, alten, ausgelaugten Europa, bereits hinter uns gelassen hatten, oder jedenfalls glaubten wir das. Wie unschuldig kamen sie uns vor, mit ihren Blumen, ihren Räucherstäbchen und ihrer konfusen Religiosität. Natürlich hatte ich insgeheim Gewissensbisse, wenn ich mich so über sie lustig machte. Als ich dort das erste Mal ankam, war ich von dem Land fasziniert gewesen, und nun war es so, als beteiligte ich mich daran, ein gutherziges, glückliches Wesen zu verspotten; das fette Mädchen auf der Party, an das ich mich vor einer Sekunde noch unter der Deckung der allgemeinen Herumtollerei herangedrängt hatte, in wortloser überfließender Ekstase.

Vielleicht war Verachtung eine Art Nostalgie für uns, oder sogar eine Art von Heimweh? Dort zu leben, inmitten dieser sanften Malkasten-Farben, unter dieser Kuppel von fehlerlosem Blau, das war so, als lebte man in einer anderen Welt, einem Ort aus einem Märchenbuch. (Ich träumte immer von Regen – echtem, tagelangem, irischem Regen – als sei er etwas, von dem man mir erzählt, das ich jedoch nie gesehen hatte.) Oder vielleicht war es ein Mittel der Selbstverteidigung, Amerika auszulachen. Es stimmt, manchmal kam uns der Gedanke, oder kam wenigstens *mir* der Gedanke, daß wir vielleicht selber ein ganz klein bißchen lächerlich sein könnten. Hatten wir nicht etwas Groteskes an uns, mit unseren Tweedsachen und den vernünftigen Schuhen, unserem übertriebenen Akzent und unseren unverschämt höflichen Manieren? Mehr als einmal glaubte ich zu sehen, wie ein unterdrücktes Lächeln auf den Lippen einer Person zuckte, die eigentlich die ahnungslose Zielscheibe unseres Spottes hätte sein müssen. Selbst wenn wir unter uns waren, gab es Momente der Stille, der Verlegenheit, wenn ein unausgesprochenes Eingeständnis zwischen uns in der Luft hing wie ein unangenehmer, peinlicher Geruch. Ein Trio von Exil-Iren, die sich auf diesem lieblichen Spielplatz trafen – was hätte rührseliger sein können? Nun ja, wir waren eben ein Dreigespann!

Wir waren ein Dreigespann. Es passierte, das Unvermeidliche, einen Monat nachdem wir uns kennengelernt hatten. Wir hatten auf der Veranda an der Rückseite des Hauses gesessen, Gin getrunken und etwas geraucht, das scheußlich schmeckte und die seltsamsten Auswirkungen hatte. Es war ein heißer und diesiger Tag. Über unseren Köpfen klebte eine kupferfarbene Sonne in einem weißen Himmel. Ich beobachtete einen Wolke von Kolibris, die an einem Geißblattbusch neben den Verandastufen nippten. Daphne, in kurzen Hosen, rückenfreiem Top und hochhackigen Sandalen, stand auf, ein wenig unsicher auf den Beinen, blinzelte und schlenderte ins Haus. Ich folgte ihr. Ich dachte mir nichts dabei – ich ging noch etwas Eis holen, oder so was ähnliches. Nach dem gleißenden Licht draußen konnte ich drinnen kaum noch sehen, wo immer ich mich auch hinwandte, war ein großes, schwarzes Loch in der Luft. Ich schaute mich träge nach Daphne um, folgte dem Klimpern der Eiswürfel in ihrem Glas, aus der Küche durch das Wohnzimmer in das Schlafzimmer. Die Jalousie war heruntergelassen. Sie saß auf der Bettkante und starrte in dem bernsteinfarbenen Halbdunkel vor sich hin. Mein Kopf begann plötzlich zu schmerzen. Sie leerte ihr Glas mit einem langen Schluck aus und hatte es immer noch in der Hand, als wir uns zusammen hinlegten; ein Eisstück glitt heraus und fiel in die Höhlung meiner Schulter. Ihre Lippen waren kalt und naß. Sie wollte etwas sagen, lachte dann leise in meinen Mund. Unsere Kleider waren so eng wie ein Verband, ich riß schnaubend an ihnen herum. Dann waren wir plötzlich nackt. Es gab eine erschreckte Pause. Irgendwo in der Nähe spielten Kinder. Daphne legte ihre Hand auf meine Hüfte. Ihre Augen waren geschlossen, und sie lächelte mit emporgezogenen Augenbrauen, als hörte sie einer entfernten, träumerischen und leicht komischen Melodie zu. Ich hörte ein Geräusch und schaute über meine Schulter. Anna stand im Türrahmen. Ich hatte eine flüchtige Ahnung davon, wie sie mich sehen mußte, meine schimmernden Lenden, mein bleicher Rükken, mein staunend geöffnetes Fischmaul. Sie zögerte einen Augenblick und ging dann mit auf den Boden gerichtetem Blick auf das Bett zu, als sei sie tief in Gedanken, setzte sich neben uns und begann, sich auszuziehen. Daphne und ich lagen uns bewegungslos in den Armen und beobachteten sie. Sie zog sich die Bluse über den Kopf, kam wie ein Schwimmer an die Oberfläche und schüttelte ihre Haare. Eine Metallspange hatte einen malvenfarbenen Abdruck auf der Mitte ihres Rückens hinterlassen. Wieso kam sie mir soviel älter vor als wir, weltmüde, ein wenig verbraucht, eine Erwachsene, die sich nachsichtig an einem nicht ganz erlaubten Kinderspiel beteiligt? Daphne atmete kaum, ihre Finger schlossen sich immer enger um meine Hüften. Ihre Lippen waren geöffnet und sie stöhnte ein wenig, während sie selbstvergessen in vagem Erstaunen auf Annas nacktes Fleisch starrte. Ich konnte ihren Herzschlag spüren, und meinen eigenen. Es war, als seien wir Zeugen einer rituellen Enthüllung.

Ein Ritual, ja, so war es. Wir bemühten uns gemeinsam, langsam auf dem Bett, zu dritt, als seien wir von einer archaischen Zeremonie der Mühsal und Anbetung in Anspruch genommen, als stellten wir pantomimisch die Gestaltung und Erbauung von etwas dar, ein Schrein vielleicht, oder ein gewölbter Tempel. Wie feierlich wir waren, wie nachdenklich, mit welcher Aufmerksamkeit berührten wir einander. Keiner sprach ein Wort. Die Frauen hatten damit begonnen, einen keuschen Kuß auszutauschen. Sie lächelten, ein wenig verlegen. Meine Hände zitterten. Ich hatte dieses erstickende Gefühl eines Verstoßes schon einmal gehabt, vor langer Zeit, als ich als Kind mit zwei Kusinen rangelte, im Dunkeln auf den Treppen, an einem Winterabend in Coolgrange – dieselbe Furcht und Ungläubigkeit, dieselbe hingebungsvolle, schmerzende, infantile Freude. Ab und zu umklammerte einer von uns die anderen beiden mit der Ungeduld und gierigen Leidenschaft eines Kindes und stieß dabei einen leisen, winzigen Schrei aus, wie im Schmerz oder hilflosem Kummer. Es schien mir manchmal, als seien da nicht zwei Frauen, sondern eine; ein merkwürdiges, unnahbares, vielarmiges Wesen, das hinter einer emaillierten Maske in etwas vertieft war, das ich nicht einmal annähernd verstehen konnte. Schließlich, als sich der letzte Stoß in mir zusammenzog, hob ich mich auf zitternden Armen, während Daphnes Fersen sich in mein Kreuz stemmten, und schaute auf die beiden herab, wie sie mit zärtlicher Begierde aneinander nagten, Mund an geöffnetem Mund; und eine Sekunde lang, als mir das Blut in die Augen schoß, sah ich, wie ihre Köpfe ineinanderschmolzen, die Blonde und die Dunkle, die Goldbraune und die Pantherhaft-Geschmeidige. Sogleich setzte der Schauer in meinen Lenden ein, und ich fiel über sie, jubelnd und ängstlich.

Aber danach war es Daphne allein, die in meinen Armen lag und mich noch in sich hielt, während Anna aufstand und zum Fenster ging, die Jalousie an einer Seite mit dem Finger hochhob und in das diesig grelle Licht des Nachmittags hinausstarrte. Die Kinder spielten noch immer. Da ist eine Schule, oben auf dem Hügel, murmelte Anna. Sie lachte leise und sagte, *Aber was weiß ich denn schon, ich frage Sie?* Es war einer der Slogans der verrückten Witwe. Plötzlich war alles traurig und grau und zerstört. Daphne legte ihr Gesicht an meine Schulter und begann, leise zu weinen. Ich werde mich immer an die Stimmen dieser Kinder erinnern.

Es war eine merkwürdige Begegnung, die sich niemals wiederholen sollte. Ich grüble nun darüber nach, nicht aus naheliegenden Gründen, sondern weil es mich verwirrt. Die Sache an sich, die Trias, war nicht so bemerkenswert: in jenen Tagen war so was gang und gäbe. Nein, was mir damals auffiel, mir immer noch auffällt, ist das merkwürdig Passive meiner Rolle in den Vorgängen jenes Nachmittags. Ich war der Mann unter uns dreien, und doch fühlte ich, daß eigentlich ich es war, in den sanft und unwiderstehlich eingedrungen wurde. Weise Leute werden sagen, daß ich nur das Bindeglied war, an dem entlang die beiden zueinander kletterten, eine Hand über der anderen, bis sie sich in den Armen lagen. Das mag stimmen, will aber nicht viel besagen und ist sicherlich nicht das eigentlich Wichtige. Ich konnte mich nicht von dem Gefühl befreien, daß ein Ritus vollzogen wurde, bei dem Anna Behrens die Priesterin war und Daphne die Opfergabe, während ich ihnen lediglich die Stange hielt, nur ein Handlanger war. Ich war wie ein steinerner Phallus, mit dem sie sich bewaffneten und um den sie sich mit beschwörenden Seufzern krümmten und wälzten. Sie nahmen –
Sie nahmen Abschied voneinander. Natürlich. Es ist mir gerade erst klar geworden. Sie fanden nicht zueinander, son-

dern trennten sich. Daher die Traurigkeit und das Gefühl der Zerstörung, daher Daphnes bittere Tränen. Es hatte mit mir überhaupt nichts zu tun.

Tja! Das ist der Vorteil am Gefängnis, man hat Zeit und Muße, den Dingen wirklich auf den Grund zu gehen.

Die Vision, die ich am Ende unserer Ausschweifungen auf dem Bett hatte, das Ineinanderschmelzen der beiden Frauen, begleitete mich noch lange. Selbst jetzt, wenn ich an beide gemeinsam denke, sehe ich eine Art doppelköpfige Münze vor mir, auf die ihre Zwillingsprofile geprägt sind, gleichmütig, emblematisch, abgewandt, eine stilisierte Darstellung von gepaarten Tugenden, von – sagen wir mal – »Ruhe« und »Kraft«, oder besser noch, »Stille« und »Opfer«. Ich erinnere mich an einen bestimmten Augenblick, als Anna ihren wunden, glänzenden Mund zwischen Daphnes Beinen hervorhob, sich mit einem komplizenhaften, ironischen Lächeln nach mir umdrehte und sich zur Seite lehnte, damit ich den Schoß des auf dem Bett ausgestreckten Mädchens dort offen liegen sehen konnte, so kompliziert und unschuldig wie eine halbierte Frucht. Ich sehe nun, daß in diesem kurzen Moment des Verzichts und der Entdeckung alles gegenwärtig war. Genau dort begann eine ganze Zukunft.

Ich erinnere mich nicht daran, Daphne einen Heiratsantrag gemacht zu haben. Ihre Hand war mir sozusagen bereits gewährt worden. Wir heirateten an einem nebligen, heißen Nachmittag im August. Die Zeremonie war kurz und erbärmlich. Ich hatte die ganze Zeit über Kopfschmerzen. Anna und einer meiner Kollegen von der Universität waren die Trauzeugen. Danach gingen wir vier zu dem Haus in den Hügeln zurück und tranken billigen Sekt. Das Ereignis war kein Erfolg. Mein Kollege brachte nach einer halben Stunde eine lahme Entschuldigung vor, ging nach Hause und ließ uns drei in einem unruhigen, wirbelnden Schweigen zurück. In der Luft zwischen uns schwammen alle möglichen unausgesprochenen Dinge, wie glitschige, gefährliche Fische. Dann sagte Anna, mit diesem Lächeln, daß sie annehme, wir jungen Dinger wären wohl lieber allein, und ging. Plötzlich wurde ich die Beute einer absurden Verlegenheit. Ich sprang auf und fing an, die leeren Flaschen und Gläser zusammen-zusuchen, wobei ich Daphnes Blick vermied. Im Küchen-fenster mischte sich die Sonne mit Nebel. Ich stand am Spül-becken und schaute hinaus auf die schwarzblauen Baumgei-ster am Hang, und zwei große, dicke, unerklärliche Tränen sammelten sich am Rand meiner Augenlider, fielen jedoch nicht herab.

Ich bin mir nicht bewußt, Daphne in der Weise geliebt zu haben, in der die Welt dieses Wort versteht, aber ich weiß, daß ich ihre Art liebte. Wird es merkwürdig kalt, vielleicht sogar unmenschlich erscheinen, wenn ich sage, daß ich eigentlich nur an dem wirklich interessiert war, was sie auf der Oberfläche war? Pah, was soll ich mich darum küm-mern, welchen Eindruck das macht. Das ist die einzige Weise, auf die man ein anderes Wesen kennen kann: auf der Oberfläche, dort gibt es Tiefe. Daphne, wie sie auf der Suche nach ihrer Brille durch ein Zimmer geht und die Dinge kurz und sanft berührt, sie gleichsam mit ihren Fingerspitzen liest. Die Art, die sie hatte, sich zur Seite zu drehen und mit gerunzelter Stirn und zusammengepreßten Lippen in ihr Portemonnaie zu spähen, wie eine altjüngferliche Tante, die ein paar Pfennige für Süßigkeiten hervorkramt. Ihr Geiz und ihre plötzlichen Anfälle von Gier, die so kindisch und lie-benswert waren. Dieses eine Mal, es ist Jahre her, und ich weiß nicht mehr, wo es war, als ich sie am Ende einer Party überfiel, wie sie im Zwielicht der Frühlingsabenddämme-rung in einem weißen Kleid am Fenster stand, traumverloren – ein Traum, aus dem ich sie, beschwipst und schlechter Laune, ohne viel Federlesens herausriß, wenn ich – ver-dammt nochmal! – wenn ich im Schatten hätte stehenbleiben können und sie, bis hinunter zum kleinsten, zärtlichsten Detail, auf die leere innerste Wand meines Herzens hätte malen können, wo sie nun immer noch wäre, so lebendig wie in der Dämmerung; mein dunkler, geheimnisvoller Schatz.

Wir einigten uns schnell – und wie immer stillschweigend – darauf, Amerika zu verlassen. Ich gab meine Forschungen auf, die Universität, meine wissenschaftliche Karriere, alles, so gut wie ohne einen weiteren Gedanken daran zu verschwenden; und bevor das Jahr zu Ende war, kamen wir in Europa an.

Maolseachlainn Mac Giolla Gunna, mein Verteidiger und, wie er mir versichert, mein Freund, hat die Eigenart, sich in der Ausarbeitung seiner Fälle auf das scheinbar Triviale zu stürzen. Anekdoten über seine Methoden zirkulieren in den Fluren des Amtsgebäudes und auf den Stegen hier im Gefängnis. Details, Details, davon ist er besessen. Er ist ein dikker, klobiger, ungeschickter Mann – Meter, buchstäblich Meter von Nadelstreifen – mit einem großen, eckigen Kopf, zottigem Haar und winzigen, ruhelosen Augen. Ich glaube, daß das lebenslange Herumstochern in den Abgründen der häßlichen kleinen Tragödien anderer Leute etwas in ihm verunstaltet hat. In seinem Wesen liegt so etwas wie verletzte Sehnsucht. Man behauptet, daß er in Gerichtsverhandlungen ein wahrer Schrecken sei, aber wenn er an dem zerkratzten Tisch hier im Beratungszimmer sitzt, den Kneifer in das breite Gesicht gehakt, und sich über seinen Papieren zusammenkauert, in einer mühsam winzigen Schrift Notizen macht, ein wenig keucht und brummelnd mit sich selbst redet, dann fühle ich mich unwiderstehlich an einen fetten Jungen aus meinen Schultagen erinnert, der verzweiflungsvoll in mich verliebt war und den ich immer dazu brachte, meine Hausaufgaben für mich zu machen.

Momentan ist Maolseachlainn zutiefst an der Frage interessiert, warum ich überhaupt erst nach Whitewater gefahren bin. Aber warum hätte ich nicht dorthin fahren sollen? Ich kannte die Behrenses – oder ich kannte jedenfalls Anna, weiß Gott. Ich war zehn Jahre weg gewesen, ich machte also als Freund der Familie einen gesellschaftlichen Besuch. Dies ist aber anscheinend unbefriedigend. Maolseachlainn runzelt die Stirn, schüttelt langsam den großen Kopf und verfällt, ohne es zu merken, in seine Gerichtsverhandlungsroutine. Stimmte es nicht, daß ich das Haus meiner Mutter nur einen Tag, nachdem ich dort angekommen war, voller Wut verlassen hatte? Traf es denn nicht zu, daß ich in einem Zustand außerordentlicher Empörung war, weil ich erfahren hatte, daß die Bildersammlung meines Vaters für eine, wie ich fand, schäbige Summe an Helmut Behrens verkauft worden war? Und traf es nicht weiterhin zu, daß ich allen Grund hatte, gegen eben diesen Behrens Groll zu empfinden, der versucht hatte, meinen Vater zum betrogenen Ehemann zu machen, in – aber einen Moment mal, alter Freund, sagte ich: diese letzte Sache kam erst später ans Licht. Er sieht immer so niedergeschlagen aus, wenn ich ihm derartig den Wind aus den Segeln nehme. Trotzdem, eine Tatsache ist eben eine Tatsache.

Es stimmt, ich habe mich wieder mit meiner Mutter gestritten, ich bin aus dem Haus gestürmt (und der Hund hinter mir her, natürlich, der versuchte, mich in die Fersen zu beißen). Binkie Behrens war jedoch nicht die Ursache des Streits, oder jedenfalls nicht direkt. Soweit ich mich erinnern kann, war es derselbe alte Zank wie immer: Geld, Verrat, daß ich in die Staaten gegangen war, daß ich die Staaten verlassen hatte, meine Heirat, meine aufgegebene Karriere, alles das, das übliche – und, ja, die Tatsache, daß sie mein Erbe für den Preis einer Reihe von potthäßlichen Ponys verscherbelt hatte, aus denen sie sich eingebildet hatte, ein Vermögen machen zu können; ein Vermögen, von dem sie in der Klapprigkeit ihrer alten Tage leben wollte, diese vernagelte alte Hexe. Dann war da noch die Sache mit dem Mädchen Joanne. Schon im Hinausgehen, blieb ich noch einmal stehen und sagte, indem ich meine Worte genau abwägte, daß ich es kaum passend für eine Frau in ihrer Stellung in der Gesellschaft fand – in ihrer Stellung! – in der Gesellschaft! – so sehr ein Herz und eine Seele mit einem Stallmädchen zu sein. Ich gebe zu, daß ich Empörung hatte hervorrufen wollen, aber ich fürchte, daß ich es war, der am Ende glotzte. Meine Mutter starrte mir, nachdem sie einen Moment geschwiegen hatte, mit dreister Unbekümmertheit ins Gesicht und sagte, daß Joanne kein Kind mehr sei, daß sie in Wirklichkeit siebenundzwanzig Jahre alt sei. Sie ist – hier gab es eine effektvolle Pause – sie ist wie ein Sohn für mich, der Sohn, den ich nie gehabt habe. Nun, sagte ich, und schluckte krampfhaft, ich freue mich für euch beide, in der Tat! und stolzierte aus dem Haus. Auf der Auffahrt mußte ich jedoch anhalten und darauf warten, daß mein Groll und meine Entrüstung ein wenig abflauten, bevor ich wieder zu Atem kommen konnte. Manchmal glaube ich, daß ich ein total sentimentaler Mensch bin.

Am selben Abend kam ich in Whitewater an. Für das letzte Stück der Reise nahm ich vom Dorf aus ein Taxi. Der Fahrer war ein äußerst großer, spindeldürrer Kerl mit einer flachen Mütze und einem uralten blauen Flanellanzug. Er beobachtete mich interessiert im Rückspiegel und kümmerte sich so gut wie gar nicht um die vor uns liegende Straße. Ich versuchte, böse zurückzustarren, aber er blieb unbeeindruckt und verzog nur die eine Hälfte seines mageren Gesichts zu einem wissenden Grinsen, das seltsam freundlich war. Warum bloß erinnere ich mich so lebhaft an dergleichen Leute? Mein Gedächtnis ist mit ihnen förmlich vollgestopft, sobald ich von meiner Arbeit aufschaue, drängen sie sich in der Dunkelheit um mich, schweigend, ein wenig neugierig – vielleicht sogar besorgt. Sie sind die Zeugen, nehme ich an, die unbeteiligten Zuschauer, die ohne böswillige Absicht gekommen sind, um gegen mich auszusagen.
Ich kann mich Whitewater nie nähern, ohne daß es mir vor Bewunderung kurz und unfreiwillig den Atem verschlägt.

Die Auffahrt führt von der Straße in einer langen, ausgiebigen, baumlosen Kurve hinauf, so daß das Haus sich langsam und träumerisch zu drehen scheint und seinen palladianischen Säulengang dabei weit öffnet. Das Taxi hielt auf dem Kies vor den großartigen Eingangsstufen, und mit der plötzlichen Stille kam die Erkenntnis – ja, Maolseachlainn, ich gebe es zu – daß ich keinen Grund für mein Hiersein hatte. Ich saß einen Augenblick lang da und schaute mich mit kraftloser Bestürzung wie ein aufgerüttelter Schlafwandler um, aber der Fahrer beobachtete mich im Rückspiegel nun mit gespannter Erwartung, und ich mußte so tun, als wüßte ich genau, was ich eigentlich vorhatte. Ich stieg aus dem Auto aus, klopfte an meinen Taschen herum und verzog wichtigtuerisch das Gesicht, aber er ließ sich von mir nicht zum Narren halten, und sein schiefes Lächeln wurde noch verschmitzter; für eine Sekunde dachte ich, er würde mir jeden Moment zuzwinkern. Ich befahl ihm in schroffem Ton zu warten und stieg die Treppen mit dem beharrlichen Gefühl hinauf, zum allgemeinen Gespött geworden zu sein.

Nach einer halben Ewigkeit wurde die Tür von einem ärgerlichen, verhutzelten kleinen Männchen geöffnet, das in etwas steckte, was auf den ersten Blick wie die Uniform eines Busschaffners aussah. Ein paar lange Strähnen sehr schwarzen Haares waren wie verschmierte Stiefelwichse über seinen Schädel geklebt. Er schaute mich zutiefst angewidert an. Heute geschlossen, sagte er, und war im Begriff, mir die Tür ins Gesicht zu schlagen, als ich rasch an ihm vorbei in die Halle ging. Ich schaute mich um, rieb mir langsam und lächelnd die Hände und spielte den nach langer Zeit in die Heimat zurückgekehrten Hausfreund. Ah, sagte ich, noch alles beim alten! Der großartige Tintoretto über der Treppe, in dem es von Engeln und wahnsinnig dreinblickenden Märtyrern wimmelte, schmetterte mir seinen gewaltigen, chromatischen Akkord entgegen. Der Türhüter, oder was auch immer er war, tänzelte besorgt hinter mir her. Ich drehte mich um, schaute ihn, immer noch grinsend, bedrohlich an und sagte, nein, ich sei kein Ausflügler, sondern ein Freund der Familie – ob Miss Behrens wohl zu Hause sei? Er zauderte, immer noch mißtrauisch, befahl mir dann zu warten und trippelte durch die Halle hinaus, wobei er im Gehen einen Fuß nach außen stellte und sorgfältig das ölige Haar auf der Glatze glatt strich.

Ich wartete. Außer dem Ticken der großen deutschen Wanduhr aus dem siebzehnten Jahrhundert war alles still. An der Wand neben mir war eine Gruppe von sechs exquisiten kleinen Bonington-Aquarellen, ich hätte mir ohne weiteres ein paar von ihnen unter den Arm klemmen und damit hinausgehen können. Die Uhr holte mühsam Atem und schlug die halbe Stunde, und dann ließen überall um mich her, in immer weiter entfernten Räumen, auch andere Uhren ihr einzelnes silbriges Läuten ertönen, und es war, als wäre das Haus von einem winzigen Beben erfaßt worden. Ich schaute mir noch einmal den Tintoretto an. Es war auch ein Fragonard da, und ein Watteau. Und das hier war nur das Treppenhaus. Was ging vor, was war passiert, daß dies alles so völlig unbewacht war? Von draußen hörte ich ein vorsichtiges, entschuldigendes kleines Tuten; der Taxifahrer hatte auf seine Hupe gedrückt. Er muß gedacht haben, daß ich ihn vergessen hatte. (Was stimmte.) Irgendwo im hinteren Teil des Hauses schlug knallend eine Tür zu, und eine Sekunde später strich ein kalter Luftzug an meinem Gesicht vorbei. Von knarrenden Geräuschen begleitet, tastete ich mich in der Halle vor, während hinter meinem Brustbein eine angstvolle, heiße und fast sinnliche Erregung pochte. Ich bin in Wahrheit ein furchtsamer Mensch, und weite, verlassene Orte machen mich nervös. Eine der Figuren aus dem Fragonard, eine Dame in Seide, mit blauen Augen und einer vollen Unterlippe, beobachtete mich aus den Augenwinkeln, wobei ihr Gesichtsausdruck von entsetzlichen und lebhaften Vermutungen zu sprechen schien. Vorsichtig öffnete ich eine Tür. Der dicke Türgriff drehte sich mit einer wunderbar vertrauensvollen Leichtigkeit in meiner Hand. Ich trat in einen langen, hohen und engen Raum mit vielen Fenstern. Die Tapete hatte die Farbe glanzlosen Goldes. Auch die Luft war golden und in das schwere, sanfte Licht des Abends getaucht. Ich hatte das Gefühl, ich sei direkt in das achtzehnte Jahrhundert eingetreten. Die Ausstattung war spärlich, es waren nicht mehr als fünf oder sechs Möbelstücke da – ein paar zierlich geschwungene Stühle, eine prunkvolle Anrichte, ein kleiner Messingtisch – und all dies war gerade so aufgestellt, daß man den Eindruck hatte, nicht die Gegenstände, sondern der Raum um sie herum, die Luft selbst, war arrangiert worden. Ich stand ganz still da und hörte, ich weiß nicht auf was. Auf dem niedrigen Tisch lag ein großes und kompliziertes Puzzle, das zur Hälfte zusammengesetzt war. Ein paar Teile waren auf den Boden gefallen. Ich starrte sie an, wie sie da auf dem Parkett zerstreut wie Pfützen von etwas Verschüttetem lagen; und erneut schien ein leichter Schauer durch das Haus zu rieseln. Am anderen Ende des Raumes stand eine Verandatür weit offen, und ein Gazevorhang blähte sich im Luftzug. Draußen war ein langgezogener Wiesenhang, auf dem in nicht allzu weiter Entfernung ein einsames Pferd umhertänzelte, das einem Wappen entstiegen zu sein schien. Weiter weg war die Flußbiegung, das weißschäumende Wasser über den Untiefen, dahinter waren Bäume, dann eine verschwommene Bergkette, und dann das grenzenlose, vergoldete Blau des Sommers. Es fiel mir auf, daß die Perspektive dieser Szenerie irgendwie falsch war. Die Dinge wichen nicht so zurück wie sie sollten, sondern schienen vor mir aufgereiht zu sein – die Möbel, das offene Fenster, die Wiese, der Fluß und die fernen Berge – als würden sie nicht angeschaut, sondern schauten selbst, konzentriert auf einen Fluchtpunkt hier im Raum. Da drehte ich mich um und sah beim Umdrehen mich selbst, wie ich mich umdrehte, so wie es mir scheint, daß ich mich immer noch umdrehe, so wie ich mir manchmal vorstelle, daß ich mich immer umdrehen werde, als ob dies meine Bestrafung, meine Verdammnis sei, dieses atemlose, verzerrte, ewige Sichumdrehen zu ihr.

Sie haben ihr Bild in der Zeitung gesehen, Sie wissen also, wie sie aussieht. Eine noch junge Frau in einem schwarzen Kleid mit breitem weißen Kragen, die mit vor der Brust gefalteten Händen dasteht, eine davon im Handschuh, die andere versteckt, außer den gekrümmten Fingern, an denen kein Ring steckt. Sie trägt etwas auf dem Kopf, eine Haube oder irgendeine Art von Spange, die ihr das Haar fest aus der Stirn zieht. Ihre hervorstehenden schwarzen Augen haben eine leicht orientalische Schräge. Die Nase ist groß, die Lippen voll. Sie ist keine Schönheit. In ihrer rechten Hand hält sie einen zusammengefalteten Fächer, oder es könnte auch ein Buch sein. Das, worin sie steht, ist, wie ich glaube, der erleuchtete Türrahmen eines Zimmers. Man kann ein Stück von einem Sofa, oder vielleicht einem Bett sehen, auf dem eine Brokatdecke liegt. Die Dunkelheit hinter ihr ist dicht und doch auf geheimnisvolle Weise schwerelos. Ihr Blick ist ruhig, erwartungslos, in der Stellung ihres Mundes jedoch ist eine Spur von Herausforderung, ja sogar von Feindseligkeit. Sie will nicht hier sein, und kann doch nicht woanders sein. Die goldene Brosche, die die Enden ihres weißen Kragens zusammenhält, ist kostspielig und häßlich. All dies haben Sie gesehen, all dies wissen Sie. Aber ich behaupte, freundliche Connaisseurs unter den Geschworenen, daß selbst wenn Sie all dies wissen, Sie immer noch gar nichts, fast gar nichts wissen. Sie kennen die Kraft und den Pathos ihrer Ausstrahlung nicht. Sie sind nicht plötzlich an einem Sommerabend in einem goldenen Raum auf sie getroffen, wie ich. Sie haben sie nicht in Ihren Armen gehalten, Sie haben sie nicht ausgestreckt in einer Grube liegen sehen. Sie haben nicht – ah, nein! – Sie haben nicht für sie getötet.

Ich stand dort und starrte eine Ewigkeit lang, so schien es, und allmählich erfaßte mich eine Art von Verlegenheit, ein heißes, betretenes Bewußtsein meiner selbst, als ob irgendwie ich es sei, dieser verschmutzte Fleischsack, der mit sorgfältiger, kalter Aufmerksamkeit gemustert wurde. Es war nicht nur der gemalte, starre Blick der Frau, der mich beobachtete. Alles in dem Bild, diese Brosche, diese Handschuhe, die samtige Dunkelheit in ihrem Rücken, jeder Punkt auf dem Gemälde war ein Auge, das mich unverwandt anstarrte. Ich trat entgeistert einen Schritt zurück. Die Stille war an den Rändern ausgefranst. Ich hörte das Muhen von Kühen und ein startendes Auto. Da erinnerte ich mich an das Taxi und drehte mich um, um zu gehen. Ein Dienstmädchen stand in der offenen Verandatür. Sie muß gerade erst hereingekommen sein, hatte mich dort stehen sehen und war erschreckt zurückgefahren. Ihre Augen waren weit geöffnet, ein Knie war gebeugt und eine Hand erhoben, als wollte sie einen Schlag abwehren. Einen Augenblick lang bewegte sich keiner von uns beiden. Hinter ihr strich ein plötzlicher Windstoß das Gras auf dem Hügel glatt. Wir sprachen kein Wort. Dann ging sie, immer noch mit erhobener Hand, langsam und vorsichtig durch die Verandatür rückwärts und schwankte ein wenig, als ihre Fersen blind nach der Höhe des befestigten Weges draußen suchten. Ich wurde von einem kurzen und unerklärlichen Zornesausbruch erfaßt – ein Vorgefühl vielleicht, ein verirrter Zephyr, der dem kommenden Sturm vorausgeschickt worden war. Irgendwo klingelte ein Telefon. Ich wandte mich schnell um und verließ das Zimmer.

In der Halle war niemand. Das Telefon klingelte und klingelte mit gereizter Beharrlichkeit. Ich konnte es immer noch hören, als ich die Eingangstreppen hinunterstieg. Das Taxi war natürlich weggefahren. Ich fluchte und machte mich die Auffahrt hinunter auf den Weg, wobei ich mit meinen dünnsohligen spanischen Schuhen über den steinigen Boden humpelte. Die niedrige Sonne schien mir grell ins Gesicht. Als ich zum Haus zurückschaute, waren die Fenster in Flammen getaucht und schienen vor Hohn heftig zu lachen. Ich begann zu schwitzen, und das brachte mir die Mücken auf den Hals. Ich fragte mich erneut, welcher Teufel mich geritten hatte, als ich nach Whitewater fuhr. Ich kannte natürlich die Antwort. Es war der Geruch des Geldes gewesen, der mich angezogen hatte, genauso wie der Schweißgeruch nun diese verdammten Fliegen anzog. Ich sah mich selbst, wie man mich von einem dieser sonnenentflammten Fenster sehen mußte, wie ich hier im Staub dahinschlich, erhitzt, verstimmt, übergewichtig, mit hängendem Kopf, den fetten Rücken gebeugt, mein weißer Anzug unter den Achseln hochgeschoben und am Hintern ausgeleiert, ein Hanswurst, die Pointe eines schlechten Witzes; und sofort wurde ich von heftigem Selbstmitleid überflutet. Verdammt! War denn hier keiner, der mir helfen würde? Ich blieb stehen und warf einen bekümmerten Blick in die Gegend, so als ob zwischen den Bäumen vielleicht ein Wohltäter lauern könnte. Die Stille klang nach unterdrückter Schadenfreude. Ich stampfte weiter. Plötzlich hörte ich das Geräusch von Motoren, und bald darauf kam eine riesige schwarze Limousine um die Kurve, gefolgt von einem schnittigen, roten Sportwagen. Sie fuhren in gemessener Geschwindigkeit, die Limousine wiegte sich sanft in ihrer Federung, und eine Sekunde lang glaubte ich, es sei eine Beerdigung. Ich ging auf den Grasrand hinüber, blieb aber nicht stehen. Der Fahrer der Limousine, ein großer Typ mit kurz gestutztem Haar, saß aufrecht und wachsam da und hatte seine Hände so leicht um das Steuerrad gelegt, als sei dies ein Wurfgeschoß, das er aus seiner Verankerung rupfen und mit tödlichem Ziel von sich schleudern könnte. Neben ihm saß eine gebeugte zusammengeschrumpfte Gestalt, und als das Auto vorbeisauste, erhaschte ich einen Blick auf dunkle Augen, einen leberfleckigen Schädel und riesige Hände, die übereinandergefaltet auf der Krücke eines Stocks lagen. Eine blonde Frau mit einer dunklen Sonnenbrille fuhr den Sportwagen. Als sie vorbeifuhr, schauten wir einander mit ausdruckslosem Interesse an, wie Fremde. Ich erkannte sie natürlich.

Als ich zehn Minuten später die Straße mit ausgestrecktem Daumen hinuntertrottete, hörte ich, wie sie hinter mir anhielt. Ich wußte, daß sie es sein würde. Ich blieb stehen, drehte mich um. Sie blieb im Auto sitzen, mit über dem Lenkrad verschränkten Handgelenken. Es entstand ein kurzes und wortloses Gerangel darum, wer den ersten Schritt tun würde. Wir schlossen einen Kompromiß. Ich ging zurück zu dem Auto, und sie stieg aus, um mir entgegenzugehen. Ich *dachte* doch, daß du es bist, sagte sie. Wir lächelten und schwiegen. Sie trug ein cremefarbenes Kostüm und eine weiße Bluse. Auf ihren Schuhen war Blut. Ihr Haar war blonder, als ich es in Erinnerung hatte, und ich fragte mich, ob sie es wohl mittlerweile färbte. Ich sagte ihr, daß sie phantastisch aussehe. Ich meinte es ernst, aber die Worte klangen hohl, und ich wurde rot. Anna, sagte ich. Mit einem leichten Schock erinnerte ich mich daran, wie ich einmal vor langer Zeit den Umschlag eines ihrer Briefe an Daphne gestohlen hatte und damit auf die Toilette gegangen war, wo ich mit klopfendem Herzen die Klappe aufzwang, damit ich an dem Klebstoff lecken konnte, an dem auch sie geleckt hatte. Der Gedanke kam mir: ich habe sie geliebt! und ich lachte wild und erstaunt auf. Sie nahm ihre Sonnenbrille ab und sah mich fragend an. Meine Hände zitterten. Komm mit und besuch meinen Vater, sagte sie, er braucht eine Aufmunterung.

Sie fuhr sehr schnell und schaltete so prüfend, als wollte sie in diesem Netz von kleinen und geschickten Handgriffen ein Muster, eine geheime Formel ausfindig machen. Ich war beeindruckt und sogar ein wenig eingeschüchtert. Sie war voll des ungeduldigen Selbstvertrauens der Reichen. Wir schwiegen. Nach kurzer Zeit erreichten wir das Haus und ließen beim Bremsen den Kies aufspritzen. Sie öffnete die Wagentür, hielt dann inne, schaute mich einen Augenblick lang schweigend an und schüttelte den Kopf. Freddie Montgomery, sagte sie. Na so was.

Als wir die Stufen zur Eingangstür hinaufgingen, hakte sie sich leicht bei mir ein. Ich war überrascht. Als ich damals, vor all diesen Jahren, mit ihr zu tun hatte, war sie nicht der Typ für ungezwungene Intimitäten – Intimitäten schon, aber nicht ungezwungen. Sie lachte und sagte, du lieber Himmel, ich glaube, ich bin ein bißchen betrunken. Sie war im Krankenhaus in der Stadt gewesen – Behrens hatte einen leichten Herzanfall erlitten, oder so was ähnliches. Das ganze Krankenhaus war in Aufruhr. In einer überfüllten Einkaufsstraße war eine Autobombe hochgegangen, allem Anschein nach eine ziemlich simple Vorrichtung, aber bemerkenswert effektiv. Sie war unangefochten in der Unfallstation herumgelaufen. Überall lagen Verletzte. Sie ging zwischen den Toten und Sterbenden umher und fühlte sich dabei selbst wie eine Überlebende. Guter Gott, Anna, sagte ich. Sie lachte leise und angespannt. Was für ein Erlebnis, sagte sie – glücklicherweise hat Flynn immer eine Flasche Alkohol im Handschuhfach. Sie hatte einen tiefen Schluck davon genommen und begann nun, es zu bereuen.

Wir gingen ins Haus. Der uniformierte Türhüter war nirgendwo in Sicht. Ich erzählte Anna, wie er verschwunden war und es mir überlassen hatte, so viel wie ich wollte durchs Haus zu spazieren. Sie zuckte mit den Schultern. Es waren wohl alle unten gewesen, um die Nachrichten von dem Bombenanschlag im Fernsehen zu sehen. Trotzdem, sagte ich, jeder hätte hier hereinkommen können. Warum, fragte sie, glaubst du, daß jemand kommen könnte, um hier eine Bombe zu legen? Und sie schaute mich mit einem seltsam bitteren Lächeln an.

Dann führte sie mich in den goldenen Salon. Die Verandatür stand immer noch offen. Von dem Dienstmädchen war keine Spur zu sehen. Eine gewisse Scheu veranlaßte mich, meinen Blick von dem anderen Ende des Raumes abgewandt zu halten, wo das Bild sich ein wenig aus der Wand hinauslehnte, so als hörte es gespannt zu. Ich setzte mich vorsichtig auf einen der Louis-Quinze-Stühle, während Anna die geschnitzte und verschnörkelte Anrichte öffnete und zwei riesige Mengen Gin ausgoß. Es war kein Eis da, und der Tonic war abgestanden, aber das war mir egal, ich hatte einen Drink nötig. Ich war noch nicht wieder zu Atem gekommen, seit ich die Idee gehabt hatte, daß ich in sie verliebt gewesen war. Ich war aufgeregt und verwirrt und auf eine lächerliche Weise erfreut, wie ein Kind, dem man etwas Kostbares zum Spielen gegeben hat. Ich sagte es noch einmal vor mich hin – *Ich habe sie geliebt!* – und erprobte den Klang dieser Feststellung. Der Gedanke, erhaben, großartig und leicht verrückt, paßte gut zur Umgebung. Sie ging zwischen mir und dem Fenster auf und ab und hielt ihr Glas mit beiden Händen umklammert. Am Rande meines Blickfelds blähte sich träge der Gazevorhang. Etwas in der Luft selbst schien zu beben. Plötzlich schnellte auf dem niedrigen Tisch neben mir das Telefon mit einem fürchterlichen Geräusch aus seiner leblosen Starre empor. Anna schnappte sich den Hörer und rief ja, ja, was? Sie lachte. Es ist irgend so ein Taxifahrer, der sein Fahrgeld haben will, sagte sie zu mir. Ich nahm ihr den Hörer aus der Hand und fertigte den Kerl in schroffem Ton ab. Sie beobachtete mich aufmerksam und schien sich lebhaft zu amüsieren dabei. Als ich den Hörer auf die Gabel legte, sagte sie fröhlich, ach Freddie, wie aufgeblasen du geworden bist! Ich verzog das Gesicht. Es war mir nicht ganz klar, wie ich darauf reagieren sollte. Ihr Lachen und ihr glasiger Blick hatten einen Hauch von Hysterie. Allerdings war auch ich alles andere als ruhig. Nun schau dir das an, sagte sie. Sie starrte ärgerlich auf ihre blutbefleckten Schuhe. Dann schnalzte sie mit der Zunge, stellte ihr Glas ab und verließ eilig den Raum. Ich wartete. All dies war schon einmal passiert. Ich ging und stellte mich in die geöffnete Verandatür, steckte eine Hand in die Hosentasche und kippte meinen Gin hinunter. Aufgeblasen, also wirklich! – was meinte sie damit? Die Sonne war schon fast untergegangen, und das Licht sammelte sich gebündelt über dem Fluß. Ich ging auf die Terrasse hinaus. Ein sanfter, balsamischer Lufthauch atmete mir ins Gesicht. Ich dachte, wie merkwürdig es war, so hier zu stehen, mit dem Glas in der Hand, in der friedlichen Stille eines Sommerabends, während in meinem Herzen so viel Dunkelheit war. Ich drehte mich um und schaute zum Haus hoch. Es schien sich im raschen Flug gen Himmel zu drehen. Ich wollte meinen Anteil haben an diesem Reichtum, dieser vergoldeten Muße. Aus den Tiefen des Raumes schaute ein Paar Augen heraus, dunkel, ruhevoll, blind. Flynn, der Chauffeur mit den kurzgeschorenen Haaren, näherte sich mir von der Seite des Hauses in einer Haltung voll verschlossener Höflichkeit, die irgendwie drohend wirkte. Beim Gehen schaukelte er auf den Ballen seiner unverhältnismäßig zierlichen Füße hin und her. Er trug einen geschwungenen, blauschwarzen Banditenschnurrbart, der knapp gestutzt war und in einem rechten Winkel endete, so daß es aussah, als habe man ihm diesen ins breite, käsige Gesicht gemalt. Ich mag keine Schnurrbärte, habe ich das schon erwähnt? Sie haben etwas Lüsternes an sich, das mich abstößt. Ich hege keinen Zweifel, daß der Knast-Psychiater erklären könnte, was eine solche Aversion zu bedeuten hat – und ich bezweifle ebensowenig, daß er in meinem Fall falsch liegen würde. Flynns Schnurrbart war ein besonders widerliches Exemplar. Sein Anblick gab mir plötzlich Mut, heiterte mich auf, ich weiß nicht warum. Ich folgte ihm bereitwillig ins Haus. Das Eßzimmer war eine große, dämmrige Höhle, die angefüllt war mit dem Glitzern und Schimmern kostbarer Dinge. Behrens kam herein, auf Annas Arm gestützt, eine große, zerbrechliche Gestalt in einem teuren Tweedanzug und mit einer Fliege am Kragen. Er bewegte sich langsam und maß seine Schritte vorsichtig ab. Sein Kopf, der ein wenig zitterte, war glatt und steil gewölbt, wie ein wundervolles, getrocknetes Ei. Es müssen an die zwanzig Jahre vergangen sein, seit ich ihn zuletzt gesehen hatte. Ich muß zugeben, daß ich nun sehr von ihm angetan war. Er hatte die vornehme, edle Patina eines liebevoll und meisterhaft angefertigten Gegenstands; gleich einer dieser exquisiten Jadefigurinen im verführerischen Taschenformat, die ich eben erst auf dem Kaminsims ins Auge gefaßt hatte. Er nahm meine Hand und drückte sie langsam in seinem Würgegriff, wobei er mir so tief in die Augen schaute, als versuchte er, einen flüchtigen Blick auf jemand anderes darin zu erhaschen. Frederick, sagte er mit seiner hauchigen Stimme. Ganz die Mutter.

Wir dinierten an einem wackeligen Tisch in der Nische eines hohen Fensters mit Blick auf den Garten. Das Besteck war billig, die Teller paßten nicht zueinander. Das war ein Teil von Whitewater, an den ich mich noch erinnern konnte, die improvisierte Art, in der das Leben in irgendeiner Ecke, am Rande der Dinge gelebt wurde. Das Haus war nicht für Menschen vorgesehen, diese ganze Pracht mochte ihr schäbiges Tun in ihrer Mitte nicht dulden. Ich beobachtete Behrens dabei, wie er ein blutiges Stück Fleisch in Stücke schnitt. Diese riesigen Hände faszinierten mich. Ich war immer schon davon überzeugt gewesen, daß er irgendwann in der Vergangenheit jemanden umgebracht hatte. Ich ver-

suchte, ihn mir jung vorzustellen, in Flanellhosen und Bla-
zer, in der Hand einen Tennisschläger – *Hey, sieh mal, da
kommt Binkie!* – aber es war unmöglich. Er sprach über den
Bombenanschlag. Fünf Tote – oder waren es mittlerweile
sechs? – nur wegen eines lächerlichen Kilos Sprengstoff. Er
seufzte und schüttelte den Kopf. Es schien, als sei er mehr
beeindruckt als schockiert. Anna sprach kaum ein Wort. Sie
war bleich und sah müde und besorgt aus. Mir fiel zum ersten Mal auf, wie alt sie geworden war. Die Frau, die ich vor
fünfzehn Jahren gekannt hatte, war immer noch da, nur war
sie in einen gröberen Umriß gebannt, wie eines dieser juwel-
überkrusteten Liebespaare von Klimt. Ich schaute hinaus in
das leuchtend graue Zwielicht, entgeistert und auf seltsame
Weise stolz bei dem Gedanken an das, was ich verloren
hatte, was hätte sein können. Übereinandergetürmte Wolken, ein letzter, heller Streifen des Himmels. Plötzlich er-
klang das Pfeifen einer Amsel. Eines Tages würde ich dies
alles auch verlieren, ich würde sterben und es würde alles
verschwunden sein, dieser Augenblick an diesem Fenster, im
Sommer, an der zärtlichen Schwelle der Nacht. Es war erstaunlich, und doch war es die Wahrheit, es würde passieren.
Anna nahm ein Streichholz und zündete eine zwischen uns
auf dem Tisch stehende Kerze an; und für einen Augenblick
lag der Zauber von etwas Schwebendem, Sich-Wiegendem in
der sanften dunklen Luft.
Meine Mutter, sagte ich zu Behrens und mußte innehalten,
um mich zu räuspern – meine Mutter hat Ihnen ein paar
Bilder gegeben, glaube ich. Er wandte mir seinen Raubvo-
gelblick zu. *Verkauft*, sagte er, und es war fast ein Flüstern,
verkauft, nicht gegeben. Er lächelte. Für kurze Zeit
herrschte Stille. Er war recht unbefangen. Es täte ihm leid,
sagte er, wenn ich in der Hoffnung gekommen wäre, die Bilder wiederzusehen. Er könne verstehen, daß ich an ihnen
hing. Aber er habe sich ihrer fast sofort wieder entledigt. Er

lächelte wieder, ein freundliches Lächeln. Es waren ein oder zwei ganz nette Sachen darunter, sagte er, aber es wäre ihnen hier nicht so recht wohl geworden, hier in Whitewater.

Da hast du's, Vater, dachte ich, mit deinem Kennerblick war's wohl nicht so weit her.

Ich wollte etwas für deine Mutter tun, verstehst du, sagte Behrens indessen. Sie war krank gewesen, weißt du. Ich habe ihr sehr viel mehr als den Marktwert gegeben – du darfst ihr das natürlich nicht erzählen. Sie wollte irgendein Unternehmen starten. Er lachte. Was für eine mutige Frau!, sagte er.

Erneut entstand ein Schweigen. Er spielte mit dem Messer herum, amüsiert, abwartend. Ich erkannte mit einigem Erstaunen, daß er gedacht haben muß, ich sei gekommen, um die Rückgabe der Sammlung zu verlangen. Dann kamen mir natürlich Zweifel, ob er nicht trotz seiner Beteuerungen meine Mutter im Preis betrogen hatte. Die Idee gab mir unwahrscheinlichen Auftrieb. Tja, du alter Schurke, dachte ich und lachte vor mich hin, du bist genauso wie wir alle anderen auch. Ich schaute auf Annas Profil, das sich verschwommen in der mir gegenüberliegenden Fensterscheibe spiegelte. Und sie, was war sie denn anderes als eine in die Jahre gekommene alte Jungfer, mit ihren Falten und ihren gefärbten Haaren – wahrscheinlich besorgte ihr's Flynn einmal im Monat oder so, nachdem er das Auto gewaschen hat und bevor er seinen Schnurrbart zum Friseur trägt, um ihn stutzen zu lassen. Ihr könnt mich alle mal! Ich goß mir ein Glas Wein bis an den Rand voll, verschüttete etwas über das Tischtuch und freute mich darüber. Düster, ganz düster.

Ich hatte erwartet, daß man mich auffordern würde, dort zu übernachten, aber als wir unseren Kaffee getrunken hatten, entschuldigte sich Anna, kam kurz darauf wieder zurück und sagte, daß sie ein Taxi gerufen habe. Ich war gekränkt. Nachdem ich von so weit her gekommen war, um sie zu besuchen, boten sie mir noch nicht einmal ein Bett an. Eine häßliche Stille breitete sich aus. Behrens hatte auf meine Veranlassung hin über niederländische Malerei gesprochen. Bildete ich es mir nur ein, oder hatte er mit einem verschmitzten Lächeln zu mir herübergeschaut, als er mich fragte, ob ich im Gartenzimmer gewesen sei? Bevor ich verstanden hatte, daß es der goldene Salon war, den er meinte, war er schon bei einem anderen Thema. Nun saß er da, mit zitterndem Kopf und leicht geöffnetem Mund und starrte stumpf ins Kerzenlicht. Er hob eine Hand, als sei er im Begriff, weiter zu sprechen, ließ sie dann aber langsam wieder fallen. Die Scheinwerfer eines Autos strichen über das Fenster und eine Hupe ertönte. Behrens blieb sitzen. Es war sehr schön, dich mal wieder zu sehen, murmelte er und gab mir seine linke Hand. Sehr schön.

Anna brachte mich bis zur Eingangstür. Ich hatte das Gefühl, mich irgendwie lächerlich gemacht zu haben, wußte aber nicht genau warum. In der Eingangshalle klangen unsere Schritte unwahrscheinlich laut; ein wirrer und leicht absurder Krach. Flynn hat seinen freien Abend, sagte Anna, sonst hätte er dich fahren können. Ich sagte steif, daß das schon in Ordnung gehe. Ich fragte mich, ob es möglich war, daß wir dieselben zwei Menschen waren, die sich mit Daphne nackt auf einem Bett herumgetollt hatten, eines heißen Sonntag nachmittags auf der anderen Seite der Welt, auf der anderen Seite der Zeit. Wie hatte ich mir bloß einbilden können, sie je geliebt zu haben. Dein Vater scheint wohlauf zu sein, sagte ich. Sie zuckte mit den Schultern. Ach, sagte sie, er stirbt. An der Tür, ich weiß nicht, was in mich gefahren war, tastete ich nach ihrer Hand und versuchte, sie auf den Mund zu küssen. Sie ging rasch einen Schritt zurück, und ich fiel fast um. Das Taxi hupte schon wieder. Anna! sagte ich, und wußte dann nicht mehr, was ich sagen sollte. Sie lachte trostlos. Geh nach Hause, Freddie, sagte sie mit einem matten Lächeln und machte mir dann langsam die Tür vor der Nase zu.

Ich wußte natürlich genau, wer der Taxifahrer sein würde. Sagen Sie nichts, befahl ich warnend, kein Wort! Er schaute mich im Rückspiegel mit trauriger, anklagender Miene an, und dann holperten wir die Auffahrt hinunter. Es wurde mir klar, daß es keinen Ort gab, wo ich hätte hingehen können.

Es ist September. Ich bin nun seit zwei Monaten hier. Es kommt mir viel länger vor. Der Baum, auf den ich von meinem Fenster aus einen Blick erhaschen kann, sieht trist und staubig aus, bald werden sich seine Blätter färben. Er erbebt wie in gespannter Erwartung; des Nachts bilde ich mir ein, ihn hören zu können, wie er dort draußen in der Dunkelheit aufgeregt raschelt. Am Morgen ist der Himmel immer herrlich, enorm hoch und klar. Es macht mir Spaß, den Wolken dabei zuzusehen, wie sie sich zusammenballen und wieder auflösen. Was für eine gewaltige, behutsame Anstrengung. Heute war ein Regenbogen am Himmel, als ich ihn sah, lachte ich laut auf, wie über einen wunderbaren, absurden Witz. Ab und zu kommen Leute vorbei, unter dem Baum her. Dieser Weg scheint eine Abkürzung zu sein. Um neun kommen die Sekretärinnen mit Zigaretten und modischen Frisuren, und ein wenig später die verträumten Hausfrauen, die ihre Babys und Einkaufstaschen schleppen. Um vier Uhr nachmittags bummelt immer ein Schuljunge vorbei, der auf seinem Rücken gleich einem Buckel einen riesigen Schulranzen trägt. Es kommen auch Hunde, die mit entschlossener Miene sehr schnell einhergehen, anhalten, dem Baum einen hastigen Spritzer verpassen und dann verschwinden. Das Leben anderer. In letzter Zeit, seit die Jahreszeit zu wechseln beginnt, scheinen sie alle, sogar der Junge, mit einem leichteren Schritt zu gehen, hochaufgerichtet, als trüge die spiegelglatte Herbstluft sie gleichsam auf Flügeln.
In dieser Zeit des Jahres träume ich oft von meinem Vater. Es ist immer derselbe Traum, obwohl die Umstände wechseln. Die Person darin ist tatsächlich mein Vater, aber so, wie ich

ihn nie gekannt habe. Er ist jünger, robuster, er ist fröhlich, der Schalk sitzt ihm im Nacken. Ich komme an einem Krankenhaus an, oder irgendeiner ähnlichen großen Einrichtung, und finde ihn, nach vielem Herumsuchen und Durcheinander, aufrecht im Bett sitzend, mit einer dampfenden Teetasse in der Hand. Seine Haare sind jungenhaft verwuschelt, und er hat den Schlafanzug von jemand anderem an. Er begrüßt mich mit einem verlegenen Lächeln. Aus einem Impuls heraus, weil ich nervös bin und mir so große Sorgen gemacht habe, umarme ich ihn leidenschaftlich. Er läßt diese ungewohnte Demonstration von Gefühlen mit Gelassenheit über sich ergehen, klopft mir auf die Schulter und lacht ein wenig. Dann setze ich mich auf einen Stuhl neben dem Bett, und wir schweigen einen Augenblick lang, unsicher, was wir tun oder wo wir hinschauen sollen. Es wird mir klar, daß er etwas überlebt hat, einen Unfall, oder einen Schiffsbruch, oder eine schwere Krankheit. Auf irgendeine Weise hat ihn seine eigene Tollkühnheit, sein Leichtsinn (mein Vater, leichtsinnig!) in diese Gefahr gebracht, und nun kommt er sich ein wenig albern vor und schämt sich auf drollige Weise seiner selbst. In dem Traum bin immer ich derjenige, dem er sein glückliches Davonkommen zu verdanken hat, ich habe Alarm geschlagen, den Krankenwagen gerufen, das Rettungsboot heruntergelassen, so was in der Art. Meine Tat steht zwischen uns, es ist unmöglich, sie zu bewältigen, sie ist ungeheuerlich, wie die Liebe selbst, und sie ist endlich der Beweis der aufrichtigen Achtung eines Sohnes für den Vater. Ich wache auf mit einem Lächeln im Gesicht und einem Herzen, das von Zärtlichkeit überquillt. Ich habe immer geglaubt, daß es der Tod war, vor dem ich ihn in diesem Traum gerettet habe, aber in letzter Zeit tendiere ich immer mehr zu der Auffassung, daß es statt dessen die langwierige Katastrophe seines Lebens ist, die ich mit einem Schlag ungeschehen mache. Nun habe ich vielleicht eine weitere, ähnliche Aufgabe zu erfüllen. Denn man hat mir heute mitgeteilt, daß meine Mutter gestorben ist.

Als ich mit dem Taxi endlich im Dorf ankam, war der letzte Bus zur Stadt schon abgefahren – eine Tatsache, von der mich mein Fahrer bereits vorher mit melancholischem Vergnügen in Kenntnis gesetzt hatte. Wir standen mit surrendem Motor auf der dunklen Hauptstraße, neben einem Eisenwarengeschäft. Der Fahrer drehte sich auf seinem Sitz um und nahm die Mütze ab, um sich rasch mit einem Finger zu kratzen. Dann machte er es sich gemütlich, um darauf zu warten, was ich als nächstes tun würde. Erneut fiel mir die Art und Weise auf, in der diese Leute einen anstarren, diese schwerfällige, animalische Unverfrorenheit ihres Interesses. Ich sollte ihm lieber einen Namen geben – ich fürchte, er hieß Reck – denn wir werden noch eine Weile mit ihm zu tun haben. Er sei gerne bereit, mich selbst in die Stadt zu fahren, sagte er. Ich schüttelte den Kopf: es waren mehr als dreißig Meilen, und ich schuldete ihm bereits Geld. Andernfalls, sagte er mit einem scheußlich schmeichlerischen Lächeln, könnte er mich vielleicht bei seiner Mutter unterbringen. Mrs. Reck, so schien es, war die Besitzerin einer Gaststätte mit einem Gästezimmer im Obergeschoß. Die Idee begeisterte mich nicht eben gerade, aber die Straße war dunkel und grauenhaft still, und die Werkzeuge in diesem Schaufenster hatten etwas sehr Deprimierendes, und – ja, sagte ich leise, während ich mir mit einer Hand den Kopf hielt, ja, bringen Sie mich zu Ihrer Mutter.
Aber sie war nicht da, oder schlief schon, oder sowas ähnliches, und so zeigte er mir selbst den Weg über die Hintertreppe, wobei er wie eine große, gebrechliche Spinne auf Zehenspitzen ging. Der Raum hatte ein schmales niedriges Fenster, einen Stuhl und ein Bett, das in der Mitte eine tiefe

Mulde hatte, so, als hätte man erst kürzlich eine Leiche daraus entfernt. Es roch nach Pisse und Porter. Reck stand schüchtern lächelnd da und knetete seine Mütze in den Händen. Ich wünschte ihm in festem Ton eine gute Nacht, und er zog sich zögernd zurück. Das letzte, was ich von ihm sah, war eine knochige Hand, mit der er langsam die Tür hinter sich zu zog. Ich ging ein- oder zweimal vorsichtig hin und her, begleitet von dem Knarren der Dielen. Ob ich wohl verzweifelt meine Hände gerungen habe? Das niedrige Fenster und das durchhängende Bett verursachten mir ein schwindelerregendes Gefühl der Disproportionalität, ich kam mir viel zu lang vor, meine Füße waren zu groß. Ich setzte mich auf die Bettkante. Ein entferntes Leuchten war im Fenster zurückgeblieben. Wenn ich mich zur Seite und nach unten lehnte, konnte ich einen schiefen Schornstein und die Silhouette von Bäumen sehen. Ich fühlte mich wie ein finsterer Held in einem russischen Roman, wie ich dort in meinem Schlupfloch über der Spelunke vor mich hinbrütete, im Dorfe X, im Jahre Y, mit meiner vor mir ausgebreiteten Geschichte, die darauf wartet, erzählt zu werden.

Ich machte die ganze Nacht kein Auge zu. Die Laken waren feucht und irgendwie schlüpfrig, und ich war davon überzeugt, daß ich nicht der erste war, der sich seit ihrer letzten Wäsche in ihnen hin- und herwälzte. Ich versuchte, mich gespannt wie eine Sprungfeder, so zu legen, daß so wenig von mir wie möglich mit ihnen in Berührung kam. Die Stunden wurden von einer entfernten Kirchenglocke mit einem seltsam dumpfen Ton gekennzeichnet. Es gab das übliche Hundegebell und Viehgebrüll. Der Klang meiner eigenen besorgten Seufzer brachte mich zur Raserei. Ab und zu kam ein Auto oder ein Lastwagen vorbei, woraufhin lauter geometrische Figuren aus Licht rasch über die Decke und an den Wänden hinunterglitten, um dann in einer Ecke in sich zusammenzuschmelzen. Ich hatte einen brennenden Durst.

Wachträume plagten mich mit grotesken und vulgären Visionen. Einmal, als ich schon so gut wie eingeschlafen war, hatte ich das plötzliche und fürchterliche Gefühl zu fallen und fuhr mit einem Ruck aus dem Halbschlaf hoch. Obwohl ich versuchte, sie aus meinem Kopf zu verbannen, kehrten meine Gedanken immer wieder zu Anna Behrens zurück. Was war mit ihr geschehen, daß sie sich in diesem trostlosen Museum einschloß, mit einem sterbenden alten Mann als einzige Gesellschaft? Aber vielleicht war gar nichts passiert, vielleicht war gerade das der Grund. Vielleicht waren die Tage nur lautlos vorübergegangen, einer nach dem anderen, bis es schließlich zu spät war und sie eines Morgens aufwachte, um festzustellen, daß sie rettungslos in ihrem eigenen Leben festsaß. Ich stellte sie mir vor, wie sie dort verhext in ihrem Zauberschloß saß, traurig und einsam, jahraus, jahrein, und – ach, alle möglichen verrückten Ideen kamen mir in den Kopf. Ich möchte nicht über sie reden, es ist mir zu peinlich. Und als mir diese Dinge so durch den Kopf gingen, begann ein ganz anderer Gedanke, auf einer anderen, viel finstereren Ebene, unaufhörlich sein dunkles Geflecht zu spinnen. Es war dieses verworrene Nebeneinander von Ideen über das furcht- und tadellose Rittertum, über Rettung und Belohnung, aus dem mein Plan entstand. Ich versichere Ihnen, Euer Ehren, daß dies kein heimlicher Versuch ist, mich zu entlasten: Ich möchte nur meine Motive erklären, und zwar die untergründigsten, wenn so etwas überhaupt möglich ist. Als die Stunden fortschritten, die Sterne in dem kleinen Fenster aufflammten und verblaßten, da verschmolz Anna Behrens in meinen Gedanken mit anderen Frauen, die mir auf irgendeine Weise anvertraut waren – Daphne, natürlich, und sogar meine Mutter, sogar auch das Stallmädchen – aber letztendlich, als die Morgendämmerung hereinbrach, war es jene holländische Gestalt aus dem Bild im Gartenzimmer, die über dem Bett schwebte und mich anschaute, skeptisch, neugierig, gelassen. Ich stand auf, zog mich an, setzte mich auf den Stuhl neben dem Fenster und beobachtete, wie sich das aschfahle Tageslicht auf die Dächer hinabsenkte und in die Bäume hineinsickerte. Meine Gedanken jagten einander, in meinen Adern sprudelte das Blut. Ich wußte nun, was ich tun würde. Ich war aufgeregt und hatte gleichzeitig ein tiefsitzendes Gefühl der Angst. Von unten kamen Geräusche herauf. Ich wollte nach draußen gehen, hinaus, hinaus, etwas tun, handeln. Ich war im Begriff, das Zimmer zu verlassen, hielt dann jedoch inne, legte mich für einen Moment auf das Bett, um mich zu beruhigen, und fiel sofort in einen tiefen und fürchterlichen Schlaf. Es war, als hätte man mich niedergeschlagen. Ich kann es nicht beschreiben. Es dauerte nicht länger als ein oder zwei Minuten. Ich wachte am ganzen Körper zitternd auf. Es war, als hätte der Herzschlag der Zeit einen Moment lang ausgesetzt. Und so begann der Tag in derselben Weise, in der er sich fortsetzen sollte: absolut grauenvoll.

Mrs. Reck war groß und dünn. Nein, sie war klein und fett. Ich kann mich nicht sehr deutlich an sie erinnern. Ich will mich nicht sehr deutlich an sie erinnern. Wie viele dieser Grotesken soll ich denn noch erfinden, zum Teufel? Ich werde sie als Zeugin aufrufen, dann können Sie das Problem selber lösen. Zuerst dachte ich, sie hätte Schmerzen, aber es war nur eine furchtbare Schüchternheit, die sie unfähig machte, einen Ton hervorzubringen, und wegen der sie andauernd zurückschreckte und sich duckte. In dem Salon hinter der Bar fütterte sie mich mit Würstchen, Speckstreifen und Blutwurst (der Henker nimmt ein kräftiges Frühstück zu sich). Eine komplizierte Stille breitete sich im Zimmer aus, ich konnte mich selbst schlucken hören. Schatten hingen von den Wänden herab wie Spinnweben. Es war ein Bild von Jesus da, das sein von Blut tropfendes Herz zur Schau stellte und in leuchtenden Farbtönen von Beige und Purpur gehalten war, sowie eine Fotografie von irgendeinem Papst, der die Menge von einem Balkon des Vatikans aus segnete. Ein düsteres Gefühl machte sich in meiner Brust breit, so ähnlich wie Sodbrennen. Reck erschien in Hosenträgern und Hemdsärmeln und fragte schüchtern, ob alles in Ordnung sei. Großartig, sagte ich resolut, ganz großartig! Er stand da, schaute mich an und lächelte liebevoll, mit einer Art glücklichem Stolz. Man hätte meinen können, ich sei eine Bakterienkolonie, die er über Nacht zum Zwecke der Vermehrung in einen Nährboden verpflanzt hatte. Ach, diese armen, einfachen Existenzen, so viele, über die ich meine schleimige Spur gezogen habe. Er hatte kein einziges Mal das Geld erwähnt, das ich ihm schuldete – am Telefon hatte er sich sogar dafür entschuldigt, nicht auf mich gewartet zu haben. Ich stand auf und schob mich im Türrahmen behutsam an ihm vorbei. Ich spring nur schnell mal nach draußen, um frische Luft zu schnappen, sagte ich. Er nickte, und ein trauriges Flimmern zuckte über sein Gesicht bis hinunter zu seinem Schafsmaul. Du wußtest, daß ich mich davonmachen würde, nicht wahr? Warum hast du mich nicht aufgehalten? Ich verstehe diese Leute nicht. Ich habe das schon einmal gesagt. Ich verstehe sie einfach nicht.

Die Sonne schien durch einen sich lichtenden Dunstschleier. Es war immer noch unerhört früh am Morgen. Ich ging auf der einen Seite der Hauptstraße herunter und auf der anderen wieder hinauf und zuckte vor Ungeduld. Kaum eine Menschenseele war zu sehen. Wer hat behauptet, daß die Leute auf dem Land Frühaufsteher seien? Ein Transporter fuhr vorbei, der einen Anhänger zog, in dem ein Schwein saß. Am Ende der Straße ging eine Brücke über einen seichten, bräunlichen Fluß. Ich setzte mich auf die Brüstung und schaute dem Wasser eine Weile zu. Ich hatte eine Rasur nötig. Es kam mir der Gedanke, zurück zu Reck zu gehen und mir eine Rasierklinge von ihm auszuleihen, aber selbst ich war für eine solche Unverschämtheit nicht Schurke genug. Der Tag begann bereits, heiß zu werden. Als ich dem Wasser so dabei zuschaute, wie es gluckste und gurgelte, begann ich, mich dort in der Sonne ein wenig schwindelig zu fühlen. Bald darauf kam ein dicker, uralter Mann vorbei und fing an, ernsthaft auf mich einzureden. Er trug Sandalen, hatte sich einen zerfetzten Regenmantel so über die Schulter geworfen, als sei er das Plaid eines irischen Fußsoldaten, und hatte einen dicken Knüppel aus Eschenholz in der Hand. Seine Haare waren lang, sein Bart verfilzt. Ich erwischte mich dabei, wie ich mir aus irgendeinem Grund seinen Kopf auf einem silbernen Tablett vorstellte. Er sprach bedächtig und mit lauter, kräftiger Stimme. Von dem, was er sagte, konnte ich kein Wort verstehen – er schien die Fähigkeit zu artikulieren verloren zu haben – doch fand ich etwas merkwürdig Rührendes in der Art wie er dort stand, wie er sich auf seinen Eschenholzstab lehnte, ein Knie gebeugt, die Augen fest auf mich geheftet, und sein Testament verkündigte. Ich beobachtete seinen Mund, wie er inmitten des Bartdickichts seine mahlenden Bewegungen machte, und nickte langsam und ernst. Verrückte jagen mir keine Angst ein, ich fühle mich nicht einmal beklommen in ihrer Gegenwart. Ihr irres Gerede beruhigt mich vielmehr. Ich glaube, der Grund dafür ist, daß für sie alles von gewaltiger und gleichwertiger Bedeutung ist, angefangen bei der Explosion einer Nova bis hin zu dem Herabsinken von Staub in einem verlassenen Raum; alles ist gleich wichtig, und somit bedeutungslos. Er kam zum Ende und fuhr noch eine Weile fort, mich schweigend zu betrachten. Dann nickte er feierlich, drehte sich mit einem letzten bedeutungsschwangeren Blick um und schritt über die Brücke davon.

Euer Ehren, ich weiß, daß ich von einem Plan gesprochen habe, aber es war dies ein Plan nur im weitesten Sinne. Im Detail war ich noch nie sehr gut. In der Nacht, als das Ding aus dem Ei schlüpfte und zum ersten Mal seine klebrigen, schmächtigen Flügel spielen ließ, hatte ich mir gesagt, daß ich über solche grotesken Ideen lachen würde, sobald der Morgen anbrach und das wirkliche Leben wieder begann. Und ich habe gelacht, auch wenn es ein nachdenkliches Lachen war; und ich glaube, ja, ich glaube wirklich, daß nichts von alledem passiert wäre, wenn ich nicht in diesem Kaff da gestrandet wäre, wo ich nichts als meine eigenen finsteren Gedanken hatte, um mir die Zeit zu vertreiben. Ich wäre zu Charlie French gegangen und hätte mir etwas Geld von ihm geliehen, ich wäre zur Insel zurückgefahren und hätte meine Schulden bei Señor Aguirre bezahlt, und dann hätte ich meine Frau und mein Kind genommen und wäre heimgekommen, nach Coolgrange, hätte mich mit meiner Mutter versöhnt und mich dort niedergelassen, wäre ein ebenso unbedeutender Gutsherr wie mein Vater geworden und hätte gelebt und wäre glücklich gewesen. Ach…

Worüber sprach ich noch gleich? Ach ja, mein Plan. Ich bin kein genialer Ganove, Euer Gnaden. Die Zeitungen, die von Anfang an ganz außer sich waren – immerhin war gerade die sommerliche Nachrichtenflaute, und ich versorgte sie mit einer phantastischen Story, die sie immer wieder aufrollen konnten – die Zeitungen also haben mich gleichermaßen als gefährlichen Schlägertypen und als eiskaltes, ekelhaftes, blondes Biest mit eisernem Willen geschildert. Aber ich schwöre Ihnen, es war einfach nur ein Sichtreibenlassen, so wie alles andere auch. Ich denke, daß ich zunächst nur mit der Idee gespielt und mir das Ganze als eine Art Geschichte erzählt habe, als ich, ein schlafloser Prinz, dort in Mutter Recks Lebkuchenhäuschen lag, während die unschuldigen Sternlein schweigend das Fenster erfüllten. Am Morgen stand ich auf und hielt die Idee gegen das Licht, und sie hatte bereits begonnen, sich zu verhärten, sich festzusetzen. Merkwürdigerweise kam sie mir so vor wie das Werk eines anderen, das man mir gegeben hatte, um es zu testen und abzumessen. Dieser Vorgang der Distanzierung scheint eine unbedingt notwendige Voraussetzung des Handelns gewesen zu sein. Vielleicht erklärt dies auch den seltsamen Schwindel, der mich dort auf der Brücke über dem gurgelnden Fluß überkam. Es ist schwer, ihn zu beschreiben. Ich hatte das Gefühl, überhaupt nicht mehr ich selbst zu sein. Das heißt, ich war absolut vertraut mit diesem großen, leicht übergewichtigen blonden Mann in einem zerknitterten Anzug, der da saß und besorgt Däumchen drehte, und doch war es zur gleichen Zeit so, als ob ich – das wahre, denkende, empfindende Ich – mich irgendwie in einem Körper verfangen hatte, der nicht mein eigener war. Doch nein, das stimmt nicht ganz. Denn die Person im Inneren war mir auch fremd, ja, sie war mir eigentlich viel viel fremder, als das vertraute physische Geschöpf. Dies alles ist nicht ganz klar geworden, ich weiß. Ich sage, daß *mir* derjenige in meinem Inneren fremd war, aber welche Version von *mir* meine ich? Nein, es ist überhaupt nicht klar geworden. Aber es war kein unbekanntes Gefühl. Ich habe mich immer schon – wie soll ich sagen – gespalten, ja, das ist es, gespalten gefühlt. An diesem Tag jedoch war das Gefühl stärker und viel ausgeprägter als gewöhnlich. Der im Innern gefangene Fettsack wurde aufsässig und sehnte sich danach, herauszukommen. Er war schon so lange eingesperrt gewesen und hatte dort drinnen vor sich hingeplappert und gemurrt und gespöttelt, und ich wußte, daß er, sobald er endlich hervorgebrochen war, reden und reden und reden würde. Mir war schwindelig. Eine bleigraue Übelkeit krampfte meine Eingeweide zusammen. Ich frage mich, ob sich das hohe Gericht überhaupt des Zustands bewußt ist, in dem meine Nerven waren; nicht nur an diesem Tag, sondern während dieses ganzen Zeitraums? Meine Frau und mein Kind wurden von niederträchtigen Leuten als Geiseln festgehalten, ich war so gut wie pleite, das vierteljährliche Unterhaltsgeld aus der armseligen Summe, die mein Vater hinterlassen hatte, war erst in zwei Monaten fällig, und da stand ich also, nach einer grauenvollen Nacht, mit roten Augen, unrasiert, gestrandet in diesem Kuhdorf, und plante eine Verzweiflungstat. Wie hätte ich mich denn nicht schwindelig, wie hätte ich mich nicht krank bis in meine Eingeweide fühlen sollen?

Schließlich spürte ich, wie das Dorf hinter mir schwerfällig zum Leben erwachte, und ich ging die Hauptstraße entlang zurück, wobei ich wachsam meine Augen offen hielt, für den Fall, daß ich einem hartnäckigen Reck, oder schlimmer noch, Recks Mutter begegnen sollte. Es war ein sonniger und friedlicher Morgen, schwer von Tau und ein wenig benommen, als sei er betrunken von der eigenen Frische. Auf dem Pflaster waren feuchte Flecke. Es würde ein herrlicher Tag werden. Oh ja, ganz herrlich.

Erst nachdem ich es gefunden hatte, wurde mir bewußt, daß ich nach dem Eisenwarengeschäft gesucht hatte, vor dem Reck in der vorigen Nacht das Taxi angehalten hatte. Mein Arm streckte sich aus und schob die Tür auf, ein Glöckchen klingelte, meine Beine trugen mich hinein.

Düsterkeit, ein Geruch von Paraffin und Leinöl, unzählige von der Decke herabhängende Gegenstände. Ein kleiner, stämmiger, ältlicher Mann mit einer beginnenden Glatze kehrte den Boden. Er trug Pantoffeln und einen zimtfarbenen Arbeitskittel; so einen hatte ich nicht mehr gesehen, seit ich ein Kind war. Er lächelte, nickte mir zu und stellte seinen Besen in die Ecke. Er sprach jedoch kein Wort – das gehörte ohne Zweifel zu seinen beruflichen Etiketten – bevor er nicht seine Stellung hinter dem Ladentisch eingenommen, sich auf seine Arme gestützt nach vorne gelehnt und seinen Kopf zur Seite gelegt hatte. Eine Brille mit Drahtgestell, dachte ich, hätte die Wirkung vervollkommnet. Ich mochte ihn sofort. Einen schönen guten Morgen, mein Herr, sagte er mit einer fröhlichen, sich sozusagen die Hände reibenden Stimme. Ich fühlte mich schon viel besser. Seine Höflichkeit hatte genau den richtigen Grad, sie war ebenso frei von übertriebener Unterwürfigkeit wie von dreister Neugier. Ich kaufte ein paar Meter Bindfaden und eine Rolle braunes Packpapier. Auch ein Seil – ich erinnere mich daran, daß es zylinderförmig aufgerollt war und dadurch einem Galgenstrick sehr ähnlich sah – guter, harter, glatter Hanf, nicht dieses moderne Plastikzeug. Über die Absicht, die ich mit diesen Dingen verfolgte, war ich mir so gut wie gar nicht im klaren. Das Seil zum Beispiel war reiner Luxus. Es war mir egal. Es waren Jahre – Jahrzehnte! – her, seit ich ein so einfaches, habgieriges Vergnügen empfunden hatte. Der Mann legte meine Einkäufe liebevoll vor mich auf den Ladentisch, sang leise vor sich hin, lächelte und schürzte beifällig seine Lippen. Dieser Laden war mein Spielplatz. In dieser Sandkastenwelt konnte ich alles haben, was ich wollte. Diesen weißen emaillierten Eimer zum Beispiel. der an einer Seite einen zarten fleischblauen Schatten hatte. Ach, ich konnte alles haben! Dann sah ich den Hammer. Ein glänzendes Stück rostfreier Stahl, aus einem Guß, wie ein Knochen aus der Hüfte eines schnellfüßigen Tieres; mit einem schwarzen Gummigriff und Kopf und Nagelklaue, auf denen ein bläulicher Schimmer lag. Ich bin völlig unpraktisch, ich glaube nicht, daß ich in der Lage wäre, einen Nagel gerade in die Wand zu schlagen, aber wie ich zugeben muß, habe ich immer schon eine heimliche Sehnsucht danach gehegt, so einen Hammer zu besitzen. Erneutes Gelächter im Gerichtssaal, natürlich, neuerliche deftige Lachsalven von den neunmalklugen Besserwissern auf den Galerien. Aber ich bestehe darauf, Euer Ehren, freundliche Bastler unter den Geschworenen, ich bestehe darauf, daß das Begehren, dieses wundervolle Spielzeug zu besitzen, ganz harmlos war, ein Wunsch, eine Sehnsucht des benachteiligten Kindes in meinem Innern – nicht die von Klein-Freddy, dem inneren Fettsack, nein, nicht seine, sondern die des wahren, verlorengegangenen Gespensts meiner Kindheit. Zum ersten Mal zögerte mein feenhafter Patenonkel. Es gibt andere Modelle, sagte er vorsichtig, nicht ganz so – und hier verfiel er in ein hastig gehauchtes Flüstern – nicht ganz so kostspielige. Aber nein, nein, ich konnte dem Ding nicht widerstehen. Ich mußte ihn haben. Genau den. Ja, den da, dort hinten, mit dem Schildchen dran. Beweisstück Nr. 1, in anderen Worten.

Ich stolperte mit meinem Paket unterm Arm aus dem Laden, leicht benebelt und grinsend, und so glücklich wie ein betrunkener Schuljunge. Der Ladeninhaber kam an die Tür, um mir nachzusehen. Er hatte mir in einer seltsam hintergründigen Art die Hand geschüttelt. Vielleicht war er ein Freimaurer und wollte herausfinden, ob ich auch ein Mitglied der Bruderschaft war? – aber nein, ich ziehe es vor zu denken, daß er lediglich ein anständiger, freundlicher, wohlmeinender Mann war. Es gibt nicht sehr viele von der Sorte in dieser meiner Aussage.

Ich hatte mittlerweile das Gefühl, das Dorf zu kennen. In der Tat fühlte ich mich so, als sei ich schon einmal hier gewesen, ja, sogar als hätte ich all diese Dinge schon einmal getan, wäre schon einmal ziellos am frühen Morgen herumgelaufen, hätte mich auf eine Brücke gesetzt, wäre in einen Laden gegangen, hätte Dinge gekauft. Ich habe keine Erklärung dafür: ich hatte nur dieses Gefühl. Es war, als hätte ich einen prophetischen Traum geträumt und ihn dann vergessen, und dies war nun die Erfüllung der Prophezeiung. Aber wenn ich es so bedenke, war eigentlich alles, was ich an jenem Tag tat, von diesem Gefühl der Unvermeidlichkeit angesteckt – wobei in meinem Vokabular ›unvermeidlich‹ nicht gleichbedeutend mit ›verzeihlich‹ ist, wohlgemerkt. Nein, wahrhaftig, eine kräftige Mischung von katholischem und calvinistischem Blut kreist in meinen Adern.

Es fiel mir plötzlich in vergnügter Unvermitteltheit ein, daß es der Tag der Sommersonnenwende war.

Dies ist ein wunderbares Land, einem Mann mit einem salonfähigen Akzent stehen fast alle Wege offen. Ich hatte geglaubt, daß ich auf dem Weg in Richtung Bushaltestelle war, um zu schauen, ob es einen Bus in die Stadt gab, aber statt dessen – noch mehr Unvermeidlichkeit – fand ich mich vor einer verfallenen Werkstatt auf dem Dorfplatz wieder. Ein Junge in einem schmutzigen Overall, der ein paar Nummern zu klein für ihn war, stapelte Reifen übereinander und pfiff dabei unmelodisch aus den Mundwinkeln. Über seinem Kopf war ein rostiges Blechschild mit der Aufschrift *Melmoths Au overleih* an die Wand genagelt. Der Junge hielt inne und schaute mich mit leerem Blick an. Er hatte aufgehört zu pfeifen, hielt seine Lippen jedoch noch gespitzt. Auto? sagte ich und zeigte auf das Schild, zu vermieten, ja? Ich wackelte mit einem unsichtbaren Lenkrad. Er sagte nichts und verzog nur in tiefer Verwirrung das Gesicht, als hätte ich nach etwas völlig Exotischem gefragt. Dann kam eine stämmige, dickbusige Frau aus dem Kassenbüro und sprach in scharfem Ton mit dem Jungen. Sie trug eine dunkelrote Bluse, enge schwarze Hosen und hochhackige Sandalen, die die Zehen frei ließen. Ihr Haar, das so schwarz war wie Krähenflügel, hatte sie in der Form einer Brioche auf dem Kopf aufgetürmt, wobei sich an den Seiten einzelne Löckchen herabkringelten. Sie erinnerte mich an jemanden, ich kam nicht darauf, an wen. In dem Büro, in das sie mich führte, erspähte ich mit einem Ruck unter dem Haufen von knallbunten Postkarten an der Wand hinter ihrem Schreibtisch eine Aufnahme von der Insel, dem Hafen und von genau der Bar, in der ich das erste Mal mit Randolph dem Amerikaner zusammengetroffen war. Es war ein entnervender Anblick, ein Omen, vielleicht sogar eine Warnung. Die Frau maß mich von oben bis unten mit einem Blick voll schwelender Vermutungen. Mit einem zweiten Schock erkannte ich, an wen sie mich erinnert hatte: An die Mutter des blökenden Babys in Señor Aguirres Appartement.

Das Auto war ein Humber, ein großes, schweres, hohes Modell, nicht alt genug, um sich stolz ein Vorkriegsmodell nennen zu können, sondern einfach nur hoffnungslos aus der Mode gekommen. Es schien für ein simpleres, unschuldigeres Zeitalter als dieses gebaut worden zu sein; eines, das von großen Kindern bevölkert wurde. Die Polsterung strömte einen leicht fäkalen Geruch aus. Ich fuhr gemächlich im dritten Gang durch das Dorf und thronte so hoch über der Straße, als trüge man mich in einer Sänfte. Der Motor machte ein Geräusch wie gedämpftes Hurrageschrei. Ich hatte eine Kaution von fünf Pfund bezahlt und ein Schriftstück mit dem Namen Smyth unterschrieben (ich fand, das y war ein teuflisch raffinierter Einfall). Die Frau hatte nicht einmal verlangt, einen Führerschein zu sehen. Wie ich bereits gesagt habe, dies ist ein wunderbares Land. Ich fühlte mich außerordentlich unbeschwert.

Wo wir gerade von Spritztouren sprechen: ich bin heute zum Begräbnis meiner Mutter gefahren. Drei Männer in Zivil fuhren mich in einem Streifenwagen, ich war sehr beeindruckt. Wir rasten mit wiehernder Sirene durch die Stadt, es war wie eine Wiederholung meiner Verhaftung, nur umgekehrt. In der Luft lag bleicher Rauch, die ersten Blätter lagen schon unten auf dem Pflaster, es war ein wunderschöner, frischer, sonniger Morgen. Ich wurde von einem merkwürdigen Durcheinander von Gefühlen erfaßt – einem gewissen Kummer, natürlich, einem gewissen Schmerz, aber auch von Enthusiasmus und so etwas wie Trauer, die nicht der Süße entbehrte. Ich trauerte nicht nur um meine Mutter, vielleicht überhaupt nicht um meine Mutter, sondern um die Dinge im allgemeinen. Vielleicht war es auch nur die gewöhnliche September-Melancholie, die durch die Umstände entfremdet wurde. Wir fuhren am Fluß entlang, unter einem Himmel, in dem sich riesige Bündel von leuchtenden holländischen Wolken türmten, und dann südlich durch die Vororte. Das Meer überraschte mich, so wie es das immer tut, eine Schale voll blauen beweglichen Metalls, Licht, das sich in Spänen von der Oberfläche löst. Alle drei Kriminalbeamten waren Kettenraucher, sie kämpften sich so verbissen durch ihre Zigarettenpackungen, als gehörte das zu ihrer Dienstpflicht. Einer von ihnen bot mir eine Zigarette an. Das gehört nicht zu meinen Lastern, sagte ich, und sie lachten höflich. Das Ganze schien ihnen peinlich zu sein, sie schauten ohne Unterlaß mißtrauisch aus dem Fenster, so als hätte man sie gezwungen, mit einem berüchtigten und verrufenen Verwandten auf einen Ausflug zu fahren; und als hätten sie nun Angst, daß sie von jemandem gesehen werden könnten, den sie kannten. Nun waren wir auf dem Land, auf den Feldern lag noch der Nebel, und die Hecken waren durchtränkt von Feuchtigkeit. Man begrub sie im Familiengrab auf dem alten Friedhof in Coolgrange. Es war mir nicht erlaubt, aus dem Auto auszusteigen, nicht einmal ein Fenster durfte ich öffnen. Insgeheim war ich erleichtert darüber, denn ich konnte mir nicht vorstellen, so plötzlich und unvermittelt hinauszugehen, hinaus in die Welt. Der Fahrer hielt so nahe am Grab wie möglich, und ich saß in einem Mief von Zigarettenrauch und beobachtete, wie auf der anderen Seite der beschlagenen Fenster, inmitten der schiefen Grabsteine, das kurze, abgegriffene kleine Drama über die Bühne ging. Es waren sehr wenige Trauergäste da: ein oder zwei Tanten, und ein alter Mann, der vor langer Zeit für meinen Vater in den Ställen gearbeitet hatte. Das Mädchen Joanne war da, natürlich, in einem unförmigen Pullover und einem schief sitzenden Rock, sie hatte rote Augen, und ihr armes Gesicht war ganz fleckig und geschwollen. Charlie French stand etwas abseits vom Rest und hatte seine Hände unbeholfen gefaltet. Ich war überrascht, ihn zu sehen. Es war anständig von ihm, daß er gekommen war, anständig und auch mutig. Weder er noch das Mädchen schauten in meine Richtung, obwohl sie den Druck meines feuchten Blickes gespürt haben müssen. Der Sarg kam mir überraschend klein vor. Als sie ihn in das Loch herabgesenkt hatten, blieb noch viel Platz übrig. Arme Mama, ich kann es nicht glauben, daß sie nicht mehr da ist; ich meine, die Tatsache will mir noch nicht ganz in den Kopf. Es ist, als hätte man sie zur Seite geschafft, um Platz für etwas Wichtigeres zu machen. Natürlich entging mir das Ironische an der Situation keineswegs: hätte ich nur ein paar Monate gewartet, wäre es nicht nötig gewesen zu – aber halt, genug davon. Die Testamentseröffnung wird ohne mich stattfinden, was nur recht und billig ist. Das letzte Mal, das ich sie gesehen habe, habe ich mich mit ihr gestritten. Das war der Tag, an dem ich nach Whitewater fuhr. Sie hat mich nicht im Gefängnis besucht. Ich mache ihr keine Vorwürfe. Ich habe ihr nicht ein einziges Mal das Kind zu Besuch gebracht. Sie war nicht so zäh, wie ich geglaubt hatte. Habe ich ihr Leben auch zerstört? All diese toten Frauen.

Als die Zeremonie vorbei war, ging Charlie French mit gesenktem Kopf am Auto vorüber. Er schien zu zögern, überlegte es sich dann jedoch anders und ging weiter. Ich glaube, er hätte mit mir gesprochen, wären da nicht die Kriminalbeamten gewesen, und meine vor Neugierde platzenden Tanten hinter ihm und, ach, einfach das absolut Furchtbare des Ganzen.

Ich fahre also mit diesem Humber Hawk aus dem Dorf hinaus, mit einem idiotischen Grinsen im Gesicht. Dabei hatte ich das völlig unbegründete Gefühl, alle meine Probleme hinter mir zu lassen, ich stellte mir vor, wie sie in Zeit und Raum zusammenschrumpften, so wie das Dorf selbst, dieses malerische Durcheinander von Dingen, welches unaufhaltsam kleiner und kleiner wurde. Hätte ich einen Moment lang innegehalten, um nachzudenken, wäre mir natürlich aufgefallen, daß das, was ich zurückließ, keineswegs das verhedderte Wirrwarr meiner Schwierigkeiten war, wie ich es mir törichterweise einbildete, sondern vielmehr im Gegenteil ein ganzer Haufen von Beweismaterial, so deutlich und unverkennbar wie ein Büschel blutverkrusteter Haare. Ich war aus Ma Recks Laden getürmt, ohne für meine Übernachtung zu bezahlen, ich hatte im Dorfladen eine Ausrüstung für einen Einbruch gekauft, und nun saß ich in einem so gut wie gestohlenen Auto – und das keine fünf Meilen von dem Ort entfernt, der bald als der Schauplatz des Verbrechens bekannt werden würde. Das hohe Gericht wird mir sicherlich zustimmen, wenn ich sage, daß dies wohl kaum die Symptome eines wohlüberlegten Vorsatzes sind. (Wie kommt es bloß, daß jede zweite meiner Äußerungen so klingt, als wäre sie die versteckte Einleitung zu einem Antrag auf Strafmilderung?) Tatsache ist, daß ich überhaupt nicht nachdachte, jedenfalls nicht in einer Weise, die man wirklich Nachdenken hätte nennen können. Ich begnügte mich damit, auf diesen mit Lichtflecken übersäten, abgelegenen Landstraßen durch Sonne und Schatten zu rauschen, eine Hand auf dem Lenkrad, einen Ellbogen nach draußen gelehnt, während mir die

Gerüche des Landes in die Nase stiegen und der Wind mein Haar peitschte. Alles würde gut gehen, alle Probleme würden sich von selbst lösen. Ich habe keine Ahnung, warum ich mich in einer solchen Hochstimmung befand, vielleicht war es eine Art Delirium. Wie dem auch immer sei, ich sagte mir jedenfalls, daß ich nur ein verrücktes Spiel spielte, das ich jederzeit abblasen konnte, wenn ich es wollte.

Unterdessen hatte ich mein Ziel erreicht, dort stieg Whitewater aus den Bäumen hervor.

Ein leerer Reisebus war vor dem Tor geparkt. Die Fahrertür stand offen, und der Fahrer saß lässig auf dem Trittbrett und sonnte sich. Er beobachtete mich, wie ich an ihm vorbei in die Einfahrt schwenkte. Ich winkte ihm zu. Er trug eine getönte Brille. Er lächelte nicht. Er würde sich an mich erinnern.

Später konnte die Polizei nicht verstehen, warum ich so wenig Umsicht gezeigt hatte, so dreist dort hingefahren war, im hellen Tageslicht, mit diesem unverkennbaren Auto. Aber sehen Sie, ich hatte geglaubt, daß es eine Angelegenheit einzig zwischen Behrens und mir sein würde, vielleicht noch mit Anna als Zwischenhändler. Ich hätte nicht einmal im Traum daran gedacht, daß es irgend etwas so Ordinäres wie eine polizeiliche Ermittlung und Schlagzeilen in der Zeitung und den ganzen Rest geben würde. Ein harmloser Geschäftsabschluß zwischen zivilisierten Menschen, das hatte ich beabsichtigt. Ich wollte höflich, aber bestimmt sein, nichts weiter als das. Ich hatte nicht im entferntesten an Drohungen oder Lösegeldforderungen gedacht, mit Sicherheit nicht. Als ich später las, was diese Journalisten schrieben – »Jagt das Whitewater Monster« forderten sie in ihren Schlagzeilen – konnte ich mich in dem stahlharten und skrupellosen Charakter, als den sie mich darstellten, nicht wiedererkennen. Ich und skrupellos! Nein, als ich zu Whitewater hochfuhr, war es nicht die Polizei, um die ich mir Gedanken machte, sondern nur Flynn, der Chauffeur, mit seinen kleinen Schweinsäuglein und seinen fleischigen Boxerpranken. Ja, Flynn war jemand, dem ich unter allen Umständen aus dem Weg gehen mußte.

Auf halber Höhe der Auffahrt war

Mein Gott, wie sie mich anöden, diese Einzelheiten!

Auf halber Höhe der Auffahrt war eine Weggabelung. Ein hölzerner Pfeil, auf den mit weißer Farbe ZUM HAUS geschrieben war, wies nach rechts, während links ein Schild war, auf dem stand PRIVAT, DURCHFAHRT VERBOTEN. Ich hielt an. Sehen Sie nur, wie ich dort sitze, ein großes, verschwommenes Gesicht hinter der Windschutzscheibe, das von einer Richtung in die andere starrt. Es ist wie die Illustration für eine Warnschrift: »Der Sünder zögert am Scheideweg«. Ich fuhr nach links, und mein Herz machte einen ängstlichen Sprung. Und siehe, der Schurke verläßt den Pfad der Tugend.

Ich umrundete den südlichen Flügel des Hauses, parkte den Wagen auf der Wiese und ging durch das Gras zum Gartenzimmer. Die Verandatür stand offen. Tief durchatmen. Es war noch nicht Mittag. Weit draußen in den Feldern tuckerte ein Traktor, das träge summende Geräusch, das er machte, schien die Stimme des Sommers selbst zu sein; ich höre es noch, dieses winzige, entfernte, von der kommenden Katastrophe so ahnungslose Lied. Ich hatte das Seil und den Hammer im Auto gelassen und Bindfaden und Packpapier mitgebracht. Es wurde mir plötzlich bewußt, wie absurd das Ganze war. Ich fing an zu lachen, und lachend betrat ich das Zimmer.

Das Gemälde heißt, wie jedermann mittlerweile wissen sollte, *Portrait einer Frau mit Handschuhen.* Es mißt 0,82 × 0,65 m. Es ist zwischen 1655 und 1660 datiert worden, wobei man sich an Anhaltspunkte aus dem Gemälde selbst orientiert hat, insbesondere an der von der Frau getragenen

Tracht. Die Strenge des schwarzen Kleides, des breiten weißen Kragens und der engen Manschetten wird lediglich von einer Brosche und einer goldenen Verzierung auf den Handschuhen aufgelockert. Das Gesicht hat einen leicht orientalischen Schnitt. (Ich zitiere aus dem Whitewater-Führer.) Das Bild wurde verschiedentlich Rembrandt und Frans Hals, manchmal sogar Vermeer zugeschrieben. Es ist jedoch am Unverfänglichsten, es als die Arbeit eines anonymen Künstlers zu betrachten.

Nichts von diesem Kram hat irgendeine Bedeutung.

Ich habe vor anderen, vielleicht bedeutenderen Gemälden gestanden, und keines hat mich so bewegt wie dieses. Ich habe eine Reproduktion davon an der Wand hier über meinem Tisch – die mir, ausgerechnet, Anna Behrens zugeschickt hat – wenn ich sie anschaue, zieht sich mein Herz zusammen. Es liegt etwas in der Art wie sie mich anschaut, in der vorwurfsvollen, stummen Beharrlichkeit ihrer Augen, das ich nicht beschwichtigen, dem ich nicht entfliehen kann. In dem festen Griff ihres Blickes winde ich mich. Sie verlangt von mir eine große Anstrengung, sie verlangt eine genaue Musterung und Aufmerksamkeit von gewaltigem Kraftaufwand, eine Leistung, derer ich mich nicht fähig glaube. Es ist, als forderte sie mich auf, sie zum Leben zu erwecken.

Sie. Es gibt natürlich keine Sie. Es gibt nur eine Anordnung von Linien und Farben. Doch ich versuche, ein Dasein für sie zu erfinden. Sie ist, sagen wir mal, fünfunddreißig, sechsunddreißig Jahre alt, obwohl die Leute sie, ohne sich weiter etwas dabei zu denken, immer noch ein Mädchen nennen. Sie lebt bei ihrem Vater, dem Kaufmann (Tabak, Gewürze, und, heimlich, Sklaven). Seit dem Tod ihrer Mutter führt sie ihm den Haushalt. Sie mochte ihre Mutter nicht. Ihr Vater, dessen einziges Kind sie ist, liebt sie abgöttisch. Sie ist, so erklärt er, sein Juwel. Sie entwirft die Speisekarte – Vater hat einen empfindlichen Magen – überprüft die Küche, sie führt sogar die Aufsicht über seinen Weinkeller. In einem kleinen Notizbuch, das sie sich mit einem dünnen Goldkettchen an den Gürtel geheftet hat, hat sie das Inventar des Haushalts an Leinen aufgenommen. Sie hat sich dabei einer Schrift ihrer eigenen Erfindung bedient, denn Lesen und Schreiben hat sie nie gelernt. Sie ist streng mit der Dienerschaft und erlaubt keine Vertraulichkeiten. Deren Abneigung hält sie für Respekt. Das Haus reicht nicht aus, um ihre Energie aufzufangen, sie wird außerdem noch zur Wohltäterin; sie macht Krankenbesuche, und sie ist Mitglied der Aufsichtskommission des städtischen Armenhauses. Sie ist forsch, manchmal ungeduldig, und unter den Armen, besonders bei den alten Frauen, gibt es murrende Stimmen gegen sie. Zuweilen, besonders im Frühling und zu Beginn des Winters, wird ihr alles zu viel. Man beachte die klamme Blässe ihrer Haut; sie ist das Opfer unerfindlicher Beschwerden. Sie zieht sich in ihr Bett zurück und liegt dort tagelang ohne zu sprechen, fast ohne zu atmen, während draußen im silbrigen Licht des Nordens die Welt geschäftig ihren Weg geht. Sie versucht zu beten, aber Gott ist weit. Ihr Vater kommt des Abends, um sie zu besuchen, er tritt auf Zehenspitzen ein. Diese Perioden der Erschöpfung jagen ihm Angst ein, er denkt an das Sterben seiner Frau zurück, ihr fürchterliches Schweigen in den letzten Wochen. Wenn er auch noch seine Tochter verlieren sollte. – Aber sie steht auf, sie zwingt sich dazu, und sehr bald bekommt die Dienerschaft wieder ihre scharfe Zunge zu spüren; und er kann seine Erleichterung nicht verhehlen, sie macht sich in gelegentlichem Auflachen, in spitzbübischen Zärtlichkeiten, in unbeholfenen Neckereien Luft. Sie betrachtet ihn ironisch, wendet sich dann wieder ihren Aufgaben zu. Sie hat kein Verständnis für die Idee, die er sich in den Kopf gesetzt hat: er möchte ihr Portrait malen lassen. Ich bin alt, das ist alles, was er bereit ist, dazu zu sagen, ich bin ein alter Mann, schau mich doch an! Und er lacht verlegen und meidet ihren Blick. Mein Portrait? sagt sie, von mir? – Ich bin kein passendes Motiv für einen Maler. Er zuckt mit den Achseln, worüber sie zunächst überrascht und dann mit grimmiger Miene amüsiert ist: er hätte wenigstens versuchen können, ihr zu widersprechen. Es scheint ihm bewußt zu werden, was ihr durch den Kopf geht, und er versucht, die Sache wiedergutzumachen, aber er kommt durcheinander; und als sie ihn dabei beobachtet, wie er ganz aufgeregt und fahrig wird und an seinen Manschetten herumzupft, wird ihr mit einem plötzlichen Schmerz klar, daß es stimmt, daß er alt geworden ist. Ihr Vater, ein alter Mann. Der Gedanke hat etwas von einer trostlosen Komödie, ein Gefühl, für das sie sich keine Rechenschaft ablegen kann. Du hast vornehme Hände, sagt er, während er beginnt, sich gereizt und ärgerlich zu fühlen, sowohl über sich selbst als auch über sie; es sind die Hände deiner Mutter –, wir werden ihm sagen, daß er die Hände in den Vordergrund stellen soll. Und so geht sie also eines Morgens zu dem Atelier, damit er seinen Willen hat, aber auch, weil sie heimlich neugierig ist. Was ihr als erstes auffällt, ist der Schmutz überall. Alles ist voller Dreck und Farbkleckse, ein abgenagter Hähnchenknochen auf einem schmierigen Teller, ein Nachttopf in der Ecke auf dem Boden. Der Maler paßt zu seiner Umgebung, mit diesem völlig verdreckten Kittel und diesen schwarzen Fingernägeln. Er hat die zerdrückte und poröse Nase eines Säufers. Sie findet den Geruch im Raum unerträglich, bis sie eine Spur seines Atems auffängt. Sie stellt fest, daß sie erleichtert ist: sie hat einen jungen, freizügigen, bedrohlichen Mann erwartet, nicht diesen dickwanstigen alten Trunkenbold. Aber dann heftet er flüchtig seine kleinen, feuchten Augen auf sie, mit so etwas wie unpersönlicher Intensität, und sie zuckt zurück, als hätte sich eine Explosion grellen Lichts in ihr Gesicht entladen. Niemand hat sie jemals vorher so angesehen. So ist das also, wenn man durch und durch erkannt wird. Es ist fast unanständig. Zuerst stellt er sie an das Fenster, aber es paßt nicht, das Licht stimmt nicht, sagt er. Er schiebt sie umher, wobei er ihre Oberarme festhält und sie rückwärts von einem Ort zum anderen gehen läßt. Sie hat das Gefühl, daß sie entrüstet sein sollte, aber die gewohnten Reaktionen scheinen hier nicht zu funktionieren. Er ist einen ganzen Kopf kleiner als sie. Er macht ein paar Skizzen, kritzelt die eine oder andere Notiz auf ein Blatt und sagt ihr dann, sie solle morgen um dieselbe Zeit wiederkommen. Und ziehen Sie ein dunkleres Kleid an, sagt er. Also sowas! Sie ist drauf und dran, ihm ihre Meinung zu sagen, aber er hat sich schon einer anderen Arbeit zugewandt. Ihre Zofe, die neben der Tür sitzt, beißt sich auf die Lippen und grinst. Sie läßt den nächsten Tag verstreichen und den übernächsten, nur, um es ihm zu zeigen. Als sie wiederkommt, verliert er kein Wort über die nicht eingehaltene Verabredung, schaut nur auf ihr schwarzes Kleid – reine Seide, mit einem breiten Kragen spanischer Spitze – und nickt nachlässig. Sie ist so wütend über ihn, daß sie überrascht und über sich selbst schockiert ist. Er läßt sie sich vor dem Sofa aufstellen. Ziehen Sie Ihre Handschuhe aus, sagt er, ich soll Ihre Hände betonen. Sie hört die amüsierte Verachtung, die in seiner Stimme mitschwingt. Sie weigert sich. (*Ihre* Hände, fürwahr!) Er besteht darauf. Sie verwickeln sich in einen kurzen und steifen kleinen Streit, in dem sie sich gegenseitig mit eisiger Höflichkeit bewerfen. Am Ende erklärt sie sich bereit, einen Handschuh auszuziehen und versucht dann prompt, die entblößte Hand zu verstecken. Er seufzt, zuckt mit den Schultern, muß jedoch ein Grinsen unterdrücken, was ihr nicht entgeht. Der Regen strömt am Fenster herab, Rauchfetzen treiben über die Dächer. Der Himmel hat ein großes, silbernes Loch. Zunächst ist sie rastlos, als sie so dasteht, aber dann ist es, als durchschreite sie lautlos eine Barriere, und es überkommt sie eine träumerische Ruhe. Es ist immer dasselbe, Tag für Tag, erst ist sie gereizt, dann kommt der Durchbruch, dann Ruhe und eine gewisse Weichheit, als würde sie davongetrieben, weg, weit weg, heraus aus ihrem eigenen Selbst. Während er arbeitet, murmelt er unterdrückt vor sich hin. Er ist leicht aufbrausend, er flucht, schnalzt mit der Zunge, seufzt, ächzt. Es gibt lange fiebrige Zeiträume, in denen er ganz nah an der Leinwand arbeitet und in denen sie nur seine kurzen Beine und seine alten, unförmigen Stiefel sehen kann. Selbst seine Füße scheinen eifrig beschäftigt zu sein. Immer, wenn er seinen Kopf an einer Seite der Staffelei hervorsteckt und sie mit seiner zuckenden Kartoffelnase scharf anstarrt, überkommt sie das Bedürfnis zu lachen. Er erlaubt ihr nicht, seine Arbeit zu sehen, es wird ihr nicht einmal ein kurzer Blick zugestanden. Dann hört sie eines Tages so etwas wie einen geräuschlosen, abschließenden Krach aus seiner Richtung, und er tritt mit einem Ausdruck überdrüssigen Ekels einen Schritt zurück, winkt mit seiner Hand wegwerfend zur Leinwand und wendet sich ab, um seinen Pinsel zu reinigen. Sie kommt heran und schaut. Eine Sekunde lang sieht sie gar nichts, so überwältigt ist sie von dem bloßen Eindruck, den dieses Anhalten und Sich-Umdrehen auf sie gemacht hat: es ist, als wäre sie irgendwie aus sich selbst herausgegangen. Eine lange Zeit verstreicht. Die Brosche, sagt sie, ist wundervoll gemacht. Der Klang ihrer eigenen Stimme erschreckt sie, es ist eine Fremde, die das spricht, und sie ist eingeschüchtert. Er lacht, nicht bitter, sondern wahrhaft belustigt und, das spürt sie, mit einer seltsamen Art von Mitgefühl. Es ist ein Eingeständnis von, von – sie weiß nicht von was. Sie schaut und schaut. Sie hatte erwartet, daß es so sein würde, als schaute man in einen Spiegel, aber dies ist jemand, den sie nicht erkennt, und doch kennt. Ungerufen gehen ihr die Worte durch den Kopf: Jetzt weiß ich, wie man sterben muß. Sie zieht ihre Handschuhe an und macht ihrer Zofe ein Zeichen. Der Maler spricht hinter ihr, etwas über ihren Vater und Geld, natürlich, aber sie hört nicht zu. Sie ist ruhig. Sie ist glücklich. Sie fühlt sich betäubt, ausgehöhlt, eine leere Hülse, die sich bewegt. Sie geht die Treppen hinunter, durch die schmuddelige Diele, und tritt hinaus in die banale Wirklichkeit.

Lassen Sie sich nicht zum Narren halten: auch dieser ganze Kram hat keinerlei Bedeutung.

Ich hatte die Schnur und das Packpapier vorsichtig auf den Boden gelegt, und ging nun mit ausgestreckten Armen auf das Bild zu. Die Tür hinter mir öffnete sich, und eine korpulente Frau in einem Tweedrock und einer Strickjacke kam in das Zimmer. Sie blieb stehen, als sie mich dort sah, wie ich mit weit ausgebreiteten Armen vor dem Bild stand, sie mit wildem Blick über meine Schulter anstarrte und währenddessen mit einem Fuß versuchte, die Rolle Bindfaden und das Packpapier zu verbergen. Sie hatte blaugraue Haare, und ihre Brille war an einer Schnur um ihren Hals befestigt. Sie runzelte die Stirn. Sie müssen bei der Gruppe bleiben, sagte sie mit lauter und ärgerlicher Stimme – also wirklich, ich weiß nicht, wie oft ich das noch sagen soll. Ich ging einen Schritt zurück. Ein Dutzend in schreiende Farben gekleidete Leute drängten sich im Türrahmen hinter ihr und reckten die Hälse, um mich zu sehen. Tut mir leid, hörte ich mich gehorsam sagen, ich habe mich verirrt. Sie warf ungeduldig den Kopf zurück, ging mit großen Schritten in die Mitte des Raumes und begann sofort, in gebrülltem Singsang über Carlinsche Tische und Berthouldsche Uhren zu sprechen. Wochen später, als sie von der Polizei vernommen wurde und man ihr ein Bild von mir zeigte, würde sie bestreiten, mich jemals zuvor in ihrem Leben gesehen zu haben. Ihre Schützlinge schlurften in den Raum und veranstalteten eine verstohlene Rempelei bei dem Versuch, außerhalb ihres Blickfeldes zu bleiben. Sie stellten sich mit gefalteten Händen auf, so als seien sie in der Kirche, und schauten sich mit respektvoller Verständnislosigkeit um. Ein altes, grauhaariges Individuum in einem Hawaiihemd grinste und zwinkerte mir zu. Ich muß gestehen, ich war völlig durcheinander. In meiner Magengrube war ein Knoten, und meine Handflächen waren feucht. Die ganze Hochstimmung, in der ich mich auf der Fahrt hierher befunden hatte, hatte sich in Luft aufgelöst und einem Gefühl voll böser Vorahnungen Platz gemacht. Zum ersten Mal wurde mir voller Schrecken bewußt, auf welche Ungeheuerlichkeit ich mich eingelassen hatte. Ich fühlte mich wie ein Kind, das von seinem eigenen Spiel ganz weit in den Wald hineingelockt worden ist, und nun bricht die Nacht herein, und zwischen den Bäumen lauern schattenhafte Gestalten. Die Reiseleiterin war mit ihrem Bericht über die Schätze dieses Raumes zu Ende gekommen – das Bild, *mein* Bild war mit zwei Sätzen abgehandelt und dem falschen Künstler zugeordnet worden – und ging nun mit einem steif über ihrem Kopf erhobenen Arm immer noch redend zur Tür hinaus, wobei sie die Gruppe gleich einer Herde Schafe hinter sich herzog. Als sie gegangen waren, verharrte ich und starrte unbeweglich auf die Türklinke, in der Erwartung, daß sie zurückkommen, mich kurzerhand beim Genick packen und hinausschleifen würde. Irgendwo in mir drin wimmerte leise eine Stimme voller Angst und Panik. Das ist etwas, was man nicht recht berücksichtigt zu haben scheint – ich habe es schon einmal erwähnt – nämlich, wie furchtsam ich bin und wie schnell ich den Mut verliere. Sie kam jedoch nicht zurück; ich hörte, wie sich die Gruppe entfernte und die Treppe hinauftrampelte. Fieberhaft machte ich mich wieder an die Arbeit. Ich habe mein Bild noch vor Augen, wie ich mißtrauische Zuckungen mache, finstere Blicke in die Gegend werfe und die Augen rolle – wie ein leicht beschränkter Gangster bei einem mißglückten Überfall. Ich nahm das Bild nicht ohne Schwierigkeiten von der

Wand herunter, legte es flach auf den Boden – wobei ich vor diesem schwarzen Blick zurückschreckte – und fing an, Streifen von dem Packpapier abzureißen. Ich hatte nicht gedacht, daß Papier soviel Krach machen würde, soviel Geraschel und Geknatter und Gereiße, es muß geklungen haben, als ziehe man dort drinnen irgendeinem gewaltigen Tier bei lebendigem Leibe die Haut ab. Und es klappte einfach nicht, ich war total ungeschickt, meine Hände zitterten, die Papierstreifen rollten sich immer wieder zusammen, ich hatte nichts, um die Schnur abzuschneiden, und das Bild war mit seinem breiten Rahmen sowieso zu groß, um es einzuwikkeln. Ich hoppelte auf meinen Knien durch die Gegend, redete mit mir selbst und stieß kleine, verzweiflungsvolle Quietscher aus. Alles ging schief. Gib es auf, sagte ich zu mir selber, ach bitte, bitte, gib es auf, jetzt, wo es noch nicht zu spät ist! Aber ein anderer Teil von mir biß die Zähne zusammen und sagte, nein, das wirst du nicht tun, du Feigling, steh auf, auf die Füße mit dir, tu es. Und so kämpfte ich mich also jammernd und flennend hoch, riß mir das Bild in die Arme und wankte blindlings mit ihm, Nase an Nase, in die Richtung der Verandatür. Diese Augen starrten in meine, fast wäre ich rot geworden. Und dann – wie soll ich es beschreiben – und dann spürte ich irgendwie hinter diesem starren Blick eine andere Gegenwart, die mich beobachtete. Ich blieb stehen, senkte das Bild, und da war sie. Sie stand in der offenen Tür, genauso wie sie am Tag zuvor dort gestanden hatte, mit weit aufgerissenen Augen, eine Hand erhoben. Dies, dachte ich bitter, dies bringt das Faß zum Überlaufen. Ich war empört. Wie konnte die Welt es wagen, mir diese Hindernisse in den Weg zu streuen! Das war unfair, einfach unfair! Also gut, sagte ich zu ihr, hier, nehmen Sie das, und ich stieß ihr das Bild in die Arme, drehte sie um und schob sie vor mir her über den Rasen. Sie sagte nichts, oder wenn sie etwas sagte, dann hörte ich ihr nicht zu. Es war schwierig für sie, über das Gras zu gehen, das Bild war zu schwer für sie, und sie konnte kaum daran vorbeisehen. Sobald sie stockte, stieß ich sie zwischen die Schulterblätter. Ich war wirklich ziemlich wütend. Wir erreichten das Auto. Der große, düstere Kofferraum strömte einen starken Fischgeruch aus. Drinnen fand sich das übliche Wirrwarr von mysteriösen Geräten, ein Wagenheber, ein Schraubenschlüssel und solches Zeug – ich bin nicht technisch begabt, weder im Kopf noch in den Fingern, habe ich das schon mal erwähnt? – und ein schmutziger alter Pullover war auch da, den ich in diesem Augenblick kaum beachtete und den der versteckte Arrangeur des Ganzen mit trügerischer Beiläufigkeit in eine Ecke geworfen hatte. Ich holte die Werkzeuge heraus und schmiß sie hinter mich auf das Gras, hob dann das Gemälde aus den Armen des Mädchens und legte es mit dem Gesicht nach unten auf die abgewetzte Filzmatte. Es war das erste Mal, daß ich die Rückseite der Leinwand sah, und es wurde mir plötzlich bewußt, wie alt dieses Ding war. Vor dreihundert Jahren hatte man es aufgespannt, abgemessen und zum Trocknen gegen eine Kalkwand gelehnt. Eine Sekunde lang schloß ich meine Augen, und sofort sah ich eine Werkstatt in einer engen Gasse in Amsterdam oder in Antwerpen, im Fenster rauchiges Sonnenlicht, und draußen gehen Hausierer vorbei, und die Glocken der Kathedrale läuten. Das Mädchen beobachtete mich. Ihre Augen hatten die ungewöhnlichste Farbe, die ich je gesehen hatte, sie waren von einem blassen Violett und wirkten durchsichtig. Wenn ich in sie hineinblickte, hatte ich das Gefühl, geradewegs durch ihren Kopf hindurchzuschauen. Warum ist sie nicht weggelaufen? Hinter ihr, in einem der großen Fenster im ersten Stock, drängten sich ein Dutzend Köpfe und glotzten uns an. Ich konnte die Brille der Reiseleiterin erkennen und das gräßliche Hemd des Amerikaners. Ich glaube, ich muß voller Wut laut aufgeschrien haben, so wie ein alter Löwe beim Anblick seines verhaßten Dompteurs losbrüllt, denn das Mädchen zuckte zusammen und ging einen Schritt zurück. Ich schnappte mir mit eiserner Klaue ihr Handgelenk, riß die Autotür auf und schmiß sie auf den Rücksitz. Oh, warum ist sie nicht abgehauen! Als ich mich knurrend hinter das Steuer gezwängt hatte und umhertastete, fing ich den leisen, doch scharfen Geruch von Metall auf, ähnlich dem Geruch von alten Münzen. Ich konnte sie hinter mir im Rückspiegel sehen; sie hockte zusammengekauert da, als sei sie in einem großen Glaskasten, zwischen Tür und Rückseite des Sitzes eingeklemmt, mit hervorstehenden Ellenbogen, gespreizten Fingern und vorgeschobenem Kopf, wie die in die Ecke getriebene Heldin eines Melodramas. Eine wilde, erstickende Welle der Ungeduld stieg in mir hoch. Ungeduld, ja, das war es, was ich am stärksten empfand – und ein schmerzliches Gefühl von Peinlichkeit. Ich wäre am liebsten im Boden versunken. Noch nie zuvor in meinem Leben war ich so vielen Blicken ausgeliefert gewesen. Menschen starrten mich an – diese da auf dem Rücksitz, die Touristen, die sich oben im Fenster drängelten, aber auch, so schien es, eine ganze Heerschar von anderen, von phantomartigen Zuschauern. Letztere waren wohl, so denke ich, ein Fingerzeig auf jene Horde, die sich bald wirklich voller Faszination und Grauen um mich drängeln würde. Ich ließ den Motor an. Das Getriebe gab schrille Geräusche von sich. In meiner Aufregung überschlug ich mich und mußte immer wieder von vorne anfangen und die einfachsten Dinge wiederholen. Als ich das Auto vom Gras herunter und auf die Auffahrt manövriert hatte, ließ ich die Kupplung zu schnell los, woraufhin das Fahrzeug in einer Serie von markerschütternden Stößen vorwärtssprang, die Motorhaube auf- und niederging, als sei sie der Bug eines in Stromschnellen geratenen Bootes, und die Stoßdämpfer ächzten. Die Zuschauer am Fenster müssen sich mittlerweile vor Lachen gekugelt haben. Ein Schweißtropfen lief an meiner Wange herab. Die Sonne hatte das Lenkrad so sehr erhitzt, daß man es kaum anfassen konnte, und auf der Windschutzscheibe lag ein gleißendes Licht. Das Mädchen tastete am Türgriff herum, ich brüllte sie an, und sie hörte sofort auf und schaute mich wie ein gescholtenes Kind mit großen Augen an. Vor dem Tor saß immer noch der Busfahrer in der Sonne. Als sie ihn sah, versuchte sie, das Fenster zu öffnen, jedoch vergeblich, der Mechanismus war wohl kaputt. Sie hämmerte mit ihren Fäusten gegen das Glas. Ich riß das Steuer herum, und das Auto bretterte mit kreischenden Reifen auf die Straße hinaus. Wir schrien uns nun gegenseitg an, wie ein Ehepaar, das einen Streit hat. Erst trommelte sie auf meine Schulter ein, dann gelang es ihr, eine Hand vor mein Gesicht zu kriegen, und sie versuchte, mir die Augen auszukratzen. Ihr Daumen rutschte in meiner Nase hoch, ich dachte schon, sie würde meinen Nasenflügel abreißen. Das Auto schlingerte kreuz und quer über die Straße. Ich stieg mit beiden Füßen auf das Bremspedal, und wir flogen in einer langen, nicht enden wollenden Kurve in die Hecke hinein. Sie wurde zurückgeworfen. Ich drehte mich zu ihr um. Ich hatte den Hammer in der Hand. Erschreckt schaute ich sie an. Um uns herum stieg die Stille in die Höhe wie Wasser. Nein, nicht!, sagte sie. Sie war wie vorher zusammengekauert, ihre Arme waren gebeugt, und mit dem Rücken war sie in die Ecke gepreßt. Ich konnte nicht sprechen, mich erfüllte eine Art Staunen. Niemals hatte ich so direkt und mit solch roher Gewalt die Gegenwart eines anderen Menschen gespürt. Ich sah sie jetzt zum ersten Mal, sah sie zum ersten Mal wirklich, ihr mausfarbenes Haar, ihre unreine Haut, die blauen Ränder unter den Augen. Sie war ein ganz gewöhnlicher Mensch, und doch war sie irgendwie, ich weiß nicht – irgendwie leuchtend. Sie räusperte sich, setzte sich auf und strich sich eine Haarsträhne zurück, die sich in ihrem Mundwinkel gefangen hatte.

Sie müssen mich freilassen, sagte sie, oder Sie werden in Schwierigkeiten geraten.

Es ist nicht leicht, im Auto einen Hammer zu schwingen. Als ich das erste Mal traf, erwartete ich, das scharfe klare Krachen zu spüren, das entsteht, wenn Stahl auf einen Knochen trifft; aber es war eher, als schlüge ich auf Lehm oder hartgewordenen Kitt. Das Wort *Fontanelle* schoß mir durch den Kopf. Ich hatte geglaubt, daß ein kräftiger Schlag die Sache erledigen würde, aber sie hatte, wie die Autopsie ergab, einen sehr kräftigen Schädel – sehen Sie, selbst darin hatte sie Pech. Der erste Schlag traf sie dicht am Haaransatz, über ihrem linken Auge. Es gab nicht viel Blut, nur eine dunkelrot glänzende Delle mit verfilztem Haar darin. Sie erschauderte, blieb aber aufrecht sitzen, schwankte ein wenig hin und her und blickte mich mit verschwommenen Augen an. Vielleicht hätte ich in diesem Augenblick aufgehört, wenn sie sich nicht plötzlich schreiend und wild um sich schlagend über die Rückenlehne des Sitzes hinweg auf mich gestürzt hätte. Ich war bestürzt. Wie war es möglich, daß mir all dies geschah – es war alles so unfair! Bittere Tränen des Selbstmitleids stiegen mir in die Augen. Ich schob sie von mir weg, holte weit aus und schwang den Hammer mit aller Kraft. Die Gewalt des Aufpralls warf sie gegen die Tür, ihr Kopf schlug gegen das Fenster, und ein dünner Blutfaden rann aus ihrem Nasenloch und über ihre Wange. Auch an dem Fenster war Blut, ein fächerförmiger Sprühregen winziger Tropfen. Sie schloß ihre Augen und wandte ihr Gesicht von mir ab, aus der Tiefe ihrer Kehle kam ein schwacher gutturaler Laut. Gerade als ich wieder ausholte, griff sie sich mit einer Hand an den Kopf, und als der Schlag niederging, waren ihre Finger dazwischen, ich hörte, wie einer von ihnen brach und zuckte zusammen, beinahe hätte ich mich entschuldigt. Oh! sagte sie, und plötzlich, als sei in ihrem Innern alles zusammengebrochen, rutschte sie vom Sitz herunter auf die Erde.

Erneut breitete sich Stille aus, eine klare und erschreckende Stille. Ich stieg aus dem Auto aus und stand einen Moment lang da, atmete. Etwas schien mit dem Sonnenlicht passiert zu sein, überall, wo ich hinsah, war es so düster, als befände ich mich unter Wasser. Ich hatte geglaubt, nur eine kurze Strecke gefahren zu sein und rechnete damit, das Eingangstor von Whitewater, den Reisebus und den Fahrer zu sehen, wie er auf mich zuläuft, aber zu meinem Erstaunen war die Straße in beiden Richtungen leer, und ich hatte keine Ahnung, wo ich mich befand. Auf einer Seite stieg ein steiler Hügel auf, und auf der anderen konnte ich über die Spitzen von Kiefern hinweg auf ein weit entferntes wogendes Hügelland blicken. Es sah alles entschieden unglaubhaft aus. Es wirkte wie ein hastig gemalter Hintergrund, besonders diese verwischte schimmernde Ferne und die Straße, die sich unschuldig davonschlängelte. Ich stellte fest, daß ich immer noch den Hammer umklammerte. Mit einem großartigen Schwung meines Arms warf ich ihn von mir weg und schaute zu, wie er sich langsam um die eigene Achse drehte und in einem mächtigen, überwältigenden Bogen weit weit hinaus über die blauen Wipfel der Fichten flog. Dann krümmte ich mich unvermittelt zusammen und erbrach die klebrigen Überreste des Frühstücks, das ich vor einer Ewigkeit, in einem anderen Leben zu mir genommen hatte.

Ich kroch in das Auto zurück, wobei ich die Augen von diesem zerbröckelten Ding, das hinter dem Vordersitz eingekeilt war, abgewandt hielt. Das Licht in der Windschutzscheibe war grell und zersplittert, eine Sekunde lang dachte ich, das Glas sei zerbrochen, bis ich mir mit der Hand ins Gesicht faßte und entdeckte, daß ich weinte. Dies fand ich ermutigend. Meine Tränen schienen mir nicht nur ein Vorbote der Reue, sondern auch das Zeichen eines gewöhnlicheren, einfacheren Verlangens zu sein, eines Gefühls, für das es keinen Namen gab, das aber vielleicht meine einzige Verbindung mit der Welt des Alltäglichen war, die einzige, die standhalten würde. Denn alles hatte sich verändert; wo ich jetzt war, war ich niemals zuvor gewesen. Ich zitterte, und alles um mich her zitterte, und an den Dingen haftete etwas Träges und Klebriges, als hätte ich und all dies – Auto, Straße, Bäume, jene entfernten Wiesen – als hätten wir uns eben erst aus einer Geburtsspalte in der Luft herausgezwängt, stumm und voll des Staunens. Ich drehte den Zündschlüssel um und machte mich auf alles gefaßt; ich war überzeugt, daß statt des Anspringens des Motors etwas ganz anderes passieren würde, daß es ein furchtbares, nervenzerreißendes Geräusch oder das grelle Aufblitzen eines Lichtes geben würde, oder daß unter dem Armaturenbrett ekelhafter Schleim hervorquellen und sich über meine Beine ergießen würde. Ich fuhr im zweiten Gang auf der Mitte der Straße entlang. Es roch, überall roch es. Blut hat einen heißen, dichten Geruch. Ich wollte die Fenster öffnen, traute mich jedoch nicht, ich hatte Angst vor dem, was hereinkommen könnte – das Licht draußen schien so feucht und undurchlässig wie Leim zu sein; ich stellte mir vor, wie es in meinen Mund, meine Nasenlöcher kriechen würde.

Ich fuhr und fuhr. Whitewater ist nur dreißig Meilen oder so von der Stadt entfernt, aber es kam mir vor, als bräuchte ich Stunden, um die Vororte zu erreichen. An die Fahrt erinnere ich mich kaum. Das heißt, ich erinnere mich nicht daran, Gänge gewechselt, Gas gegeben, gebremst oder die Pedale betätigt zu haben. Ich sehe durchaus, wie ich mich bewege, wie ich lautlos durch eine seltsame, sonnenbeschienene glitzernde Landschaft fliege, als sei ich in einer kristallenen Blase. Ich glaube, ich bin sehr schnell gefahren, denn ich erinnere mich an ein Druckgefühl in meinen Ohren, ein dumpfes, rauschendes Dröhnen. Ich muß also im Kreis gefahren sein, immer rundherum, auf diesen schmalen Landstraßen. Dann waren Häuser da und Wohnsiedlungen und

zerstreute Fabriken und Supermärkte, die so groß waren wie
Flugzeughallen. Ich starrte in träumerischer Verwunderung
durch die Windschutzscheibe. Ich kam mir vor wie ein Besucher von einem ganz anderen Teil der Welt, der kaum be-
greifen kann, wie sehr alles so aussieht wie zu Hause, und
wie anders es trotzdem ist. Ich wußte nicht, wo ich hinfuhr,
das heißt, ich fuhr nirgendwo hin, ich bewegte mich lediglich von der Stelle. Fast war es erholsam, auf diese Weise
herumzufahren, das Lenkrad mit einem Finger zu drehen
und von allem abgeschnitten zu sein. Es war, als sei ich mein
ganzes Leben lang einen steilen Abhang hinaufgeklettert,
hätte nun den Gipfel erreicht und stürzte mich fröhlich ins
Blaue. So frei fühlte ich mich, so frei. An der ersten roten
Ampel kam das Auto so behutsam zum Stehen, als glitten
wir auf Flügeln durch die Luft. Es war die Kreuzung zweier
Vorortstraßen. Auf der linken Seite war ein kleiner grüner
Hügel mit einem Kastanienbaum und einer ordentlichen
Reihe von Häusern. Kinder spielten auf der grasbewachse-
nen Böschung. Hunde tollten herum. Die Sonne schien. Ich
habe immer schon eine heimliche Vorliebe für ruhige Orte
wie diese gehabt, unbemerkte, und doch liebevoll umsorgte
Domänen des Bauens und Tuens und Pflegens. Ich lehnte
meinen Kopf auf den Sitz zurück und lächelte, während ich
den Kindern beim Spielen zuschaute. Die Ampel wurde
grün, aber ich rührte mich nicht. Ich war nicht wirklich dort,
sondern hatte mich irgendwoandershin verirrt, in irgendeine
sonnige Ecke meiner Vergangenheit. Plötzlich klopfte jemand neben meinem Ohr an das Fenster. Ich fuhr hoch.
Eine Frau mit einem länglichen, breiten Pferdegesicht – sie
erinnerte mich an meine Mutter, du lieber Gott! – starrte
angestrengt zu mir herein und sagte etwas. Ich kurbelte das
Fenster herunter. Sie hatte eine laute Stimme, jedenfalls kam
sie mir sehr laut vor. Ich konnte sie nicht verstehen, sie
sprach über einen Unfall und fragte mich, ob ich in Ordnung

sei. Dann drängte sie ihr Gesicht vor, schielte über meine Schulter, öffnete ihren Mund und ächzte. Oh! sagte sie, das arme Kind! Ich wandte meinen Kopf. Überall war Blut, es war nun über den ganzen Rücksitz verteilt, es war doch sicherlich viel zu viel, um nur von einer Person vergossen worden zu sein. Einen wahnsinnigen Moment lang, in dem ein verstohlener Funke der Hoffnung aufflammte und erstarb, fragte ich mich, ob es nicht wirklich einen Unfall gegeben hatte, den ich nicht bemerkt oder den ich irgendwie vergessen hatte; ob sich nicht irgendein überladenes Fahrzeug von hinten in uns hineingerammt und lauter Leichen und all dies Blut durch das Rückfenster hereingeschleudert hatte. Ich konnte nicht sprechen. Ich hatte geglaubt, sie sei tot, aber nichts dergleichen, dort kniete sie zwischen den Sitzen und tastete an dem Fenster neben sich herum, ich konnte hören, wie ihre Finger am Glas entlang quietschten. Ihr Haar hing in blutigen Strähnen herab, ihr Gesicht war eine von Kupfer und Purpur übergossene Tonmaske. Die Frau draußen brabbelte mir etwas von Telefon und Krankenwagen und Polizei ins Ohr – Polizei! Ich wandte mich ihr mit einem furchtbaren Blick zu. Hören Sie! sagte ich warnend (später würde sie meine Stimme als *kultiviert* und *gebieterisch* bezeichnen), kümmern Sie sich doch bitte um Ihre eigenen Angelegenheiten! Sie trat zurück und starrte mich entsetzt an. Ich muß zugeben, daß ich selbst beeindruckt war, ich hätte nicht gedacht, daß ich in der Lage bin, einen derartig herrischen Ton anzuschlagen. Dann kurbelte ich das Fenster wieder hoch, stieg aufs Gaspedal und schoß davon, wobei ich jedoch zu spät bemerkte, daß die Ampel schon wieder rot geworden war. Ein von links kommender Lieferwagen bremste scharf und gab ein entrüstetes Kreischen von sich. Ich fuhr weiter. Ich war jedoch kaum ein oder zwei Straßen weitergekommen, als sich plötzlich in meinem Kielwasser mit heulender Sirene und aufblitzendem Blaulicht ein

Krankenwagen näherte. Ich war erstaunt. Wie war es möglich, daß er so unverzüglich eingetroffen war? Tatsächlich war dies erneut einer jener entsetzlichen Zufälle, von denen es in diesem Fall so wimmelt. Wie ich später erfahren sollte, suchte der Krankenwagen keineswegs nach mir, sondern befand sich auf dem Rückweg von – ja – von dem Schauplatz eines Autounfalls, mit einer – es tut mir leid, aber es ist so – mit einer sterbenden Frau hinten drin. Ich hielt nicht an, sondern sauste in hohem Tempo mit so tief heruntergedrücktem Kopf weiter, daß meine Nase fast das Lenkrad berührte. Ich glaube, ich war so gelähmt vor Angst, daß ich gar nicht in der Lage gewesen wäre anzuhalten. Der Krankenwagen schob sich neben mich, wobei er gefährlich schwankte und wie ein rasend gewordenes Tier hysterisch trompetete. Der Begleiter auf dem Beifahrersitz, ein kräftiger junger Typ in Hemdsärmeln, mit einem roten Gesicht und einem schmalen Backenbart, schaute mit mildem beruflichen Interesse auf das blutüberströmte Fenster hinter mir. Er beriet sich kurz mit dem Fahrer und forderte mich dann mittels einer komplizierten Gestik, Genicke und Lippensprache auf, ihnen zu folgen. Sie glaubten offensichtlich, ich käme von demselben Unfall und transportierte ein weiteres Opfer zum Krankenhaus. Sie preschten voraus. Von Unruhe und Verblüffung ganz durcheinander gebracht, folgte ich ihnen. Ich konnte nichts sehen, als dieses große, eckige, unförmige Ding, das vor mir herjagte, zischend den Staub aufwirbelte und sich schwerfällig in seiner Federung rollte. Dann bremste es plötzlich und schwenkte in eine breite Toreinfahrt ein, und aus dem Seitenfenster streckte sich ein Arm heraus und winkte mir, ihnen zu folgen. Es war der Anblick dieses dicken Arms, was den Bann brach. Mit einer Salve wahnsinnigen Gelächters fuhr ich weiter, an dem Krankenhaustor vorbei und drückte das Gaspedal bis zum Anschlag herunter. Hinter mir verklang das Geräusch der Sirene in einer erschreckten Klage, und ich war frei.

Ich starrte in den Rückspiegel. Sie saß zusammengesunken mit hängendem Kopf da, und ihre Hände lagen mit der Innenfläche nach oben auf ihren Schenkeln.

Plötzlich war zu meiner Linken das Meer, tief unten, blau, unbeweglich. Ich fuhr einen steilen Hügel hinunter, dann auf einer geraden zementierten Straße an einer Bahnstrecke entlang. Rechts erhob sich ein weißrosanes Hotel mit Türmen und Zinnen und flatternden Wimpeln, gigantisch und leer. Die Straße verlor sich in einem sumpfigen Flecken voller Gestrüpp und Disteln, und dort blieb ich stehen, inmitten einer unendlichen und endgültigen Stille. Ich konnte sie hören, hinter mir, wie sie atmete. Als ich mich umdrehte, hob sie ihren furchterregenden Kassandrakopf und blickte mich an. *Helfen Sie mir*, flüsterte sie. *Helfen Sie mir*. Eine Blutblase kam aus ihrem Mund und zerplatzte. *Tommy!* sagte sie, oder ein Wort das so ähnlich klang, und dann: *Liebe*. Was fühlte ich? Reue, Trauer, eine fürchterliche – nein, nein, nein, ich werde nicht lügen. Ich kann mich nicht daran erinnern, überhaupt etwas gefühlt zu haben, außer diesem Gefühl der Fremdheit, diesem Gefühl, an einem Ort zu sein, der mir vertraut war, den ich jedoch nicht wiedererkannte. Als ich aus dem Auto ausstieg, wurde mir schwindelig, und ich mußte mich einen Moment mit fest geschlossenen Augen gegen die Tür lehnen. Meine Jacke war blutbefleckt, ich wand mich aus ihr heraus und schleuderte sie in die verkümmerten Büsche – man hat sie nie gefunden, ich kann mir nicht vorstellen, warum nicht. Ich erinnerte mich an den Pullover im Kofferraum und zog ihn an. Er roch nach Fisch und Schweiß und Achselschmiere. Ich nahm das Henkersseil und warf auch das in die Büsche. Dann hob ich das Bild heraus und ging damit so weit, bis ich an einen ausgeleierten Stacheldraht und eine Grube mit einem Wasserrinnsal auf dem Grund kam, und dort ließ ich es fallen. Was ich mir dabei dachte, weiß ich nicht. Vielleicht war es eine Geste der Entsagung oder so etwas. Entsagung! Wie kann ich es wagen, solche Worte in den Mund zu nehmen. Die Frau mit den Handschuhen warf mir einen letzten, abweisenden Blick zu. Sie hatte nichts Besseres von mir erwartet. Ich ging zum Auto zurück, versuchte, es nicht anzuschauen, die verschmierten Fenster. Etwas fiel auf mich herab: ein zarter, lautloser Regen. Ich blickte aufwärts in das glitzernde Sonnenlicht und sah eine Wolke direkt über mir, ein winziger grauer Fleck im Blau des Sommers. Ich dachte: Ich bin kein Mensch. Dann drehte ich mich um und ging davon.

Seitdem ich erwachsen bin, habe ich einen Traum, der immer wiederkehrt (ja, ja, schon wieder Träume!), er kommt ein- oder zweimal im Jahr und läßt mich noch Tage danach verstört zurück. Wie gewöhnlich ist es kein Traum im üblichen Sinne, denn es passiert nicht eben viel darin, und es ist alles sehr undeutlich. Hauptsächlich besteht er aus einem undefinierten, aber tiefen und sich steigernden Gefühl des Unbehagens, das am Ende zu einem ausgewachsenen Gefühl der Panik eskaliert. Vor langer Zeit, so scheint es, habe ich ein Verbrechen begangen. Nein, das ist ein zu starkes Wort. Ich habe irgend etwas getan, es ist nie genau klar, was. Vielleicht bin ich nur in irgend etwas hineingestolpert, es könnte sogar eine Leiche gewesen sein, und habe es verheimlicht und danach so gut wie vergessen. Nun, Jahre später, wurde das Beweisstück gefunden, und man ist gekommen, um mich zu verhören. Bis jetzt gibt es noch nichts, das den Anschein nahe legt, daß ich in direkter Weise in die Angelegenheit verwickelt war, mich trifft nicht die Spur eines Verdachts. Ich bin lediglich ein weiterer Name auf der Liste. Die, die mich verhören, sind sanfte, leise sprechende Personen, auf eine phlegmatische Art respektvoll und ein wenig gelangweilt. Der Jüngere rutscht auf seinem Stuhl hin und her. Ich antworte höflich und mit einer gewissen Ironie auf ihre Fragen, lächele, ziehe eine Augenbraue hoch. Es ist, so sage ich mir selbstgefällig, die Vorstellung meines Lebens, ein Meisterstück der Verstellungskunst. Doch ich bemerke, daß der Ältere mich mit vertieftem Interesse betrachtet, seine klugen Augen verengen sich. Ich muß irgend etwas gesagt haben. Was habe ich gesagt? Ich beginne, rot zu werden, kann es

nicht verhindern. Ein scheußliches Gefühl des Eingeengt-
seins erfaßt mich. Ich plappere hastig weiter, und das kleine
Lachen, das entspannt klingen sollte, wird ein ersticktes
Keuchen. Schließlich laufe ich ab wie ein aufziehbares Spielzeug, sitze da und starre sie hilflos hechelnd an. Sogar der
Jüngere, der Sergeant, sieht mittlerweile interessiert aus.
Eine entsetzliche Stille senkt sich herab und dehnt und dehnt
sich, bis schließlich mein schlafendes Selbst einen Fluchtver-
such startet und ich entgeistert und in Schweiß gebadet aus
dem Schlaf hochfahre. Das besonders Schreckliche an dem
Ganzen ist nicht die Aussicht, vor Gericht gezogen und für
ein Verbrechen ins Gefängnis gesteckt zu werden, von dem
ich nicht einmal sicher bin, ob ich es begangen habe, sondern
die schlichte, furchtbare Tatsache, daß man mir auf die Schli-
che gekommen ist. Das ist es, was mir den Schweiß aus den
Poren treibt, meinen Mund mit Asche füllt und mein Herz
mit Scham.
Und nun, als ich auf der Straße entlanghastete, neben mir die
Bahnstrecke und dahinter das Meer, hatte ich genau das glei-
che Gefühl der Schmach. Was für ein Idiot ich gewesen war.
Was für Schwierigkeiten standen mir in den kommenden Tagen, Wochen, Jahren bevor. Und doch war da auch ein Gefühl der Erleichterung, des Auftriebs, so als hätte ich eine
mir peinliche Last abgeworfen. Immer schon, seit ich das
erworben hatte, was man den Gebrauch der Vernunft nennt,
hatte ich das Eine getan und das Andere gedacht, weil das
Gewicht der Dinge soviel größer schien als das Gewicht der
Gedanken. Was ich sagte, entsprach niemals genau dem, was
ich fühlte, und was ich fühlte, war, wie es scheint, niemals
das, was ich hätte fühlen sollen, obwohl mir meine Gefühle
immer echt und richtig und unvermeidlich vorkamen. Nun
hatte ich einen Schlag für den Kerl in meinem Inneren ausge-
führt, diesen hohnlachenden, fetten, vulgären Typ, der mir
schon die ganze Zeit gesagt hatte, daß mein Leben eine Lüge

sei. Jetzt war er endlich hervorgebrochen, er war es, er, der Menschenfresser, der in diesem zitronenfarbenen Licht mit blutverschmiertem Pelz daherstapfte und mich hilflos über seine Schulter geworfen hatte. Alles war verschwunden, die Vergangenheit, Coolgrange, Daphne, mein ganzes vorheriges Leben, verschwunden, aufgegeben, des wesentlichen Kerns und der Bedeutung beraubt. Man braucht nur das Schlimmste, das Allerschlimmste zu tun, um frei zu sein. Ich würde es niemals wieder nötig haben, so zu tun, als sei ich etwas anderes als das, was ich wirklich bin. Bei diesem Gedanken schwirrte mir der Kopf, und mein leerer Magen revoltierte.

Ich wurde das Opfer einer Schar bohrender Sorgen. Dieser Pullover stank und war mir zu eng. In dem Knie meines linken Hosenbeins war ein dünner Riß. Es würde den Leuten auffallen, daß ich mich heute nicht rasiert hatte. Und ich hatte es nötig, ja, ich sehnte mich regelrecht danach, mir die Hände zu waschen, bis zu den Ellbogen in siedendes Seifenwasser zu tauchen, mich gründlich naß zu machen, mich zu schrubben, scheuern, abzubürsten – sauber zu sein. Gegenüber des verlassenen Hotels war ein Gewirr von grauen Gebäuden, das wohl einstmals ein Bahnhof gewesen war. Auf dem Bahnsteig wuchs Unkraut, und im Stellwerk waren alle Fenster eingeschlagen. Ein durchlöchertes lackiertes Schild mit einer liebevoll aufgemalten ausgestreckten Hand deutete auf ein Betonhäuschen, das in diskreter Entfernung am anderen Ende des Bahnsteigs lag. Ein Gesträuch violetten Fliederspeers blühte am Eingang des Männerklos. Ich ging in das Damenklo – schließlich gab es keine Regeln mehr. Die Luft im Innern war kühl und unangenehm feucht. Es roch nach ungelöschtem Kalk, und etwas glänzendes Grünes wuchs an den Wänden hoch. Die Einrichtung war schon vor langer Zeit herausgerissen worden, selbst die Klotüren waren verschwunden. An dem Zustand des Bodens konnte ich jedoch erkennen, daß der Ort immer noch häufig benutzt wurde. In einer Ecke lag ein kleiner Haufen von Zeug – benutzte Kondome, glaube ich, verfärbte Wattebäusche, sogar vereinzelte Kleidungsstücke – von dem ich hastig meine Augen abwandte. An der Stelle, wo die Waschbecken gewesen waren, stak ein einzelner Wasserhahn an einem grünen Kupferrohr aus der Wand hervor. Als ich an ihm drehte, gab es ein entferntes Ächzen und Klirren, und bald darauf kam ein rostiges Rinnsal hervor. Ich wusch mir meine Hände so gut es eben ging und trocknete sie an einem Zipfel meines Hemdes ab. Doch als ich damit fertig war und im Begriff war zu gehen, entdeckte ich einen Tropfen Blut zwischen meinen Fingern. Ich weiß nicht, wo er herkam. Vielleicht war er auf dem Pullover gewesen, oder sogar in meinen Haaren. Das Blut war mittlerweile zähflüssig, dunkel und klebrig. Nichts, nicht die Flecken im Auto, die verschmierten Fenster, ihre Schreie nicht, und nicht einmal der Geruch ihres Sterbens hat mich so getroffen wie dieser Tropfen bräunlichen, klebrigen Zeugs. Ich jammerte vor Bestürzung und steckte meine Fäuste erneut unter den Wasserhahn, und schrubbte und schrubbte und wurde ihn doch nicht los. Das Blut ging weg, aber etwas blieb, den ganzen langen Tag konnte ich es dort spüren, wie es sich an der empfindlichen Haut zwischen meinen Fingern festgehakt hatte, es blieb ein feuchter, warmer, geheimer Fleck.

Ich habe Angst, daran zu denken, was ich getan habe.

Für eine Weile saß ich auf einer kaputten Bank auf dem Bahnsteig in der Sonne. Wie blau das Meer war, wie fröhlich das Knattern und Flattern der kleinen Fähnchen auf den Hotelzinnen. Alles war still, außer dem Summen der Meeresbrise in den Telegrafenleitungen und außer irgend etwas, das irgendwo quietschte und klopfte, quietschte und klopfte. Ich lächelte. Es kam mir vor, als sei ich wieder ein Kind, wie ich da so in dieser Spielzeugwelt saß und mich meinen Tagträumen überließ. Ich konnte das Meer riechen und den Seetang am Strand, und den Katzengeruch des Sandes. Ein Zug war unterwegs, ja, ein Töff Töff; die Gleise summten und zitterten erwartungsvoll. Keine Menschenseele war in Sicht, nirgendwo ein Erwachsener, außer unten am Strand ein paar Leute, die sich platt auf ihren Handtüchern liegend in der Sonne badeten. Ich fragte mich, warum es hier so verlassen war? Vielleicht war es das ja auch gar nicht, vielleicht waren ja überall Scharen von Strandbesuchern, und ich sah sie nur nicht, wegen meiner abgrundtiefen Sehnsucht nach dem Hintergrund. Ich schloß meine Augen, und etwas kam verträumt heraufgeschwommen, eine Erinnerung, ein Bild, und sank wieder herab, ohne die Oberfläche zu durchbrechen. Ich versuchte es zu fangen, bevor es verschwand, erhaschte aber nur diesen einen flüchtigen Blick: Eine Tür, glaube ich, die sich in einen verdunkelten Raum öffnete, und ein geheimnisvolles Gefühl der Erwartung, ein Gefühl, daß etwas oder jemand jeden Moment erscheinen würde. Dann fuhr der Zug durch, ein langsamer, rollender Donner, der mein Zwerchfell erschütterte. In den breiten Fenstern waren die Passagiere wie Marionetten aufgestützt, sie starrten mich ausdruckslos an, während sie langsam vorbeigetragen wurden. Es fiel mir ein, daß ich mein Gesicht hätte abwenden sollen; jetzt war jeder ein potentieller Zeuge. Aber dann dachte ich, daß es ja sowieso egal war. Ich dachte, daß ich innerhalb von Stunden im Gefängnis sein würde. Ich schaute mich um und holte ein paarmal tief Atem, sah mich satt an der Welt, die ich bald verlieren würde. Auf dem Gelände des Hotels tauchte eine Bande von drei oder vier Jungen auf. Sie bummelten über die verwahrloste Wiese und blieben stehen, um Steine auf ein Verkaufsschild zu werfen. Mit einem bleiernen Seufzer erhob ich mich, verließ den Bahnhof und ging auf der Straße weiter.

Ich nahm einen Bus in die Stadt. Es war kein Doppeldecker, und er kam auf einer selten benutzten Strecke von weit draußen. Die Leute darin schienen sich alle untereinander zu kennen. Immer, wenn jemand an einer Haltestelle einstieg, gab es ein großes Geplänkel und freundschaftliche Spöttelei. Ein alter Kerl mit einer Mütze und einer Krücke war der selbsternannte Gastgeber dieser kleinen Reisegesellschaft. Er saß ganz vorne, hinter dem Fahrer, hatte sein steifes Bein in den Gang ausgestreckt und grüßte jeden Neuankömmling, indem er voll gespielter Überraschung hochsprang und seine Krücke schüttelte. Oh! Achtung! Da kommt er! sagte er immer und schnitt uns über seine Schulter Grimassen zu, so als wollte er uns vor der Ankunft eines fürchterlichen Kerls warnen; während derjenige, der eingestiegen war, nur ein junger Mann mit einem Eichhörnchengesicht war, dem eine fettige Monatskarte aus der Faust hervorstak wie eine verfärbte Zunge. Für Mädchen hatte er ein paar Galanterien auf Lager, die sie zum Grinsen brachten; wohingegen er Hausfrauen, die zum Einkaufen in die Stadt fuhren, zuzwinkerte und neckische Anspielungen auf jenen steifen Teil seiner Gliedmaßen machte. Ab und zu streifte er mich mit einem Blick, kurz, vorsichtig, ein bißchen mißtrauisch, genau wie ein alter Schauspieler, der in der ersten Reihe einen seiner Gläubiger entdeckt hat. Es fiel mir auf, daß das Ganze tatsächlich etwas entfernt Theatralisches an sich hatte. Der Rest der Passagiere hatte die befangene Nonchalance eines Premierepublikums. Auch sie mußten so etwas wie eine Rolle spielen. Hinter dem Gequatsche, den Witzen und der unbefangenen Vertrautheit schienen sie besorgt zu sein; ihre Augen waren voll Unsicherheit und Erschöpfung, so als hätten sie ihren Text auswendig gelernt, wüßten aber ihre Stichworte noch nicht so genau. Ich beobachtete sie mit großem Interesse. Ich fühlte, daß ich etwas Bedeutungsvolles entdeckt hatte, obwohl ich mir nicht ganz sicher war, was das nun eigentlich war und was es bedeutete. Und ich, was stellte ich unter ihnen dar? Einen Bühnenarbeiter vielleicht, der in den Kulissen steht und die Schauspieler beneidet.

Als wir die Stadt erreichten, konnte ich mich nicht entscheiden, wo ich aussteigen sollte, ein Ort schien ebensogut wie jeder andere zu sein. Hier muß ich einmal etwas über die praktischen Einzelheiten meiner Situation sagen. Eigentlich hätte ich vor Furcht zittern müssen. Ich hatte einen Fünf-Pfund-Schein und ein paar Münzen – die meisten von ihnen in fremder Währung – in meiner Tasche, ich sah aus wie ein Landstreicher und roch auch so, und es gab keinen Ort, wo ich hätte hingehen können. Ich hatte nicht einmal eine Kreditkarte, um mich damit in ein Hotel hineinzubluffen. Und doch konnte ich mich nicht dazu bringen, ängstlich zu werden oder mir Sorgen zu machen. Ich schien zu schweben, abwesend, in einem träumerischen Losgelöstsein, so als hätte man mir eine große Dosis irgendeines Betäubungsmittels verpaßt. Vielleicht ist es das, was man mit Schockzustand meint? Nein ich glaube, es war nur die Gewißheit, daß mich jeden Moment eine Hand an der Schulter packen werde, während eine fürchterliche Stimme mir im Namen des Gesetzes erklärt, daß ich verhaftet bin. Ich dachte, mittlerweile werden sie meinen Namen wissen, eine Beschreibung von mir ist im Umlauf, und schwerbewaffnete Männer mit stahlharten Augen fahren kreuz und quer durch die Straßen, um nach mir Ausschau zu halten. Daß nichts davon den Tatsachen entsprach, ist mir heute noch ein Rätsel. Die Behrenses müssen sofort gewußt haben, wer es war, der gerade dieses bestimmte Bild nehmen würde, und doch haben sie nichts gesagt. Und was ist mit dem Wust von Anhaltspunkten, den ich als deutlich sichtbare Spur zurückgelassen hatte? Was ist mit den Leuten, die mich gesehen haben, die beiden Recks, die Señorita von der Werkstatt, der Mann im Eisenwarengeschäft, diese Frau, die so aussah wie meine Mutter und die auf mich stieß, als ich wie der letzte Blödmann vor der Ampel hockte? Euer Ehren, nichts läge mir ferner, als potentielle Missetäter zu ermutigen, aber ich muß doch sagen, daß es leichter ist, mit etwas davonzukommen, jedenfalls für eine gewisse Zeit, als dies allgemeinhin angenommen wird. Kostbare Zeit – wie leicht man doch in diesen Jargon verfällt – kostbare Zeit sollte vergehen, bevor man überhaupt auch nur einen blassen Schimmer davon hatte, nach wem man denn nun eigentlich suchte. Wenn ich nicht weiterhin so überstürzt wie zu Beginn gehandelt hätte, wenn ich innegehalten, eine Bestandsaufnahme gemacht und sorgfältig nachgedacht hätte, ich glaube, dann wäre ich vielleicht nicht hier, sondern in irgendeinem sonnigeren Klima und würde meine Schuld unter offenem Himmel hegen und pflegen. Aber ich hielt nicht inne, dachte nicht nach. Ich stieg aus dem Bus aus und ging sofort in die Richtung los, in die ich mich zufällig gerade gewandt hatte. Denn ich war davon überzeugt, daß mein Schicksal mich überall erwartete, in den offenen Armen des Gesetzes. Verhaftung! Ich hütete das Wort in meinem Herzen. Es tröstete mich. Es war die Verheißung von Ruhe. Wie ein Betrunkener schlängelte ich mich durch die Menge und war überrascht, daß sie sich nicht voller Grauen vor mir teilte. Überall um mich her herrschte ein Inferno der Eile und des Krachs. Eine Gruppe von Männern mit nackten Oberkörpern bohrte mit Preßlufthämmern ein Loch in die Straße. Der Verkehr knurrte und brüllte; schneidend blitzte das Sonnenlicht von den Windschutzscheiben und den flimmernden Dächern der Autos. Die Luft war ein giftiger, heißer, blauer Dunst. Ich war an Städte nicht mehr gewöhnt. Doch war ich mir bewußt, daß ich in dem Moment, in dem ich mich hier abkämpfte, gleichzeitig ganz reibungslos in der Zeit vorwärtsglitt, sozusagen mühelos daherschwamm. Zeit, dachte ich verbissen, Zeit wird meine Rettung sein. Hier ist Trinity College, hier die Bank.

Fox's, wohin mein Vater immer mit großer Feierlichkeit seine alljährliche Pilgerfahrt machte, um seine Weihnachtszigarren zu kaufen. Meine Welt – und ich ein Ausgestoßener in ihr. Ich fühlte ein tiefes, sachliches Mitleid mit mir selbst, so wie für irgendeine arme, verirrte, umherwandernde Kreatur. Gnadenlos schien die Sonne herab, ein fettes Auge, das in dem Dunst über den Straßen steckte. Ich kaufte eine Tafel Schokolade und verschlang sie im Weitergehen. Ich kaufte auch eine Frühausgabe der Abendzeitung, aber es war nichts drin. Ich ließ sie auf die Erde fallen und trottete weiter. Ein Gassenjunge hob sie auf – Heh, Sie da! – und rannte mit ihr hinter mir her. Ich bedankte mich bei ihm, und er grinste, und daraufhin brach ich fast in Tränen aus. Ich stand gelähmt da, ein verwirrter Klotz, und schaute mich aus trüben Augen um. Menschen drängten sich an mir vorbei, lauter Ellbogen und Gesichter. Das war mein absoluter Tiefpunkt, glaube ich, dieser Moment der Hilflosigkeit und der dumpfen Panik. Ich beschloß, mich zu stellen. Warum hatte ich nicht schon früher daran gedacht? Die Vorstellung war außerordentlich verführerisch. Ich stellte mir vor, wie man mich zart hochheben und durch eine Folge von kühlen, weißen Räumen tragen würde, zu einem Ort der Ruhe und Stille, der luxuriösen Kapitulation.

Schließlich ging ich statt dessen zu Wally's Pub.

Es hatte geschlossen. Ich begriff nicht. Zuerst hatte ich den wilden Gedanken, daß es etwas mit mir zu tun haben mußte, daß man herausgefunden hatte, daß ich dort gewesen war und daß sie es daraufhin zugemacht hatten. Ich drückte unablässig gegen die Tür und versuchte, durch das flaschengrüne Glas der Fenster etwas zu sehen, aber drinnen war alles dunkel. Ich ging ein paar Schritte zurück. Nebenan war eine winzige Modeboutique, in der zwei bleiche Mädchen herumstanden und ins Nichts starrten, so zerbrechlich und ausdruckslos wie Blumen; es wirkte, als seien sie selbst Teil der Dekoration. Als ich sie ansprach, wandten sie mir teilnahmslos ihre rußumrandeten Augen zu. Sperrstunde, sagte die eine, und die andere kicherte matt. Ich verließ mit affektierten Bewegungen den Laden, ging zu der Kneipe und hämmerte mit doppelter Gewalt gegen die Tür. Nach einiger Zeit hörte ich drinnen schlurfende Schritte und dann das Geräusch sich öffnender Schlösser. Was wollen Sie, fragte Wally verärgert und blinzelte in das grelle Sonnenlicht, das von der Straße hereinfiel. Er trug einen Morgenrock aus lila Seide und formlose Pantoffeln. Voller Ekel blickte er an mir herab und registrierte die Bartstoppeln und den verdreckten Pullover. Ich sagte ihm, daß ich einen Autounfall gehabt hatte und einen Telefonanruf machen müsse. Er gab ein sardonisches Schnauben von sich und sagte, Ein Telefonanruf! als sei dies der köstlichste Witz, den er seit Jahrzehnten gehört hatte. Dann zuckte er mit den Schultern. Es war sowieso fast Öffnungszeit. Ich folgte ihm nach drinnen. Seine Waden waren dick und weiß und unbehaart; ich fragte mich, wo ich in letzter Zeit schon mal so ähnliche gesehen hatte. Hinter der Theke knipste er eine Lampe mit rosanem Schirm an. Da ist das Telefon, sagte er mit einer Handbewegung und schürzte verächtlich seine Lippen. Ich fragte, ob ich zuerst einen Gin haben könnte. Er schnüffelte und ließ sich zu einem dünnen, kleinen Lächeln herab, sein skeptisches Herz war zufriedengestellt. Totalschaden, was? sagte er. Einen Moment lang wußte ich nicht, wovon er sprach. Oh, das Auto, sagte ich, nein, nein, es ist einfach – stehengeblieben. Und ich dachte, während ich mich in eher trostloser Weise darüber amüsierte: Dies ist die erste Frage, die ich beantwortet habe, und ich habe nicht gelogen. Er drehte sich um, in seinem priesterlichen lila Gewand, um mir meinen Drink zu mixen, stellte diesen dann vor mich hin und ließ sich mit verschränkten Armen auf der Kante seines Hockers nieder. Er wußte, daß ich irgend etwas angestellt hatte, ich konnte das an dem sowohl neugierigen, als auch verächtlichen Ausdruck seiner Augen sehen, aber er konnte sich nicht überwinden zu fragen. Ich grinste ihn an, schlürfte meinen Drink und gewann einen Funken des Vergnügens aus seinem Dilemma. Ist doch eine gute Idee, die Siesta, nicht wahr?, sagte ich. Er zog eine Augenbraue hoch. Ich deutete mit einem Finger auf seinen Morgenmantel. Ein Schläfchen, sagte ich, mitten am Tag: eine gute Idee. Er fand das nicht lustig. Irgendwo aus den dunklen Gefilden hinter mir erschien ein junger Mann mit zerzausten Haaren; das einzige, was er anhatte, war eine schlaffe, ausgeleierte Unterhose. Er warf mir einen gelangweilten Blick zu und fragte Wally, ob die Zeitung schon da sei. Hier, sagte ich, nehmen Sie meine, nur zu. Ich muß sie in meinen Händen hin und her gedreht haben, sie war in einen festen Stab zusammengerollt. Er blätterte sie auseinander und las die Schlagzeilen, wobei sich seine Lippen mitbewegten. Diese scheiß Bombenleger, sagte er, diese verdammten Säue! Wally blitzte ihn mit einem wütenden Blick an. Daraufhin schmiß er die Zeitung hin, ging davon und kratzte sich währenddessen am Hintern. Ich hielt Wally mein Glas hin, damit er mir nachgoß. Hier werden die Drinks immer noch bezahlt, wissen Sie, sagte er. Wir akzeptieren durchaus auch Geld. Ich gab ihm meinen letzten Fünfer. Ein dünner Lichtstrahl hatte sich durch eine Spalte in irgendeinem der Läden gebohrt und stand nun in schiefem Winkel und fest im Boden verankert neben mir. Ich schaute auf Wallys fetten Rücken, während er mein Glas auffüllte. Ich überlegte, ob ich ihm erzählen sollte, was ich getan hatte. Es schien durchaus im Bereich des Möglichen zu liegen. Nichts, so sagte ich mir, nichts könnte Wally schließlich schockieren. Fast glaubte ich das auch. Ich stellte mir vor, wie er mich mit zuckendem Mund und einer hochgezogenen

Augenbraue angucken würde, während er bemüht war, sich beim Zuhören meiner entsetzlichen Geschichte ein anzügliches Grinsen zu verbeißen. Der Gedanke daran, alles zu beichten, gab mir etwas Auftrieb, es wäre so herrlich unverantwortlich. Es gab dem Ganzen den Anstrich, als sei dies nur eine Klemme, in die man durch ein bißchen zuviel Highlife geraten ist, oder ein Streich, der schiefgegangen ist. Ich kicherte weinerlich in mein Glas. Sie sehen ziemlich scheiße aus, sagte Wally selbstgefällig. Ich bestellte noch einen Gin, einen Doppelten diesmal.

Deutlich hörte ich ihre Stimme in meinem Kopf: Nein, nicht!

Der Junge mit den Locken kam zurück und trug nun enge Jeans und ein glänzendes, enges, grünes Hemd. Er hieß Sonny. Wally überließ ihm die Betreuung der Bar und watschelte in seinem sich hinter ihm aufblähenden Morgenrock in Richtung seiner Wohnung davon. Sonny goß sich eine großzügige Menge Pfefferminzlikör in ein Glas, füllte es mit Eiswürfeln auf, hockte sich dann auf einen Stuhl, wobei er seine engen, kleinen Gesäßbacken hin- und herschob, und schaute mich ohne großen Enthusiasmus prüfend an. Sie sind neu hier, sagte er so, daß es wie ein Vorwurf klang. Nein, bin ich nicht, sagte ich, *Sie* sind neu; und ich grinste selbstzufrieden über meine Schlagfertigkeit. Er machte große Augen. Na, entschuldigen Sie mal, sagte er, ich bin sicher. Wally kam angezogen und geschniegelt zurück und stank nach Pomade. Ich trank noch einen Doppelten. Meine Gesichtshaut begann sich zu spannen, sie fühlte sich an wie eine Schlammaske. Ich hatte jenes Stadium der Trunkenheit erreicht, in der alles in eine ganz andere Version der Wirklichkeit umkippt. Es schien weniger ein Betrunkensein, als vielmehr eine Art der Erleuchtung, fast ein Nüchtern-Werden. Tänzelnd und kreischend kam eine Schar Theaterleute herein. Sie schauten mein Äußeres und dann einander an und flossen über vor Heiterkeit. Is'n hartes Gewerbe, wa? sagte einer, und Sonny kicherte. Und ich dachte, das ist 'ne Idee, ich bringe einen von ihnen dazu, mich mit nach Hause zu nehmen und zu verstecken; diese Lady Macbeth da zum Beispiel mit der Wimperntusche und den blutroten Nägeln, oder diesen lachenden Typen mit dem Harlekinhemd – warum nicht? Ja, das sollte ich machen, ich sollte fortan unter Schauspielern leben, bei ihnen üben, ihre Kunst studieren, die großartige Geste und die feine Nuance. Vielleicht würde ich es mit der Zeit lernen, meine Rolle gut genug und mit der nötigen Überzeugung zu spielen, um meinen Platz unter den anderen, den Normalen, diesen Leuten im Bus und all den anderen, einzunehmen.

Erst als Charlie French hereinkam, stellte ich fest, daß ich auf ihn gewartet hatte. Guter alter Charlie. Mein Herz floß über vor Zuneigung, ich hatte das Bedürfnis, ihn zu umarmen. Er trug wieder seine Nadelstreifen und hatte eine verbeulte Aktentasche von gewichtigem Aussehen unterm Arm. Obwohl er mich vor drei Tagen erst gesehen hatte, versuchte er zunächst, mich nicht zu kennen. Vielleicht erkannte er mich aber auch wirklich nicht, in meiner ramponierten, wild dreinblickenden Verfassung. Er sagte, er hätte gedacht, daß ich runter nach Coolgrange gefahren sei. Ich sagte, ich sei schon dagewesen, und er fragte nach meiner Mutter. Ich erzählte ihm von dem Schlaganfall. Ich glaube, ich trug ein bißchen dick auf – es kann sein, daß ich sogar eine Träne vergoß. Er nickte, starrte an meinem linken Ohr vorbei und klimperte mit den Münzen in seiner Tasche. Es gab eine Pause, während der ich schnüffelte und seufzte. Also, sagte er fröhlich, gehst du jetzt wieder auf Reisen, hmm? Ich zuckte mit den Schultern. Sein Auto ist kaputt, sagte Wally und stieß ein unangenehmes kleines Kichern aus. Charlie setzte eine teilnahmslose Miene auf. Stimmt das? sagte er langsam und mit verträumter Monotonie. Die

Schar der Schauspieler hinter uns kreischte plötzlich so durchdringend auf, daß die Gläser klirrten, aber er schien sie nicht gehört zu haben, er blinzelte nicht einmal. Für Orte und Gelegenheiten wie diese hatte er sich eine perfekte Pose zugelegt, durch die es ihm immer gelang, gleichzeitig hier zu sein und nicht hier zu sein. Er stand sehr gerade, hatte seine schwarzen Schuhe fest nebeneinander gepflanzt, seine Aktentasche gegen sein Bein gelehnt, mit einer Faust auf der Theke – Oh, ich sehe ihn regelrecht vor mir! – und mit der anderen hielt er sein Glas Whiskey auf halbem Weg zum Mund in der Luft. Es wirkte alles so, als sei er ganz aus Versehen hier hereingestolpert und sei nun zu sehr der Gentleman, um abzuhauen, bevor er nicht einen Kurzen gekippt und ein paar Höflichkeiten mit den verrückten Bewohnern dieses Ortes ausgetauscht hatte. Er war in der Lage, diese Haltung des Ich-breche-jeden-Moment-auf eine ganze Zechnacht durchzuhalten. Oh ja, Charlie konnte sie mit seinen schauspielerischen Künsten alle total in den Schatten stellen.

Je mehr ich trank, desto lieber gewann ich ihn, insbesondere da er die Gins immer genauso schnell bezahlte, wie ich sie trinken konnte. Aber es war nicht nur das. Ich hatte – ich habe – ihn wirklich gern, ich glaube, ich habe das schon einmal gesagt. Habe ich erwähnt, daß er es war, der mir die Arbeitsstelle am Institut besorgt hat? Wir waren während meiner Studentenzeit in Kontakt geblieben – oder besser gesagt, *er* war in Kontakt mit *mir* geblieben. Er sah sich gern als den weisen alten Familienfreund, der mit einem onkelhaften Auge über den glänzend begabten Sohn des Hauses wachte. Er lud mich bei zahlreichen Gelegenheiten ein. Wir gingen zum Kaffeetrinken ins Hibernian, fuhren gelegentlich zum Pferderennen in Curragh und dinierten jedes Jahr an meinem Geburtstag bei Jammet's. Diese gemeinschaftlichen Unternehmungen wollten nie so recht klappen, sie

wirkten gestellt und künstlich. Ich hatte immer Angst, jemand könnte mich mit ihm sehen, und während ich mich hin und her wand und ein finsteres Gesicht machte, versank er in eine rastlose Melancholie. Jedesmal kurz bevor wir uns trennten, brachen wir plötzlich in einen herzlichen Redefluß aus, der nichts anderes war als kaum verhohlene Erleichterung, woraufhin wir uns dann beide umdrehten und schuldbewußt davonschlichen. Er ließ sich jedoch nicht abschrekken, und an dem Tag, nachdem ich mit Daphne aus Amerika zurückgekehrt war, lud er mich zu einem Drink ins Shelbourne ein und deutete an, daß es mir, wie er sich ausdrückte, vielleicht Spaß machen würde, den Leuten am Institut ein bißchen zur Hand zu gehen. Ich fühlte mich immer noch reichlich erschöpft – wir hatten eine scheußliche Überfahrt hinter uns, mitten im Winter und auf einem ziemlich abgerissenen Kahn –, und er war so zaghaft und benutzte solch ausgeklügelte Euphemismen, daß es eine Weile dauerte, bis ich begriff, daß er mir einen Job anbot. Die Arbeitsstelle, versicherte er mir hastig, sei direkt auf meiner Straße – und für so jemanden wie mich sei dies ohnehin kaum Arbeit zu nennen, meinte er, eher eine Art von Spiel – die Bezahlung sei anständig, und den Zukunftsaussichten seien keine Grenzen gesetzt. An seiner flehend unterwürfigen Art merkte ich natürlich sofort, daß das Ganze von meiner Mutter veranlaßt worden war. Nun, sagte er und entblößte seine großen gelben Zähne in einem gezwungenen Lächeln, was denkst du darüber? Zuerst war ich verärgert, dann amüsierte es mich. Ich dachte: warum nicht?
Wenn es dem Gericht recht ist, werde ich diesen Zeitraum meines Lebens nur ganz kurz berühren. Es ist eine Zeit, die in meinen Gedanken heute noch ein vages Unbehagen auslöst, ich könnte nicht genau sagen, warum. Ich habe das Gefühl, etwas Lächerliches getan zu haben, indem ich diesen Job annahm. Er war natürlich unter meiner Würde und un-

terforderte mich, aber das ist nicht der einzige Grund für das Gefühl der Demütigung, das ich dabei hatte. Vielleicht war dies der Moment in meinem Leben, an dem – aber wovon rede ich, es gibt keine solchen Momente, ich habe das bereits schon einmal gesagt. Es gibt nur das endlose, zähe, wahnsinnige Treiben der Dinge. Wenn mir noch irgendwelche Zweifel darüber geblieben waren, so vertrieb sie das Institut endgültig. Es war in einem großen grauen Steingebäude aus dem letzten Jahrhundert untergebracht, das mich mit seinen glatten Flanken, seinen Pfeilern und Schnörkeln und geschwärzten Schornsteinen immer an einen großartigen, antiquierten Ozeandampfer erinnerte. Niemand wußte, was man von uns eigentlich genau erwartete. Wir stellten statistische Übersichten auf und fertigten umfangreiche Berichte an, die vor Graphiken und Diagrammen und komplizierten Appendixen nur so wimmelten und die die Regierung mit feierlichen Worten des Lobes entgegennahm, um sie dann prompt zu vergessen. Der Leiter des Instituts war ein gehetzter Mann, der grimmig an einer gigantischen schwarzen Pfeife sog, in einem Auge ein nervöses Zucken hatte und dem Haarbüschel aus den Ohren sprossen. Er jagte im Gebäude umher und war immer auf dem Weg woandershin. Alle Fragen und Wünsche quittierte er mit einem rauhen, verzweifelten Lachen. Versuchen Sie das mal beim Minister! rief er dann immer im Davonhasten über seine Schulter, während aus seiner Pfeife dicke Rauchschwaden entwichen und hinter ihm herzogen. Es war unvermeidlich, daß unter den Angestellten ein hoher Grad von Verrücktheit herrschte. Da sie sich ohne feste Pflichten sahen, begannen sie verstohlen, sich mit eigenen Projekten zu beschäftigen. Es gab da einen Wirtschaftswissenschaftler, eine lange ausgezehrte Gestalt mit grünlichem Gesicht und widerspenstigen Haaren, der daran arbeitete, ein idiotensicheres System für die Pferdewette zu entwerfen. Eines Tages bot er mir an, mich einzuweihen, umklammerte mein Handgelenk mit zitternder Klaue und zischte mir hastig etwas ins Ohr, aber dann geschah irgend etwas, ich weiß nicht was, und er wurde mißtrauisch, weigerte sich am Ende, mit mir zu sprechen und ging mir in den Fluren aus dem Weg. Dies war unangenehm, denn er war einer der erlesenen Wissenschaftler, mit denen ich verhandeln mußte, um Zugang zum Computer zu erlangen. Dieses Gerät war der Mittelpunkt all unserer Aktivitäten. Die Zeit daran war strengstens rationiert, und es war ein seltenes Privileg, wenn man eine ganze Stunde daran erhielt. Es war den ganzen Tag und auch die Nacht hindurch in Betrieb; in dem riesigen weißen Raum im Keller knarrte und surrte es unaufhörlich. Während der Nacht kümmerte sich ein finsteres Trio darum, ein Kriegsverbrecher, glaube ich, und zwei andere, merkwürdige Typen, von denen einer ein eingedrücktes Gesicht hatte. Ich verbrachte drei Jahre dort. Ich war nicht leidenschaftlich unglücklich. Ich fühlte mich nur, und fühle mich noch, wie gesagt, ein wenig lächerlich, ein wenig peinlich berührt. Und ich habe es Charlie French nie so recht vergeben.

Als wir die Kneipe verließen, war es schon sehr spät. Die Nacht war wie aus Glas. Ich war sehr betrunken. Charlie stützte mich unterwegs. Er machte sich Sorgen um seine Aktentasche und klemmte sie sich ganz fest unter den Arm. Alle paar Meter mußte ich stehenbleiben, um ihm zu sagen, wie lieb er war. Nein, sagte ich und hielt gebieterisch eine Hand hoch, nein, es muß einmal gesagt werden, du bist ein guter Mensch, Charles, ein guter Mensch. Ich heulte natürlich reichlich und würgte ein paarmal trocken. Das Ganze war so etwas wie eine herrliche, schmerzerfüllte, atemberaubende Verzückung. Ich erinnerte mich daran, daß Charlie mit seiner Mutter zusammenlebte und weinte auch darüber einige gerührte Tränen. Aber wie geht es ihr, rief ich sorgenvoll, sag's mir, Charlie, wie geht es ihr, dieser Heiligen? Er weigerte sich, mir eine Antwort zu geben, tat so, als hätte er nicht gehört, aber ich gab nicht auf, und schließlich schüttelte er gereizt den Kopf und sagte, Sie ist tot! Ich versuchte, ihn zu umarmen, aber er drehte sich weg. Wir kamen an ein Loch in der Straße, um das ein rotweiß gestreiftes Plastikband gespannt war. Das Band bebte und knatterte im Wind. Hier ist gestern die Autobombe explodiert, sagte Charlie. Gestern! Ich lachte und lachte und kniete mich lachend auf die Straße an den Rand des Lochs und barg mein Gesicht in den Händen. Gestern, der letzte Tag der alten Welt. Warte mal, sagte Charlie, ich hole ein Taxi. Er ging weg, und ich kauerte dort und wiegte mich vor und zurück und summte leise, als sei ich ein Kind, das ich in meinen Armen hielt. Ich war müde. Es war ein langer Tag gewesen. Ein weiter Weg lag hinter mir.

Ich erwachte inmitten zersplitterten Sonnenlichts und mit dem Nachhall eines schrillen Schreis in den Ohren. Großes durchhängendes Bett, braune Wände, feuchter Geruch. Ich dachte, daß dies wohl Coolgrange sei, das Schlafzimmer meiner Eltern. Einen Moment lang lag ich bewegungslos da und starrte auf die hin- und hergleitenden Wasserlichter an der Decke. Dann erinnerte ich mich, schloß die Augen fest zu und verbarg meinen Kopf in den Armen. Die Dunkelheit dröhnte. Ich stand auf, schleppte mich zum Fenster und stand fassungslos vor der blauglänzenden Unschuld von Meer und Himmel. Weit draußen in der Bucht kreuzten weiße Segelboote gegen den Wind. Unter dem Fenster war eine kleine steinerne Mole und dahinter die Biegung der Küstenstraße. Eine gigantische Seemöwe tauchte auf und warf sich mit einem schrillen Schrei auf wild flatternden Schwingen gegen das Glas. Sie glauben bestimmt, du seiest Mama, sagte Charlie hinter mir. Er stand im Türrahmen, hatte eine schmutzige Schürze an und hielt eine Bratpfanne in der Hand. Die Möwen, sagte er, sie hat sie immer gefüttert. Hinter seinem Rükken ein weißes, undurchdringliches, grelles Gleißen. Das war die Welt, in der ich von nun an leben mußte, in diesem quälenden, unentrinnbaren Licht. Ich schaute an mir selbst hinunter und stellte fest, daß ich nackt war.

Ich saß in einer riesigen Küche, unter einem riesigen verrußten Fenster und schaute Charlie dabei zu, wie er in einer Wolke fettigen Rauchs das Frühstück machte. Im hellen Tageslicht sah er nicht allzu gut aus, er war grau und hohl, an seinem Kinn waren Flocken getrockneten Rasierschaums, und unter den schleimfarbenen Augen hatte er dunkle Tränensäcke. Außer der Schürze trug er noch eine wollene Strickjacke über einem dreckigen Unterhemd und stak in ausgebeulten Flanellhosen. Sie wartete immer, bis ich weg war, sagte er, und schmiß dann das Essen aus dem Fenster. Er schüttelte den Kopf und lachte. Eine fürchterliche Frau, sagte er, fürchterlich. Er brachte einen Teller voll Speck, Toastbrot und einem in Fett schwimmenden Ei und stellte ihn vor mich hin. Da, sagte er, das ist das einzig Wahre für einen schmerzenden Kopf. Ich schaute rasch zu ihm auf. *Ein schmerzender Kopf?* Hatte ich ihm gegenüber letzte Nacht etwas ausgeplaudert, eine Art betrunkenes Geständnis? Doch nein, Charlie würde über sowas keine schlechten Witze reißen. Er ging zum Herd zurück und zündete sich eine Zigarette an, wobei er ungeschickt mit den Streichhölzern herumfuchtelte.

Hör mal, Charlie, sagte ich, ich erzähl's dir am besten gleich, ich bin da ein bißchen in die Klemme geraten.

Zuerst dachte ich, er hätte mich nicht gehört. Er sackte in sich zusammen, eine träumerische Leere nahm von ihm Besitz, der Mund war offen und fiel auf einer Seite ein wenig herab, und seine Augenbrauen waren leicht hochgezogen. Dann wurde mir klar, daß er nur taktvoll sein wollte. Nun gut, wenn er es nicht wissen wollte, mir war's recht. Aber ich möchte, daß das im Protokoll festgehalten wird, Euer Ehren, daß ich es ihm erzählt hätte, wenn er bereit gewesen wäre zuzuhören. Wie die Dinge jedoch lagen, ließ ich lediglich eine kurze Stille verstreichen und fragte ihn dann, ob er mir ein Rasiermesser und vielleicht ein Hemd und einen Schlips leihen könnte. Natürlich, sagte er, natürlich, aber er vermied es, mir in die Augen zu sehen. Tatsächlich hatte er mich noch kein einziges Mal angesehen, seit ich aufgestanden war; er hatte sich vielmehr mit abgewandtem Blick an mir vorbeigedrückt und sich mit Teekanne und Bratpfanne beschäftigt, so als befürchtete er, daß irgendeine furchtbare und peinliche Sache aufkommen könnte, sobald er innehielte, eine Sache, der er ratlos gegenüberstehen würde. Er muß etwas geahnt haben. Er war ja nicht dumm. (Oder jedenfalls nicht sehr dumm.) Aber ich glaube, es war auch so, daß er einfach nicht wußte, wie er sich auf meine Gegenwart einstellen sollte. Er lief hektisch umher, fummelte an allen möglichen Gegenständen herum, tat Sachen in Schubläden und Schränke, um sie dann wieder herauszunehmen und murmelte beunruhigt vor sich hin. Anscheinend kamen selten Leute in dieses Haus. Einiges von der tränenreichen Zuneigung, die ich letzte Nacht für ihn empfunden hatte, kehrte zurück. In seiner Schürze und seinen alten Filzpantoffeln wirkte er fast mütterlich. Er würde sich um mich kümmern. Ich schluckte meinen Tee hinunter und beobachtete mit düsterem Blick, wie das gebratene Zeug auf meinem Teller eintrocknete. Draußen hupte ein Auto, und Charlie riß sich mit einem Ausruf die Schürze vom Leib und hastete aus der Küche. Ich hörte zu, wie er durch das Haus tappte. Nach überraschend kurzer Zeit erschien er wieder, im Anzug und mit der Aktentasche unterm Arm und hatte einen verwegenen kleinen Hut auf, der ihm das Aussehen eines vielgeplagten Buchmachers gab. Wo wohnst du, fragte er und starrte mit gerunzelter Stirn auf einen Fleck neben meiner linken Schulter, in Coolgrange, oder –? Ich sagte nichts und schaute ihn nur flehend an, und er sagte, ah, nickte langsam und zog sich zögernd zurück. Plötzlich jedoch wollte ich nicht, daß er ging – allein, ich würde allein sein! – und ich stürzte hinter ihm her, zwang ihn, zurückzukommen und mir zu zeigen, wie man den Herd bedient, und wo ein Schlüssel zu finden sei, und ich fragte ihn, was ich sagen sollte, wenn der Milchmann kommt. Meine Heftigkeit verwirrte ihn, das konnte ich sehen, und sie beunruhigte ihn auch ein wenig. Ich folgte ihm in die Diele und redete immer noch auf ihn ein, während er sich rückwärts durch die Haustüre schob und mir argwöhnisch und mit starrem Lächeln zunickte, so als sei ich – ha! beinahe hätte ich gesagt, so als sei ich ein gefährlicher Verbrecher. Ich huschte die Treppe zum Schlafzimmer hinauf und beobachtete, wie er auf dem Bürgersteig unter mir zum Vorschein kam, eine clownesk verkürzte Gestalt mit Hut und sackartigem Anzug. Am Bordstein wartete ein großes schwarzes Auto, das aus seinen beiden Auspuffrohren diskret blaßblauen Rauch ausstieß. Der Fahrer, ein stämmiger, halsloser Kerl in dunklem Anzug, sprang rasch heraus und hielt die hintere Tür auf. Charlie schaute zu dem Fenster hoch, an dem ich stand, und der Fahrer folgte seinem Blick. Ich stellte mir vor, wie sie mich sehen mußten, ein verschwommenes Gesicht, das hinter Glas schwebte, verschlafene Augen, unrasiert, der Inbegriff eines Flüchtlings. Das Auto glitt sanft davon, fuhr auf der Hafenstraße entlang, bog an einer Ecke ab und war verschwunden. Ich rührte mich nicht. Ich wollte so bleiben, mit meiner Stirn am Fenster, und mit dem vor mir ausgebreiteten Sommertag dort draußen. Wie merkwürdig mir das alles vorkam, die weißschäumenden Wellenkämme im Meer, die weißrosa Häuser, die verschwommene Landspitze in der Ferne, alles so malerisch und heiter, wie eine kleine Spielzeugwelt, die man in einem Schaufenster ausgebreitet hat. Ich schloß meine Augen, und wieder floß dieses Erinnerungsbruchstück aus den Tiefen herauf – die geöffnete Tür, der verdunkelte Raum, das Gefühl, daß etwas nahe bevorsteht – aber diesmal schien es nicht meine eigene Vergangenheit zu sein, an die ich mich erinnerte.

In meinem Rücken schwoll die Stille wie ein Tumor.

Hastig holte ich den Teller mit dem Spiegelei und den grau werdenden Speckstreifen aus der Küche, kam immer drei Stufen auf einmal nehmend zurück, öffnete das Fenster und kletterte nach draußen auf den engen schmiedeeisernen Balkon. Ein starker, warmer Wind blies mir entgegen, er überraschte mich und nahm mir für einen Moment den Atem. Ich nahm das Essen stückweise vom Teller, warf es in die Luft und schaute zu, wie die Möwen mit rauhen Schreien der Überraschung und Gier auf die fetten Leckerbissen herabstießen. Lautlos glitt ein weißes Schiff hinter der Landspitze hervor und schimmerte im Dunst. Als nichts mehr übrig war, warf ich auch den Teller weg, ich weiß nicht warum, ich schleuderte ihn einfach wie einen Diskus über die Straße und die Hafenmauer ins Meer hinaus. Es spritzte kaum, als er ins Wasser glitt. Zwischen meinen Fingern hing das Fett in lauwarmen Fäden, und unter meinen Nägeln war Eigelb. Ich stieg ins Zimmer zurück und wischte mir mit vor Aufregung und Ekel klopfendem Herzen meine Hände an den Bettüchern ab. Ich wußte nicht, was ich tat, oder was ich als nächstes tun würde. Ich kannte mich selbst nicht. Ich war ein Fremder geworden, unberechenbar und gefährlich.

Ich erkundete das Haus. Ich war noch nie zuvor hier gewesen. Es war ein großes, karges und düsteres Gebäude, mit dunklen Vorhängen, großen, braunen Möbeln und kahlen Stellen in den Teppichen. Man konnte es nicht gerade drekkig nennen, und doch machte das Ganze einen muffigen Eindruck, erweckte das Gefühl, daß man die Dinge zu lange auf ein und demselben Fleck hatte stehen lassen. Auch die Luft fühlte sich grau und dumpf an, so als sei eine lebenswichtige Substanz darin schon vor langer Zeit aufgebraucht worden. Es roch nach Moder, bitterem Tee und alten Zeitungen, und überall, gleichsam unterschwellig, nach etwas entfernt Süßlichem, das ich für die Hinterlassenschaft von Mama French hielt. Ich nehme an, es wird wieder ein paar Lachsalven geben, wenn ich sage, daß ich ein übertrieben korrekter und taktvoller Mensch bin, aber es stimmt. Ich fühlte mich schon ziemlich unbehaglich, bevor ich über-

haupt angefangen hatte, in Charlies Sachen herumzuschnüffeln, und fürchtete mich vor dem, was ich dabei ans Tageslicht befördern könnte. Seine kleinen traurigen Geheimnisse
waren um nichts schmutziger als meine oder als die irgend
eines sonstigen Menschen, und doch, wenn ich hier und da
einen Stein umdrehte und sie kamen hervorgekrabbelt, dann
schauderte es mich, und ich schämte mich für ihn und für
mich selbst. Ich nahm jedoch all meinen Mut zusammen und
gab nicht auf, und schließlich wurde ich dafür belohnt. In
seinem Schlafzimmer stand ein Rolltop-Schreibtisch, den zu
öffnen mich zehn Minuten harte Arbeit mit einem Küchen-
messer kostete, wobei ich mich auf die Fersen hockte und
lauter Tropfen reinen Alkohols schwitzte. Im Innern fand
ich ein paar Banknoten und eine Brieftasche aus Plastik, in
der eine Reihe von Kreditkarten steckten. Es waren auch
Briefe da – ausgerechnet von meiner eigenen Mutter, die vor
dreißig, vierzig Jahren geschrieben worden waren. Ich las sie
nicht, ich weiß nicht, warum nicht, und legte sie statt dessen
ehrfurchtsvoll wieder zurück, zusammen mit den Kreditkarten und sogar den Geldscheinen. Dann schloß ich den
Schreibtisch wieder ab. Im Hinausgehen tauschte ich ein betretenes kleines Grinsen mit meinem Spiegelbild im Schlaf-
zimmerschrank. Dieser Deutsche, wie hieß er noch gleich,
hatte recht: Geld ist abstraktes Glück.
Das Badezimmer, eine Art hölzerner Anbau mit einem Gas-
boiler und einer gigantischen klauenfüßigen Badewanne, lag
auf dem Treppenabsatz zum ersten Stock. Ich bückte mich
über das Waschbecken und schabte mit Charlies verkruste-
tem Rasiermesser das stoppelige Ergebnis von zwei Tagen
ungehinderten Bartwuchses ab. Ich hatte die Möglichkeit er-
wogen, mir einen Bart wachsen zu lassen, um mich unkenntlich zu machen; aber ich hatte schon genug meiner selbst
verloren, ich wollte nicht, daß auch noch mein Gesicht verschwand. Der Rasierspiegel hatte eine konkave silbrige

Oberfläche, in der meine vergrößerten Gesichtszüge – das breite löchrige Kinn, ein schwarzes Nasenloch voller Haare, ein einzelner hin- und herrollender Augapfel – beunruhigend schaukelten und schwankten, wie Tiere, die bedrohlich vor dem Bullauge einer Tauchkugel schweben. Als ich fertig war, stieg ich in die Badewanne und lag mit geschlossenen Augen da, während aus dem Boiler das heiße Wasser auf mich herabregnete. Es tat gut, es war siedendheiße Züchtigung und Trost in einem; und wenn nicht schließlich das Gas ausgegangen wäre, dann wäre ich vielleicht den ganzen Tag dort geblieben, für mich selbst und alles andere verloren in jener tosenden, grabestiefen Finsternis. Als ich meine Augen öffnete, schwirrten und platzten winzige Sterne vor meinem Gesicht. Ich tapste tropfend in Charlies Zimmer und verbrachte eine lange Zeit damit, zu entscheiden, was ich anziehen sollte. Schließlich wählte ich ein dunkelblaues Seidenhemd und eine dazu passende geblümte, ein wenig extravagante Krawatte. Schwarze Strümpfe natürlich – wieder aus Seide: Charlie ist nicht der Typ, der sich selbst gegenüber knausert –, und ein Paar dunkle Hosen, etwas weit, aber gut geschnitten und in einem Stil, der antiquiert genug war, um jetzt wieder in Mode zu sein. Für den Augenblick würde ich ohne Unterwäsche auskommen müssen, selbst ein Mörder auf der Flucht hat seine Grundsätze, und meine schlossen das Herumwühlen in anderer Männer Schubläden aus. Meine eigenen Kleider – wie merkwürdig sie aussahen, wie sie dort auf dem Boden des Schlafzimmers lagen, als warteten sie darauf, daß man ihren Umriß mit Kreide nachzeichnete – raffte ich in einem Bündel zusammen, trug sie mit abgewandtem Gesicht in die Küche und stopfte sie in die Mülltüte. Dann spülte ich das Frühstücksgeschirr und trocknete es ab; ich stand gerade mit einem verdreckten Geschirrtuch in der Hand in der Mitte des Raumes, als das Bild ihres blutüberströmten Gesichts vor mir in die Höhe schoß, wie eine Pappfigur in einer Kirmesbude, und ich mußte mich atemlos und zitternd hinsetzen. Ich vergaß es nämlich immer wieder, wissen Sie, vergaß es völlig, und das während ziemlich langer Zeiträume. Ich nehme an, mein Kopf hatte ein paar Ruhepausen nötig, um überhaupt damit fertig zu werden. Kraftlos schaute ich mich in der großen, feuchten Küche um. Ich fragte mich, ob Charlie merken würde, daß ein Teller fehlte. Warum hatte ich ihn ins Meer geworfen, warum hatte ich das bloß getan? Es war noch nicht einmal Mittag. Die Zeit öffnete ihren schwarzen Rachen in mein Gesicht. Ich ging in eines der Zimmer, die auf die Straße hinausgingen – Tüllgardinen, ein riesiger Eßtisch, eine ausgestopfte Eule unter Glas – stellte mich ans Fenster und schaute auf das Meer hinaus. All das Blau dort draußen war entmutigend. Ich ging auf und ab, blieb stehen, lauschte, während mir das Herz bis zum Hals schlug. Was erwartete ich zu hören? Es war nichts da, nur das Geräusch, das das Leben anderer Leute machte, ein winziges Ticken und Knakken, wie das Geräusch eines sich abkühlenden Motors. Ich erinnerte mich an Tage wie diese aus meiner Kindheit, seltsame, leere Tage, an denen ich leise durch das schweigende Haus streifte und mir selbst wie ein Gespenst vorkam, kaum vorhanden, eine Erinnerung, der Schatten einer reelleren Version meiner selbst, einer Version, die anderswo lebte, auch so wundervoll lebte, an einem anderen Ort.

Ich muß aufhören. Mich kotzt das alles an. Besonders ich selbst kotze mich an.

Zeit. Die Tage.

Weiter, mach weiter.

Ekel, ja, das ist etwas, worüber ich Bescheid weiß. Lassen Sie mich das ein oder andere Wort über Ekel sagen. Hier sitze ich, unter meiner Sträflingskleidung nackt, lauter Ballen bleichen Fleisches, das schlaff zusammengebündelt ist, wie schlecht verpacktes Schlachtgut. Ich stehe auf und gehe wie ein gezüchtigtes Tier auf meinen Hinterbeinen umher, wobei ich überall, wo ich mich hin bewege, einen unsichtbaren Schnee von Schuppen niederrieseln lasse. Milben haben sich auf mir eingenistet, sie schlecken meinen Schweiß, stecken ihre Rüssel in meine Poren und schmatzen sich an dem Schmalz satt, das sie dort finden. Dann die zerfurchte Haut, die Ritzen und Spalten. Haare, denken Sie nur einmal an Haare! Und das alles ist erst die Oberfläche. Stellen Sie sich vor, was im Innern vor sich geht, die zuckende und glucksende purpurne Pumpe, die flatternden Lungen, und, tief unten im Dunklen, die Leimfabrik bei ihrer unablässigen Arbeit. Ein lebendiges Aas, schlüpfrig vor Schleim, noch nicht reif genug für die Würmer. Ach, ich sollte –

Ruhig, Frederick. Ganz ruhig.

Heute hat mich meine Frau besucht. Das ist nicht ungewöhnlich, sie kommt nämlich jede Woche. Als Gefangener in Untersuchungshaft habe ich das Recht auf unbeschränkte Besuchserlaubnis, aber das habe ich ihr nicht erzählt, und sollte sie es trotzdem wissen, dann hat sie jedenfalls nichts davon gesagt. Wir ziehen es vor, wie es ist. Selbst an ereignislosen Tagen ist die donnerstägliche Besuchsstunde ein bizarres, um nicht zu sagen ein unheimliches Ritual. Sie wird in einem großen und hohen Raum abgehalten, dessen kleine Fenster ganz oben unter der Decke liegen. Eine Trennwand aus Sperrholz und Glas, eine außerordentlich häßliche Vorrichtung, steht zwischen uns und unseren Lieben, mit denen wir uns, so gut es eben geht, durch ein desinfiziertes Sprechgitter aus Plastik unterhalten. Dieser geradezu quarantänehafte Zustand ist die neueste Zumutung. Wie man uns sagt, soll es das Eindringen von Drogen verhindern, aber ich glaube, daß es in Wirklichkeit dazu dient, diese interessanten kleinen Viren, die wir in letzter Zeit hier ausbrüten, im Haus zu halten. Die Wand aus grünlichem Glas, die Art, wie sich das von weit oben kommende Licht herabfiltert, die Stimmen, die durch die Plastikgitter zu uns dringen und so klingen, als seien sie unter Wasser geblubbert, all dies gibt dem Raum die Atmosphäre eines Aquariums. Wir, die Insassen, sitzen mit gekrümmten Schultern da, stützen uns mit verbissener Miene auf unsere verschränkten Arme und sind so bleich, aufgedunsen und dumpfäugig wie panzerlose Schalentiere, die sich am Grunde eines Wassertanks zusammengekauert haben. Unsere Besucher leben in einem anderen Element als dem unsrigen, sie scheinen sehr viel schärfer umrissen als wir, scheinen in ihrer eigenen Welt auf eine viel intensivere Weise existent zu sein. Manchmal entdecken wir einen Ausdruck in ihren Augen, eine Mischung von Neugier und Mitleid und auch eine Spur von Widerwillen, der uns mitten ins Herz trifft. Sie müssen die Gewalt unserer Sehnsucht spüren können, müßten es eigentlich fast hören, das Lied der Wassergeister, ein hoher messerscharfer Ton reinsten Jammers, der in dem Glas summt, das uns von ihnen trennt. Ihre sorgenvolle Anteilnahme an unserem Elend ist kein Trost für uns, wir leiden eher darunter. Dies ist der heikelste Augenblick unserer ganzen Woche; Gelassenheit, Anstand und gedämpfte Stimmen sind erwünscht. Wir sind die ganze Zeit schrecklich nervös, voller Angst, daß die Frau oder Freundin von irgend jemandem eine Szene machen könnte, aufspringt, schreit, mit ihren Fäusten gegen die Trennwand trommelt, weint. Wenn dann so etwas tatsächlich passiert, dann ist es furchtbar, einfach furchtbar; und demjenigen, dem es passiert ist, bringen wir nachher großes Mitgefühl und ehrfürchtige Scheu entgegen, so als hätte er gerade einen schmerzlichen Verlust erlitten.

Davor, daß Daphne eine Szene machen könnte, brauche ich keine Angst haben. Sie bewahrt in jeder Situation auf bewunderungswürdige Weise ihre Haltung. Heute zum Beispiel, als sie mir von dem Kind erzählte, sprach sie mit völlig ruhiger Stimme und schaute mit dem ihr eigenen abwesenden Gesichtsausdruck an mir vorbei. Ich muß zugeben, daß ich ziemlich ärgerlich über sie war, ich konnte es nicht verbergen. Sie hätte mir vorher sagen sollen, daß sie einen Test mit ihm machen lassen würde, anstatt mich so aus heiterem Himmel mit der Diagnose zu konfrontieren. Sie warf mir einen fragenden Blick zu, legte ihren Kopf schief und lächelte fast. Bist du überrascht? fragte sie. Ich wandte wütend mein Gesicht ab und antwortete nicht. Natürlich war ich nicht überrascht. Ich wußte, daß irgend etwas nicht stimmte mit ihm, wußte es immer schon – ich habe es ihr gesagt, lange bevor sie bereit war, es zuzugeben. Von Anfang an hatte er diese vorsichtige und zitternde Art, sich auf seinen dürren Beinchen zu bewegen, so als bemühte er sich angestrengt, irgendein großes, unhandliches Ding nicht fallen zu lassen, das man ihm in die Arme gedrückt hatte; und dabei schaute er flehentlich und voller Erstaunen zu uns auf, ähnlich wie ein kleines Tier, das aus einem Loch im Erdboden herausschaut. Wo hast du ihn hingebracht, fragte ich, in welches Krankenhaus, was genau haben sie gesagt? Sie zuckte mit den Achseln. Sie waren nett, sagte sie, sehr verständnisvoll. Der Arzt hat sehr lange mit ihr gesprochen. Es ist ein sehr seltenes Leiden, das Soundso-Syndrom, ich habe den Namen schon vergessen, irgendein verdammter Schweizer oder Schwede – es ist ja auch egal. Er wird niemals richtig sprechen können. Er wird niemals irgend etwas richtig können, so scheint es. Etwas stimmt mit seinem Gehirn nicht, es fehlt irgend etwas, irgendein unentbehrlicher Teil. Sie hat es mir alles erklärt, hat wiederholt, was der Arzt gesagt hatte, aber ich hörte ihr nur noch halb zu. Eine gewisse Müdigkeit hatte mich überfallen, eine Art Lethargie. Sein Name ist Van, habe ich das schon mal erwähnt? Van. Er ist sieben.

Wenn ich rauskomme, wird er wahrscheinlich, nun, so um die dreißig sein. Du lieber Gott, fast so alt, wie ich jetzt. Ein großes Kind, so werden die Leute auf dem Land ihn nicht ohne Zuneigung nennen, in Coolgrange. Ein großes Kind.

Ich darf jetzt nicht weinen, nicht jetzt. Wenn ich jetzt anfange, werde ich niemals wieder aufhören.

Am Nachmittag brach ich Charlies Schreibtisch noch einmal auf, nahm ein wenig Bargeld und wagte mich nach draußen, zu dem Zeitungshändler am Hafen. Was für eine merkwürdige, brennende Erregung mich durchfuhr, als ich den Laden betrat, mein Magen zuckte, und ich schien langsam durch irgendein zähes, unnachgiebiges Element zu schreiten. Ich glaube, ein Teil von mir hoffte – nein, erwartete –, daß ich irgendwie gerettet, daß wie im Märchen alles auf magische Weise rückgängig gemacht werden würde; die böse Hexe verschwindet, der Bann ist gebrochen, und das Mädchen erwacht aus seinem Zauberschlaf. Und als ich dann die Zeitungen aufnahm, schien es für einen Moment so, als wäre tatsächlich irgendein Zauber am Werk gewesen, denn zunächst konnte ich nichts anderes in ihnen entdecken, als noch mehr Zeug über den Bombenanschlag und dessen Folgen. Ich kaufte drei Morgen- und eine Abendausgabe und bemerkte dabei (oder kommt mir das nur im nachhinein so vor?), wie mich das pickelgesichtige Mädchen hinter dem Ladentisch scharf ansah. Dann hastete ich zum Haus zurück, und mein Herz galoppierte dabei derartig, als wäre das, was ich mir unter den Arm geklemmt hatte, eine Auswahl von Erotika. Drinnen ließ ich die Zeitungen auf dem Küchentisch liegen und rannte zum Badezimmer, wo ich es in meiner Aufregung fertig brachte, mir selbst auf den Fuß zu pinkeln. Nach langem fiebrigen Suchen fand ich eine halbvolle Flasche Gin und kippte mir einen kräftigen Schluck hinter die Binde. Ich versuchte, etwas anderes zu finden, womit ich mich hätte beschäftigen können, aber es hatte keinen Zweck, mit bleiernen Schritten ging ich in die Küche zurück, setzte mich langsam an den Tisch und breitete die Zeitungen vor mir aus. Da war es, eine kurze Notiz in einer der Morgenausgaben; unter das Bild eines der Überlebenden des Bombenanschlags gequetscht, der mit verbundenem Kopf aufrecht im Krankenhausbett sitzt. In der Abendausgabe war ein längerer Artikel, mit einer Fotografie der Jungen, die ich auf dem Hotelgelände hatte spielen sehen. Von ihnen war sie gefunden worden. Auch von ihr war eine Fotografie da, wie sie mit ernstem Blick vor einem verschwommenen Hintergrund steht, wahrscheinlich hat man das Foto aus dem Gruppenbild einer Hochzeitsgesellschaft herausgehoben, oder einer Tanzparty. Sie trägt ein langes, häßliches Kleid mit einem kunstvollen Kragen und umklammert etwas mit ihren Händen; Blumen vielleicht. Ihr Name war Josephine Bell. Im Innern der Zeitung war noch mehr, ein Foto von Behrens, eine Ansicht von Whitewater und ein Artikel über die Behrens-Sammlung, der von Rechtschreibfehlern und vertauschten Jahreszahlen nur so wimmelte. Man hatte einen Reporter auf's Land geschickt, um mit Mrs. Brigid Bell, der Mutter, zu sprechen. Sie war Witwe. Es war eine Fotografie von ihr da, wie sie unbeholfen vor ihrem Cottage steht und mit einer Art stumpfen Bestürzung in die Kamera glotzt, eine korpulente Frau mit rohen Gesichtszügen, die eine Schürze und eine alte Strickjacke anhat. Ihre Josie, so sagte sie, war ein ordentliches Mädchen, ein braves Mädchen, warum sollte irgend jemand sie töten wollen. Und plötzlich war ich wieder dort, ich sah sie in dem Meer ihres eigenen Blutes sitzen, sie schaut mich an, eine Blase rosaner Spucke platzt auf ihren Lippen. *Mammi*, sagt sie, das war das Wort, nicht Tommy, es ist mir eben erst klar geworden. *Mammi*, und dann: *Liebe*.

Ich glaube, die Zeit, die ich in Charlie Frenchs Haus verbrachte, war die merkwürdigste Zeit meines Lebens, merkwürdiger sogar und orientierungsloser als meine ersten Tage hier. Ich kam mir in der bräunlichen Düsternis dieser Räume mit all dem glitzernden Meereslicht draußen so vor, als schwebte ich in einem versiegelten Glaskolben mitten in der Luft, von allem abgeschnitten. Die Zeit hatte sich in zwei Teile gespalten: da gab es die Uhr-Zeit, die sich mit gigantischer Langsamkeit bewegte, und dann gab es die fiebrige Hast in meinem Kopf, so als sei die Triebfeder kaputt und als sause nun der Rest des Uhrwerks wie wahnsinnig und außer Kontrolle davon. Ich ging Wache haltend in der Küche auf und ab, stundenlang ohne Unterbrechung, so schien es mir, mit gekrümmten Schultern und den Händen in den Hosentaschen, und heckte wilde Pläne aus. Ich merkte dabei nie, wie sich die Entfernung zwischen meinen Drehungen konstant verkleinerte, bis ich schließlich zusammenzuckend stehen bleiben mußte und ebenso wütend wie verblüfft in die Gegend starrte, wie ein Tier, das in die Falle getappt ist. Oder ich stand oben in dem großen Schlafzimmer, neben dem Fenster, mit dem Rücken an die Wand gepreßt, und beobachtete die Straße, manchmal für eine so lange Zeit, daß ich vergaß, wonach ich eigentlich Ausschau halten wollte. In dieser abgelegenen Gegend war wenig Verkehr, und ich begann bald, die regelmäßigen Passanten wiederzuerkennen; das Mädchen mit den orangefarbenen Haaren aus der Wohnung im Nachbarhaus, der glatte, zwielichtig aussehende Typ mit dem Vertreterkoffer, die wenigen alten Leute, die ihre Möpse spazierenführten oder jeden Tag zur selben

Stunde zum Einkaufen schlurften. Es würde jedenfalls unmöglich sein, die anderen zu verkennen, die Unerbittlichen,
wenn sie mich holen kämen. Wahrscheinlich würde ich sie
gar nicht kommen sehen. Sie würden das Haus umzingeln
und die Tür eintreten, und das wäre das erste, was ich von
dem Ganzen bemerken würde. Und doch stand ich immer
noch da und schaute und schaute, mehr wie ein sehnsüchti-
ger Liebhaber als wie ein Mann auf der Flucht.
Alles hatte sich verändert, alles. Ich war mir selbst entfremdet, und allem, was ich einst geglaubt hatte zu sein. Mein
bisheriges Leben hatte die schwerelose Dichte eines Traums.
Wenn ich an meine Vergangenheit dachte, dann war es so,
als dächte ich über das nach, was ein anderer einmal gewesen
war, jemand, den ich nie kennengelernt hatte, dessen Geschichte ich jedoch auswendig kannte. Es schien alles nicht
mehr als eine lebhafte Fiktion zu sein. Aber auch die Gegenwart war keineswegs greifbarer. Ich fühlte mich wirr und
unstet, und so, als stünde ich zu allem in einem schiefen
Winkel. Der Boden unter mir war so straff gespannt wie ein
Trampolin; aus Angst vor unerwarteten Wogen, gefährlichen Sprüngen und Hopsern mußte ich mich ganz still halten. Und überall um mich herum war diese blaue, leere Luft.
Ich war unfähig, unmittelbar über das, was ich getan hatte,
nachzudenken. Es wäre so gewesen, als versuchte ich, unablässig in ein grelles, blendendes Licht zu starren. Es war zu
groß, zu hell, um darüber nachzudenken. Es war unfaßbar.
Sogar jetzt noch, wenn ich sage, *Ich habe es getan*, dann bin
ich mir nicht ganz sicher, was ich eigentlich damit meine.
Oh, mißverstehen Sie mich nicht! Ich habe nicht die Absicht, es mir anders zu überlegen, herumzudrucksen und die
Beweise unter einem Haufen von Blättern und Steinen zu
begraben. Ich habe sie getötet, ich gebe es offen zu. Und ich
weiß, daß ich es heute, wenn ich in genau derselben Situation
wäre, wieder tun würde, nicht weil ich es wollte, sondern

weil ich keine Wahl hätte. Es wäre genauso wie es damals war, diese Spinne, und das Mondlicht zwischen den Bäumen und der ganze, ganze Rest. Ich kann auch nicht behaupten, daß es nicht meine Absicht war, sie umzubringen – ich bin mir nur nicht ganz sicher, von welchem Augenblick an ich es ernst meinte. Ich war schrecklich nervös, ungeduldig, wütend, sie griff mich an, ich schlug nach ihr, aus dem Schlag wurde ein Hammerschlag, der wiederum das Vorspiel für einen zweiten Hammerschlag wurde – sein Apogäum sozusagen, oder vielleicht meine ich auch Perigäum – und so weiter. Es gibt keinen Augenblick in diesem Vorgang, von dem ich mit Überzeugung sagen könnte, da, da war es, wo ich entschied, daß sie sterben muß. Entschied? – Ich glaube nicht, daß das eine Sache der Entscheidung war. Ich glaube, es war nicht einmal eine Sache des Überlegens. Das fette Monster in meinem Innern sah einfach nur seine Gelegenheit und sprang schäumend und um sich schlagend hervor. Er hatte ein paar Rechnungen mit der Welt zu begleichen; und sie war, in diesem Moment, Welt genug für ihn. Ich konnte ihn nicht aufhalten. Oder konnte ich vielleicht doch? Er ist ich, immerhin, und ich bin er. Doch nein, die Dinge waren schon viel zu weit gegangen, um sie noch aufzuhalten. Vielleicht ist das das Wesentliche an meinem Verbrechen, an meiner Schuld, daß ich die Dinge bis zu diesem Stadium habe kommen lassen, daß ich nicht wachsam genug gewesen bin, nicht genug geheuchelt habe, daß ich den Fettwanst in meinem Innern zu sehr sich selbst überlassen und ihm so fatalerweise erlaubt habe zu glauben, daß er frei ist, daß die Käfigtür offensteht, daß nichts verboten und alles möglich ist.

Nach meinem ersten Erscheinen vor Gericht meinten die Zeitungen, ich hätte kein Zeichen der Reue gezeigt, als die Anklage verlesen wurde. (Was hatten sie erwartet, daß ich heulen und meine Kleider zerreißen würde?) Sie ahnten etwas, in ihrer dümmlichen Art. Reue impliziert die Erwartung auf Vergebung, und ich wußte, daß das, was ich getan hatte, unverzeihlich war. Ich hätte Bedauern, Kummer, Schuldgefühle, all das vortäuschen können, aber wozu? Selbst wenn ich solche Dinge gefühlt hätte, hätte es denn in Wahrheit in den tiefsten Tiefen meines Herzens etwas geändert? Die Tat war geschehen, und alles Geheul der Reue und Qual würde sie nicht rückgängig machen. Getan, ja, erledigt, wie niemals zuvor in meinem Leben etwas erledigt und getan gewesen war – und doch würde sie kein Ende finden, ich sah das sofort. Ich war, wie ich mir selber sagte, verantwortlich, mit dem ganzen Gewicht, das dieses Wort in sich trägt. Indem ich Josie Bell tötete, habe ich einen Teil der Welt zerstört. Jene Hammerschläge haben einen Komplex von Erinnerungen, Gefühlen und Möglichkeiten – kurz gesagt, ein Leben – zerschmettert, das unersetzlich war, das jedoch, irgendwie, ersetzt werden muß. Für diesen Mord würde ich gefangen und weggeschlossen werden, ich wußte das mit einer Ruhe und Sicherheit, die nur etwas Unwesentliches einflößen kann; und dann würde man sagen, daß ich meine Schuld bezahlt habe, in dem Glauben, daß eine Art von Ausgleich geschaffen wurde, indem man mich einmauerte. Gemäß den Gesetzen der Rache und Vergeltung hätten sie Recht; doch würde ein solches Gleichgewicht bestenfalls eine negative Sache sein. Nein, nein. Was hier erforderlich war, war nicht mein symbolischer Tod – ich erkannte das, auch wenn mir nicht klar war, was es bedeutete – sondern, daß sie wieder zum Leben erweckt wurde. Das, und nichts weniger.

Als Charlie an jenem Abend wiederkam, steckte er seinen Kopf so vorsichtig zur Tür herein, als befürchtete er, daß sich beim Öffnen der Inhalt eines Eimer Wassers über ihn ergießen könnte. Ich grinste ihn an und schwankte dabei hin und her. Nachdem mir der Gin ausgegangen war, hatte ich widerwillig auf Whiskey umgesattelt. Ich war nicht gerade betrunken, sondern befand mich nur in einer Art betäubten Euphorie, so als sei ich gerade von einem langwierigen und äußerst qualvollen Zahnarztbesuch zurückgekehrt. Unter dem neuen Rausch lauerte noch der Kater vom Vorabend und wartete auf den rechten Augenblick, um hervorzubrechen. Meine Haut war überall ganz trocken und glühte, und meine Augen brannten. Zum Wohl! rief ich mit einem albernen Lachen, und in meinem Glas kicherten die Eiswürfel. Charlie warf aus den Augenwinkeln einen Blick auf meine Kleidung. Ich hoffe, es macht dir nichts aus, sagte ich. Hätte nicht gedacht, daß wir dieselbe Größe haben. Ah, sagte er, ja, siehst du, ich bin geschrumpft auf meine alten Tage. Und er stieß ein Friedhofslachen aus. Ich konnte deutlich sehen, daß er gehofft hatte, ich wäre weg, wenn er nach Hause käme. Ich folgte ihm in die Diele, wo er seinen Buchhalterdeckel abnahm und ihn zusammen mit der Aktentasche an den Garderobenständer aus Eichenholz hängte. Dann ging er ins Eßzimmer und goß sich etwas Whiskey ein, dem er aus einer Flasche mit Schraubverschluß ein wenig abgestandenes Soda hinzufügte. Er nahm einen Schluck, stand eine Weile mit einer Hand in der Hosentasche wie gelähmt da und starrte ärgerlich auf seine Füße. Meine Gegenwart störte den Ablauf seiner allabendlichen Rituale. Er stellte die Whiskeyflasche weg, ohne mir noch etwas davon anzubieten. Wir schlurften in die Küche zurück, wo Charles sich wieder in seine Schürze wickelte und in Schränken und düsteren Regalen auf der Suche nach den Zutaten für ein Stew herumwühlte. Während er sich zu schaffen machte, redete er in beunruhigtem Ton über die Schulter, wobei ihm aus einem Winkel seines schiefen Mundes eine Zigarette hing, und ein Auge aus Abwehr gegen den Rauch fest zugekniffen war. Er erzählte mir von einem Bild, das er verkauft hatte, oder einem, das er erworben hatte, oder irgendsowas ähnlichem. Ich glaube, er sprach nur aus Angst vor der drohenden Stille. Jedenfalls hörte ich ihm ohnehin nicht richtig zu. Ich beobachtete ihn dabei, wie er mehr als die Hälfte einer fünfzig Pfund teuren Flasche Pomerol in das Stew gluckern ließ. Auch ein Häufchen Zigarettenasche fand seinen Weg in den Topf. Charlie krächzte ärgerlich und versuchte vergeblich, es mit einem Löffel herauszufischen. Du kannst dir vorstellen, wie das für mich ist, sagte er, mich tatsächlich endgültig von einem Bild trennen zu müssen! Ich nickte feierlich. In Gedanken malte ich mir Charlie in seiner winzigen Galerie aus, wie er sich verbeugt und katzbuckelt und eifrig lächelt, all das zu Ehren irgendeiner pelzbemäntelten Gewitterziege, die nach Gesichtspuder und Schweiß stinkt und deren Göttergatte ihr an ihrem Geburtstag das Geld für ein wenig Flitterkram gegeben hat. Plötzlich war ich deprimiert; deprimiert und müde.

Er verteilte das Stew, wobei er etwas davon auf den Boden fallen ließ. Mit Gegenständen aller Art stand er auf dem Kriegsfuß, sie hatten die Neigung, in seinen Händen tückisch zu werden, zu wackeln und auszuscheren und herunterzurutschen. Wir trugen unsere Teller ins Eßzimmer und setzten uns unter dem bösartigen, glasig glotzenden Blick der ausgestopften Eule an den Tisch. Während des Essens tranken wir den Rest des Pomerols, und Charlie holte eine zweite Flasche. Er fuhr fort, mittels komplizierter Verdrehungen meinen Blick zu vermeiden und lächelte seine Umgebung an; den Boden, die Möbel, den Schürhaken im Kamin, so als hätte sich das Alltägliche plötzlich mit ganz neuem und unerwartetem Charme seiner Aufmerksamkeit anempfohlen. Durch das hohe Fenster in meinem Rücken traf mich die sinkende Sonne mit voller Macht. Der Eintopf schmeckte nach verbranntem Fell. Ich schob meinen Teller beiseite, drehte mich um und schaute auf den Hafen hinaus. In der Fensterscheibe glitzerte ein kleiner Riß. Irgend etwas rief mir Kalifornien ins Gedächtnis, etwas in dem Licht, die kleinen Segelboote, das vergoldete, abendliche Meer. Ich war so müde, so unbeschreiblich müde, ich hätte dort, in diesem Augenblick, am liebsten aufgegeben, wäre so leicht wie ein Windhauch nach draußen in jene sommerliche Abenddämmerung getrieben, unbekannt, planlos, frei. Charlie zerquetschte einen durchweichten Zigarettenstummel auf seinem Tellerrand. Hast du das über Binkie Behrens in der Zeitung gesehen? fragte er. Ich goß mir noch ein Glas Wein ein. Nein, sagte ich, was war es denn, Charles?

Nebenbei bemerkt, was hätte ich wohl in dieser ganzen Angelegenheit ohne den Trost des Alkohols und dessen betäubende Wirkung getan? Es scheint mir, als hätte ich jene Tage überstanden, indem ich mit schlotternden Knien von einem Stadium betrunkenen Gleichgewichts zum anderen hechtete, so ähnlich wie ein Flüchtling, der im Zickzack über eine Reihe glitschiger Steine flieht. Sogar die Farben, Gin-Blau und Wein-Rot, sind sie nicht genau die Embleme meines Falls, die Wahrzeichen meiner Zeugenaussage? Nun da ich für immer nüchtern geworden bin, sehe ich im Rückblick nicht nur jene Zeit, sondern mein gesamtes Leben als eine beschwipste, aber nicht besonders glückliche Zechtour, aus der ich früher oder später mit starken Kopfschmerzen aufwachen mußte. Dies hier, oh ja, dies ist ein Katzenjammer von gewaltigem Ausmaß.

Der Rest des Abends war, so wie ich ihn in Erinnerung habe, eine Folge von intensiven, dumpfen Schocks, wie wenn man in einem Traum langsam die Treppe hinunterfällt. Es war dieser Abend, an dem ich erfuhr, daß mein Vater sich eine Geliebte gehalten hatte. Zuerst war ich erstaunt und dann entrüstet. Ich war sein Alibi gewesen, seine Camouflage! Während ich an den Sonntagnachmittagen stundenlang auf dem Rücksitz des Autos auf der Straße über dem Yacht-Club von Dun Laoghaire saß, war er davongegangen, um seine Freundin zu ficken. Sie hieß Penelope – Penelope, ich bitte Sie! Wo hatten sie sich kennengelernt, wollte ich wissen, hatte er ein heimliches Liebesnest für sie eingerichtet, ein schmuckvolles kleines Versteck mit Rosenranken um die Eingangstür und einem Spiegel an der Decke des Schlafzimmers? Charlie zuckte mit den Schultern. Och, sagte er, sie kamen hierher. Zuerst konnte ich es gar nicht fassen. Was? schrie ich. Hier? Aber was war mit – ? Er zuckte erneut mit den Schultern und gab eine Art Grinsen von sich. Der alten Mama French, so scheint es, machte es nichts aus. Gelegentlich lud sie das Liebespaar sogar dazu ein, ihr beim Tee Gesellschaft zu leisten. Sie und Penelope tauschten Strickmuster aus. Sie wußte nämlich – sagte Charlie, hielt dann jedoch inne, und auf der rissigen Haut über seinen Wangenknochen erschien ein Farbfleck, während er hektisch einen Finger am Innern seines Kragens entlangzog. Ich wartete. Sie wußte, daß ich deine – daß ich Dolly gern hatte, sagte er schließlich. Mittlerweile drehte sich mir der Kopf. Bevor ich etwas sagen konnte, fuhr er fort, mir zu erzählen, wie auch Binkie Behrens hinter meiner Mutter her gewesen war, wie er sie und meinen Vater immer nach Whitewater einlud und meinen Vater unaufhörlich zum Trinken aufforderte, damit er Binkies wildernden Blick und dessen lüsterne Hände nicht bemerkte. Und dann kam meine Mutter zu Charlie und erzählte ihm das Ganze, und sie lachten zusammen darüber. Nun schüttelte er seinen Kopf und seufzte. Armer Binkie, sagte er. Ich saß entgeistert da, von Staunen erfüllt, und versuchte, mein Weinglas gerade zu halten. Ich fühlte mich wie ein Kind, das zum ersten Mal von den Taten der Götter hört, sie drängten sich in meinem dröhnenden Kopf, diese gewaltigen archaischen, keineswegs unfehlbaren Gestalten mit ihren Verschwörungen, Rivalitäten und unmöglichen Lieben.

Charlie redete so nüchtern über das Ganze, halb wehmütig, halb amüsiert. Meistens sprach er so, als sei ich gar nicht da und schaute ab und zu leicht überrascht auf, wenn ich vor Erstaunen quiekte oder schnaubte. Und du, fragte ich, was war mit dir und meiner –? Ich konnte es nicht in Worte fassen. Er warf mir einen schelmischen, verschmitzten Blick zu. Hier, sagte er, trink die Flasche aus.

Ich glaube, er erzählte mir noch mehr über meine Mutter, aber ich kann mich nicht erinnern, was es war. Ich erinnere mich jedoch noch daran, daß ich sie später an diesem Abend angerufen habe, während ich im Schneidersitz auf dem Boden der Diele in der Dunkelheit saß, mit Tränen in den Augen, und das Telefon wie ein Frosch auf meinem Schoß kauerte. Sie schien unendlich weit weg zu sein, eine winzige Stimme, die mir hauchdünn aus einer summenden Leere entgegendröhnte. Freddie, sagte sie, du bist betrunken. Sie fragte, warum ich nicht zurückgekommen sei, wenn nicht aus anderen Gründen, dann wenigstens, um meine Tasche zu holen. Wie könnte ich denn jetzt noch nach Hause kommen, Mama?, hätte ich gern zu ihr gesagt. Wir schwiegen für einen Moment, dann sagte sie, daß Daphne sie angerufen habe und wissen wollte, wo ich denn bloß sei, und was ich täte. Daphne! Ich hatte seit Tagen nicht mehr an sie gedacht. Durch die Tür am Ende der Diele konnte ich Charlie sehen, wie er in der Küche herumwerkelte, mit Töpfen und Pfannen klapperte und so tat, als wäre er nicht daran interessiert, was ich sagte. Ich seufzte, und aus dem Seufzen wurde ein kleines, dünnes Stöhnen. Mama, sagte ich, ich bin in so scheußliche Schwierigkeiten geraten. Es war ein Geräusch in der Leitung, oder vielleicht war es auch in meinem Kopf, wie das Rauschen unzähliger Flügel. Was? sagte sie, ich kann dich nicht hören – was? Ich lachte, und zwei dicke Tränen rannen an meinen Nasenflügeln herab. Nichts, schrie ich, nichts, vergiß es! Dann sagte ich, Hör mal, weißt du, wer

Penelope ist – war – kennst du die Geschichte? Ich war schockiert über mich selbst. Warum sagte ich so was, warum wollte ich ihr weh tun? Sie schwieg für einen Moment, und dann lachte sie. Diese Ziege? sagte sie, natürlich weiß ich über sie Bescheid. Charlie war an die Tür gekommen und stand mit einem Lappen in der einen und einem Teller in der anderen Hand da und beobachtete mich. Das Licht war in seinem Rücken, ich konnte sein Gesicht nicht sehen. Wieder gab es eine Pause im Gespräch. Du bist zu hart mit dir selbst, Freddie, sagte meine Mutter schließlich mit dieser nachhallenden, von weither kommenden Stimme, du machst dir alles viel zu schwer. Ich wußte nicht, was sie damit meinte. Ich weiß es immer noch nicht. Ich wartete einen Augenblick, aber sie sagte nichts mehr, und ich war unfähig zu sprechen. Das waren die letzten Worte, die wir je miteinander sprechen sollten. Ich legte sanft den Hörer auf und stellte mich nicht ohne Schwierigkeiten auf meine Füße. Eines meiner Knie war eingeschlafen. Ich humpelte in die Küche. Charlie hatte sich übers Waschbecken gebeugt und spülte, von seinen Lippen baumelte eine Zigarette, seine Hemdsärmel waren aufgerollt, seine Weste war hinten geöffnet. Der Himmel in dem Fenster vor ihm leuchtete in blassem Indigoblau, ich glaubte, nie in meinem Leben etwas so Schönes gesehen zu haben.

Charlie, sagte ich hin und her schwankend, ich brauche 'ne Anleihe.

Ich war schon immer eine Heulsuse, aber jetzt konnte mich jede Andeutung von Freundlichkeit dazu bringen, wie ein Baby zu plärren. Als er sich auf der Stelle an den Küchentisch setzte und einen Scheck ausschrieb – ich habe ihn noch: spinnenhaftes schwarzes Gekrakel, eine unleserliche Unterschrift, ein Eintopf-Daumenabdruck in einer Ecke – da versuchte ich, seine leberfleckige Hand zu ergreifen, ich glaube, ich wollte sie küssen. Er hielt eine kleine Rede, ich erinnere mich nicht sehr gut daran. Meine Mutter kam darin vor, Daphne auch. Ich glaube, sogar Penelopes Name wurde erwähnt. Ich frage mich, ob er betrunken war. Er rückte immer wieder bedrohlich ins Blickfeld und verschwand dann wieder, doch ich hatte das Gefühl, daß das weniger an meiner verschwommenen Sicht als vielmehr an einer Art Vorsichtigkeit auf seiner Seite lag. Ach Charlie, du hättest diesem kleinen, nagenden Verdacht Beachtung schenken, du hättest mich in jener Nacht hinauswerfen sollen, wie verwirrt und schutzlos ich auch immer gewesen sein mag.

Das Nächste, an das ich mich erinnere, ist, daß ich im Badezimmer kniete und einen rostfarbenen Sturzbach von Wein, gemischt mit sehnigen Fleischfäden und Möhrenstücken, auskotzte. Der Anblick dieses hervorsprudelnden Zeugs füllte mich mit Erstaunen, so als sei es nicht Erbrochenes, sondern etwas seltsam Prächtiges, ein dunkler Erzstrom aus den tiefen Minen meiner Eingeweide. Dann ist da das Gefühl, daß alles schwankte, der Eindruck einer glitzernden Dunkelheit, mit Dingen darin, die an mir vorbeiwirbeln, so als würde ich in einem wackeligen Glaskarussel unaufhörlich im Kreis herumgeschleudert. Als nächstes lag ich auf meinem Rücken auf einem großen, unordentlichen Bett im ersten Stock und schwitzte und zitterte. Ein Licht brannte, und das Fenster war ein Kasten voll tiefer, glitzernder Dunkelheit. Ich schlief ein und wachte nach einer Zeit, die mir so kurz schien wie ein Augenblick, wieder auf, und die Sonne schien mir ins Gesicht. Das Haus um mich herum war still; aber da war ein dünnes unaufhörliches Klingeln, das ich mehr zu spüren als zu hören schien. Die Bettücher waren völlig durchnäßt und verheddert. Ich wagte es nicht, mich zu bewegen, ich fühlte mich, als sei ich so zerbrechlich wie Kristall. Selbst meine Haare fühlten sich zerbrechlich an, ein Schopf von winzigen steifen Fäden, die sich elektrisiert sträubten. Ich konnte hören, wie das Blut in meinen Adern rauschte, so schwer und rasch wie Quecksilber. Mein Gesicht war heiß und geschwollen und fühlte sich merkwürdig glatt an: ein Puppengesicht. Sobald ich die Augen schloß, pochte ein blutrotes Objekt auf der Innenseite meiner Augenlider, pochte und verschwand und pochte wieder, so ähnlich wie das wiederholte Nachbild einer in Schwärze explodierenden Granate. Wenn ich schluckte, wechselte das Klingeln in meinen Ohren die Tonhöhe. Ich nickte ein und träumte, daß ich in einem heißen See trieb. Als ich aufwachte, war es Nachmittag. Das dichte, friedliche, schattenlose Licht im Fenster schien direkt aus der Vergangenheit herüberzuleuchten. Mein Mund war trocken und geschwollen, und mein Kopf schien vor Luft zu platzen. Seit meiner Kindheit hatte ich diesen besonderen Zustand genüßlichen Leidens nicht mehr erfahren. Es war nicht wirklich eine Krankheit, eher eine Art Ruhepause. Ich lag eine lange Zeit da und bewegte mich kaum, beobachtete den Tag, wie er sich veränderte und hörte den kleinen Geräuschen der Welt zu. Das messinggelbe Sonnenlicht verblaßte allmählich, die Fliederfarbe des Himmels verwandelte sich ins Dunkelblaue, und ein einzelner Stern erschien. Dann war es plötzlich spät, und ich lag in schläfriger Benommenheit in der sommerlichen Dunkelheit und wäre nicht im geringsten überrascht gewesen, wenn meine Mutter hereingekommen wäre, jung und lächelnd, in raschelnder Seide und mit einem Finger an den Lippen, um mir Gute Nacht zu sagen, bevor sie für den Abend ausging. Es war jedoch nicht Mama, die kam, sondern nur Charlie, er öffnete vorsichtig die Tür in ihren pfeifenden Angeln und spähte mit gerecktem Schildkrötenhals zu mir herein. Ich schloß die Augen, und er zog sich leise wieder zurück und knarrte die Treppen hinunter. Und ich sah in Gedanken eine andere Tür, und eine andere Dunkelheit – das Bruchstück einer

Erinnerung, wiederum nicht aus meiner eigenen – und wartete, kaum atmend, darauf, daß etwas oder jemand erscheinen würde. Aber nichts geschah.

Mit diesem kurzen Fieberanfall ging mein Leben als Mörder in ein neues Stadium über, die klar abgegrenzte Anfangsphase lag hinter mir. Am Morgen des zweiten Tages war das Fieber abgeklungen. Ich lag in dem feuchten Wirrwarr der Bettücher mit weit ausgebreiteten Armen und atmete einfach nur. Ich fühlte mich, als sei ich verzweifelt durch hüfthohes Wasser gewatet und hätte nun endlich das Ufer erreicht, erschöpft, an allen Gliedern zitternd und doch voller Frieden. Ich hatte überlebt. Ich war zu mir selbst zurückgekommen. Draußen vor dem Fenster schrien die Seemöwen und suchten nach Mama French; sie stiegen mit weit ausgebreiteten, steifen Flügeln auf und nieder, so als hingen sie an einem Gummiband. Ich stand auf und durchquerte mit wackeligen Schritten den Raum. Draußen war Wind und Sonne, und das Meer strömte ein gleißendes Licht aus, ein prachtvolles, gefährliches Blau. Unten im Hafen schaukelten und schwankten die Segelboote und zerrten an ihren Ankerleinen. Ich wandte mich ab. Es war etwas in dieser hellen und fröhlichen Szene, das mir Vorwürfe zu machen schien. Ich zog Charlies Morgenmantel an und ging in die Küche hinunter. Überall Stille. In dem friedlichen Morgenlicht war alles so bewegungslos, als stünde es unter einem Bann. Ich konnte den Gedanken an Essen nicht ertragen. Im Eisschrank fand ich eine offene Flasche Mineralwasser und trank sie aus. Es war abgestanden und schmeckte leicht nach Metall. Ich setzte mich an den Tisch und stützte meinen Kopf mit den Händen. Meine Haut fühlte sich körnig an, so als sei die Schicht an der Oberfläche bis auf einen Rest von hartnäckigem Staub abgebröckelt. Charlies Frühstückssachen standen

noch auf dem Tisch, zusammen mit verschütteter Zigarettenasche und einer Untertasse voll zerquetschter Stummel.
Die Zeitungen, die ich am Donnerstag gekauft hatte, hatte er
in den Mülleimer gestopft. Jetzt war Samstag. Ich hatte zwei
Tage verpaßt, zwei Tage voll sich anhäufenden Beweismate-
rials. Ich suchte nach der Plastiktüte, in die ich meine Kleider gesteckt hatte, aber sie war verschwunden. Charlie muß
sie für die Müllabfuhr nach draußen gestellt haben, wahrscheinlich war sie jetzt auf irgendeiner Müllkippe. Vielleicht
durchwühlte sie gerade in diesem Augenblick ein Lumpen-
sammler. Ein plötzlicher Anfall von Entsetzen überflutete
mich. Ich sprang auf und ging hin und her, mit verschränkten Händen, um sie vom Zittern abzuhalten. Ich mußte etwas tun, irgend etwas. Ich rannte nach oben und fegte wie
ein wahnsinniger König von einem Zimmer ins andere, während die Schleppe meines Morgenmantels hinter mir herflat-
terte. Ich rasierte mich, wobei ich mich in dem Fischaugen-
spiegel anstarrte, zog dann Charlies Kleider wieder an, brach
in seinen Schreibtisch ein, nahm sein Bargeld und seine
Brieftasche voll Kreditkarten, sprang, immer drei Stufen auf
einmal nehmend, die Treppen hinunter und stürmte in die
Welt hinaus. Und blieb stehen. Alles war an seinem Platz,
die Boote im Hafen, die Straße, die weißen Häuser an der
Küste, die Landspitze in der Ferne, diese kleinen Wolken am
Horizont, und doch – trotzdem war alles irgendwie anders
als das, was ich erwartet hatte, oder was etwas in meinem
Innern erwartet hatte, irgendein pingeliger Sinn dafür, wie
Dinge geordnet sein sollten. Dann wurde mir klar, daß
natürlich ich es war, der hier nicht hereinpaßte.
Ich ging in den Zeitungskiosk mit demselben Krampf von
Angst und Aufregung in der Brust, den ich schon beim er-
sten Mal empfunden hatte. Als ich die Zeitungen in die
Hand nahm, färbte die Druckerschwärze meine Finger, und
die Münzen rutschten mir aus der schweißgebadeten Hand.

Das Mädchen mit den Pickeln starrte mich wieder an. Sie hatte einen merkwürdigen, irgendwie verwischten Blick, er schien an mir vorbeizugehen und mich gleichzeitig genau aufzunehmen. Aus ihrem Benehmen und ihrer gespannten, leicht reizbaren Haltung schloß ich, daß sie bald ihre Tage kriegen würde. Ich wandte ihr meinen Rücken zu und überflog die Zeitungen. Mittlerweile hatte sich die Geschichte wie ein Fettfleck über die Titelseite ausgebreitet, während die Berichte über den Bombenanschlag zur Neige gingen, da die übrigen Verletzten aufgehört hatten zu sterben. Es gab ein Foto von dem Auto, das aussah wie ein verwundetes Flußpferd; ein stumpfgesichtiger Polizist stand daneben, und ein Kriminalbeamter in Gummistiefeln zeigte auf etwas. Man hatte die Jungen interviewt, die es gefunden hatten. Konnten sie sich an mich erinnern, an diesen bleichen Fremden, der vor sich hinträumend auf einer Bank in einem verlassenen Bahnhof gesessen hatte? Sie konnten, sie lieferten eine Beschreibung von mir: Ein älterer Herr mit schwarzen Haaren und einem buschigen Bart. Die Frau an der Ampel war sich sicher, daß ich Anfang zwanzig war, gut gekleidet, mit einem Schnurrbart und stechenden Augen. Dann waren da noch die Touristen in Whitewater, die gesehen hatten, wie ich mich mit dem Gemälde davonmachte, und Reck und seine Mutter natürlich, und der idiotische Junge und die Frau in der Werkstatt, wo ich das Auto geliehen hatte: Aus jeder dieser Berichte kam eine andere, noch phantastischere Version von mir zum Vorschein, bis ich mich schließlich vervielfacht sah und eine Bande schnauzbärtiger Ganoven aus mir wurde, die mit zornigen Blicken umherhasteten und drohende Geräusche machten, wie der Räuberchor in einer italienischen Oper. Beinahe hätte ich gelacht. Und doch war ich enttäuscht. Ja, es stimmt, ich war enttäuscht. Wollte ich entdeckt werden, hatte ich gehofft, daß mein Name in monströsen Druckbuchstaben quer über alle Titelseiten geschmiert sein würde? Ich glaube ja. Ich glaube, in meinem tiefsten Innern sehnte ich mich danach, vor ein Gericht gestellt und dazu gezwungen zu werden, alle meine schmutzigen kleinen Geheimnisse zu enthüllen. Ja, ich wollte entdeckt werden, ich wollte, daß man sich plötzlich auf mich stürzte, mich schlug, auszog und der heulenden Menge vorwarf, das war mein tiefstes und brennendstes Verlangen. Ich höre, wie es dem Gericht vor Überraschung und Unglauben den Atem verschlägt. Aber, meine verehrten Damen und Herren Geschworenen, ist es nicht das, wonach auch Sie sich sehnen, im Grunde Ihres Herzens? Durchschaut zu werden. Zu spüren, wie jene schwere Hand auf Ihre Schulter fällt und zu hören, wie die dröhnende Stimme der Obrigkeit Ihnen mitteilt, daß das Spiel aus ist, endgültig aus. Kurz, entlarvt zu werden. Gehen Sie in sich. Ich gestehe (ich gestehe!), daß jene Tage, die vergingen, während ich darauf wartete, daß man mich finden würde, die aufregendste Zeit waren, die ich je erfahren habe, oder je zu erfahren hoffe. Schrecklich, ja, aber auch aufregend. Niemals zuvor war mir die Welt so instabil erschienen, oder mein Platz in ihr so aufregend prekär. Ich war mir auf eine rohe, laszive Art meiner selbst bewußt, ein großes, warmes, feuchtes Ding, in die Kleider eines anderen verpackt. Jeden Moment könnten sie kommen, um mich zu holen, vielleicht beobachteten sie mich gerade in diesem Augenblick, murmelten in ihre Sprechfunkgeräte und gaben den Scharfschützen auf dem Dach ein Zeichen. Erst käme die Panik, dann der Schmerz. Und dann, wenn alles verschwunden wäre, jede Spur von Würde und Verstellung, welche Freiheit würde dann herrschen, welche Leichtigkeit! Nein, was sage ich, nicht Leichtigkeit, sondern das Gegenteil: Gewicht, Schwere, das Gefühl, endlich fest verankert zu sein. Dann würde ich endlich ich selbst sein, nicht länger mehr jene armselige Imitation meiner selbst, die ich mein Leben lang gewesen war. Ich würde echt sein. Ich würde, vor allem, ein Mensch sein.

Ich nahm den Bus in die Stadt und stieg an einer Straße aus, in der ich vor Jahren einmal gelebt hatte, als ich noch Student war. Dann ging ich in dem warmen Wind unter den ausladenden Bäumen am Geländer des Parks entlang, und mein Herz füllte sich mit Nostalgie. Ein Mann mit einer Mütze und furchtbar trüben Augen stand auf dem Gehweg, schüttelte seine Faust in die Luft und brüllte den vorbeifahrenden Autos obszöne Beschimpfungen zu. Ich beneidete ihn. Am liebsten hätte ich mich neben ihn gestellt, um auch so zu schreien, um all meine Wut, meinen Schmerz und meine Entrüstung loszuwerden. Ich ging weiter. Ein Trio leichtbekleideter Mädchen kam lachend aus einem Buchladen herausgetrippelt, und für eine Sekunde war ich in ihrer Mitte gefangen, die Zähne in einem schrecklichen Grinsen entblößt, eine Bestie unter den Grazien. In einem neuen, hellen Laden kaufte ich eine Jacke und eine Hose, zwei Hemden, ein paar Krawatten, Unterwäsche und, als eine Fanfare des Trotzes, einen eleganten, aber nicht gerade sehr unauffälligen Hut. Ich glaubte zu spüren, wie sie ganz aufmerksam wurden, als ich Charlies Kreditkarten hervorzog – mein Gott, kannten sie ihn, war er einer ihrer regelmäßigen Käufer? – aber ich drehte meinen Akzent zu voller Kraft auf und warf mit absoluter Gelassenheit seine Unterschrift aufs Papier, und alle entspannten sich. Eigentlich hatte ich mir gar nicht wirklich Sorgen gemacht. In Wahrheit war ich nämlich lächerlich aufgeregt und glücklich, wie ein Junge auf einem Geburtstagsausflug. (Was steckt bloß in dem simplen Vorgang des Einkaufens, daß es mir eine solch naive Freude bereiten kann?) Ich schien die Straße hinunter zu schwimmen, so aufrecht wie ein Seepferdchen verdrängte ich die Luft. Ich glaube, ich war noch immer fiebrig. Die Leute, unter denen ich mich bewegte, waren mir fremd, das heißt, fremder als sonst. Ich fühlte, daß ich nicht länger mehr zu ihrer Art gehörte; seit ich das letzte Mal eine Menge von ihnen auf einmal getroffen hatte, war etwas passiert, eine Änderung hatte in mir stattgefunden, ein winziges und erstaunlich rasches evolutionäres Ereignis von großer Tragweite. Ich ging durch ihre Mitte, als sei ich eine Mißgeburt, ein Witz der Natur. Sie waren jenseits von mir, sie konnten mich nicht berühren – konnten sie mich überhaupt sehen, oder war ich nun außerhalb des Spektrums ihres Sehvermögens? Wie gierig hingegen betrachtete ich sie meinerseits, voller Verlangen und Staunen. Fast stolpernd wogten sie um mich her, verwirrt und mit dumpfem Blick, gleich Flüchtlingen. Ich sah mich selbst unter ihnen, mein Kopf und meine Schultern wippten in der Menge und über sie hinaus, ich war unkenntlich, einsam und ich war der Hüter eines gewaltigen Geheimnisses. Ich war ihr unerkannter und uneingestandener Traum – ich war ihr Moosbrugger. Ich kam zum Fluß und bummelte über die Brücke, in Gesellschaft der Bettler und Obstverkäufer und Straßenhändler, bewunderte das vom Wind verwischte Licht über dem Wasser und schmeckte die salzige Luft auf den Lippen. Das Meer! Dort draußen zu sein, weit, weit draußen über unergründlicher Tiefe, aufgelöst in all dem Blau!

Ich ging – alles war so einfach – ich ging in eine Bar und bestellte mir etwas zu trinken. Jeder Schluck war so kühl und glatt wie Metall. Es war ein höhlenartiger Laden, sehr dunkel. Das Licht von der Straße schien weißlich grell zur offenen Tür herein. Genausogut hätte ich irgendwo im Süden sein können, in einem dieser feuchten, müden Hafenorte, die ich einst so gut kannte. In dem wie eine Bühne erleuchteten hinteren Teil der Bar spielten ein paar Jugendliche mit rasierten Köpfen und übergroßen Schnürstiefeln Billard. Die Bälle surrten und klapperten, die jungen Männer fluchten leise. Es war wie aus einem Hogarth-Gemälde, eine

Gruppe perückenloser Ärzte, konzentriert über den Seziertisch gebeugt. Der Barkeeper schaute sich mit verschränkten Armen und offenem Mund ein Pferderennen im Fernsehen an, das in ziemlicher Höhe auf einem Regal in der Ecke über ihm thronte. Ein tuberkulöser junger Mann in einem nachthemdartigen, schwarzen Mantel kam herein, stellte sich neben mich und zappelte schwer atmend hin und her. An der Spannung, die von ihm ausging, merkte ich, daß er sich in etwas hineinsteigerte, und für einen Moment war ich angenehm beunruhigt. Er könnte alles mögliche tun, er schien zu allem fähig. Aber er sagte nur etwas. *Ich wohne hier seit dreiunddreißig Jahren,* sagte er in einem Ton bitterer Entrüstung, *und alle haben Angst.* Der Barkeeper warf ihm einen Blick voll müder Verachtung zu und drehte sich wieder zum Fernseher um. Blaue Pferde galoppierten lautlos über hellgrünen Rasen. *Ich* habe Angst, sagte der junge Mann, der nun ärgerlich klang. Ein gewaltiges Zucken ergriff ihn, sein Rücken krümmte sich, sein Kopf duckte sich und ein Arm flog hoch, so als hätte ihn etwas ins Genick gebissen. Dann drehte er sich um und ging hastig hinaus, eng in seinen Mantel gewickelt. Ich ließ meinen Drink halbvoll zurück und folgte ihm. Draußen war es blendend hell. Als ich ihn entdeckte, war er schon ziemlich weit entfernt. Er schlängelte sich mit eng an den Körper gepreßten Armen durch die Menge, und seine knappen, raschen Schritte wirkten so behende, als sei er ein Tänzer. Nichts konnte ihn aufhalten. In der dicksten Woge von Menschen fand er sofort eine Lücke, drehte geschickt den Oberkörper und tauchte, ohne den Schritt zu verlangsamen, hindurch. Was für ein Paar wir gewesen wären, wenn irgend jemand auf die Idee gekommen wäre, uns zu verbinden, er in seinem engen schäbigen Mantel und ich mit meinem ausgefallenen Hut und all den Tüten voll teurer Einkäufe. Ich konnte kaum Schritt mit ihm halten, und nach ein oder zwei Minuten schnaufte ich schweißgebadet. Ich hatte ein unerklärliches Gefühl der Begeisterung. Einmal blieb er stehen und starrte in das Fenster einer Drogerie. Ich wartete, während ich an einer Bushaltestelle herumlungerte und ihn aus den Augenwinkeln beobachtete. Er zitterte so sehr und schien so fest entschlossen, irgend etwas zu tun, daß ich dachte, er würde jeden Moment gewalttätig werden, sich umdrehen und jemanden angreifen oder das Fenster eintreten und die Dekoration von Kameras und Kosmetikartikeln zerstampfen. Aber er wartete nur darauf, daß ihn das nächste Zucken durchlief. Als er diesmal seinen Arm hochwarf, schoß auch sein Bein hoch, so als seien Ellbogen und Knie durch eine unsichtbare Schnur miteinander verbunden, und eine Sekunde später schoß seine Ferse mit lautem Knall auf das Pflaster herab. Er schaute sich rasch um, um zu sehen, ob irgend jemand es bemerkt hatte und schüttelte sich beiläufig, so als könnte er dadurch das vorherige Zucken auch als Absicht erscheinen lassen. Dann schoß er wieder davon wie der Blitz. Ich wollte ihn einholen, mit ihm sprechen. Was ich dann sagen würde, wußte ich nicht. Ich wollte ihm nicht mein Mitgefühl ausdrücken, sicherlich nicht. Ich bemitleidete ihn nicht, meiner Ansicht nach hatte er nichts an sich, das mein Mitleid verdient hätte. Nein, das stimmt nicht, denn er war erbarmungswürdig, er war eine arme, verkrüppelte und verrückte Kreatur. Und doch tat er mir nicht leid, es war nicht auf diese Weise, daß ich Anteil an ihm nahm. Was ich fühlte, war, wie soll ich sagen, eine Art brüderliche Zuneigung, das starke, aufrechterhaltende und fast fröhliche Gefühl, mit ihm eins zu sein. Es schien die natürlichste Sache der Welt zu sein, zu ihm hinzugehen, meine Hand auf seine Schulter zu legen und zu sagen: *Mein Leidensgenosse, lieber Freund, compagnon de misères!* Und so kam es, daß ich schwere Enttäuschung und Kummer empfand, als ich, nachdem ich an der nächsten Ecke stehengeblieben war und mich in dem Gedränge der

Menschen umgeschaut hatte, entdecken mußte, daß ich ihn verloren hatte. Ich fand jedoch fast sofort einen Ersatz, nämlich ein großes, dickes Mädchen mit breiten Schultern, einem fetten Hintern und dicken, röhrenförmigen Beinen. Letztere endeten in einem Paar winziger Füße, die so ähnlich aussahen wie die Vorderfüße eines Schweins und in hochhackige Schuhe gezwängt waren. Sie war gerade beim Friseur gewesen, ihre Haare waren in einem modisch jungenhaften Stil gestutzt, eine Frisur, die an ihr grotesk wirkte. Ihr Genick, auf dessen Fettfalten sich die Haarstoppeln sträubten, hatte vom Trockner noch eine ärgerliche rote Färbung zurückbehalten, es schien um ihretwillen schamvoll zu erröten. Sie war so tapfer und traurig, wie sie da in ihren häßlichen Schuhen durch die Gegend trampelte; und ich glaube, ich wäre ihr den ganzen Tag gefolgt, wenn ich nicht nach einer Weile auch sie aus den Augen verloren hätte. Als nächstes knüpfte ich mir einen Mann mit einem riesigen, erdbeerförmigen Mal im Gesicht vor, dann folgte ich einer winzigen Frau, die einen winzigen Hund in einem Puppenwagen vor sich herschob, dann einem jungen Kerl, der mit dem starren Blick eines Visionärs energisch dahermarschierte, so als wäre er blind für jedermann, und dabei Arme schwenkend und knurrend mit sich selbst sprach. In einer belebten Fußgängerstraße war ich plötzlich von einer Bande Zigeunermädchen mit roten Haaren, Sommersprossen und außergewöhnlichen, glasgrünen Augen umringt. Sie schoben sich in trotzig flehentlicher Art gegen mich, zupften mich am Ärmel und jammerten. Es kam mir vor, als hätte sich ein Schwarm aufdringlicher, großer, weißer Vögel auf mich gestürzt. Als ich versuchte, sie wegzuscheuchen, schlug mir eine von ihnen den Hut vom Kopf, während eine andere mir geschickt die Plastiktüte mit der neuen Jacke aus der Hand riß. Dann liefen sie einander schubsend und lachend so schnell davon, daß ihre nackten roten Fersen nur so flogen. Ich lachte auch, hob meinen Hut vom Pflaster auf und ignorierte die Blicke der Vorbeigehenden, die meine Heiterkeit unpassend zu finden schienen. Das mit der Jacke war mir egal – tatsächlich stand ihr Verlust auf eine mysteriös passende Weise im Einklang mit dem Schicksal ihrer ausrangierten Vorgängerin – aber ich hätte gern gewußt, wo diese Mädchen hingehen würden. Ich stellte mir einen Schuppen aus Stoffetzen und Wellblechstücken vor, auf einem staubigen Fleck verkümmerten Bodens, mit einem halb verhungerten Hund und rotznäsigen Kleinkindern und einer über einen dampfenden Topf gekrümmten alten Hexe. Oder vielleicht wartete auch irgendwo ein Fagin auf sie, der im Dunkel eines verlassenen Mietshauses herumschleicht, wo das Licht des Sommers an den Fensterläden herabtastet, wo unter den hohen Decken die Staubwolken treiben und hinter der Täfelung die Klaue einer Ratte an der Stille kratzt, innehält, und wieder zu kratzen beginnt. So ging ich eine Weile glücklich daher und träumte mir immer andere Existenzen zusammen, bis ich einen bleichgesichtigen Riesen mit Gummibeinen entdeckte, der auf zwei Krücken vor mir herhumpelte; ihn verfolgte ich begeistert.

Was machte ich da eigentlich, warum folgte ich diesen Leuten, welche Erleuchtung versprach ich mir davon? Ich wußte es nicht, und es war mir egal. Ich war so verwirrt und glücklich wie ein Kind, dem man erlaubt hat, an einem Erwachsenenspiel teilzunehmen. Ich machte stundenlang damit weiter, ging kreuz und quer durch Straßen und Plätze mit der benommenen Beharrlichkeit eines Säufers, so als zeichnete ich für jemanden oben in der Luft ein riesiges, kompliziertes Zeichen auf das Gesicht der Stadt. Ich fand mich in Gegenden wieder, von deren Existenz ich keine Ahnung gehabt hatte; verwinkelte Gassen und weite verlassene Plätze, die sich ganz plötzlich öffneten; Straßen, die unter Eisenbahnbrücken ein abruptes Ende fanden und in denen sich die dort abgestellten Autos mit blitzenden, spielzeugfarbenen Dächern in der Sonne aalten. In einem Café mit Glaswänden, weißen Plastikstühlen und Aschenbechern aus Aluminiumfolie aß ich einen Hamburger. Die Leute darin saßen jeder für sich und nagten an ihrem Essen wie ängstliche, von ihren Eltern verlassene Kinder. Langsam erlosch das Tageslicht und ließ am Himmel das verlaufene Gitter eines rotgoldenen Sonnenuntergangs zurück, und als ich so daherging, da war es, als ginge ich unter der Oberfläche eines breiten, brennenden Flusses. Menschen, die für den Abend ausgingen, bevölkerten die Straßen, Mädchen in engen Hosen und hochhakkigen Schuhen und muskulöse Männer mit bedrohlichen Frisuren. In der heißen, dunstigen Dämmerung schienen die Straßen breiter und irgendwie zweidimensional zu sein; und die Autos durchschnitten das salzig grelle Licht so geschmeidig wie Delphine. Ich kam sehr spät zu Charlies Haus zurück, mit wehen Füßen, erhitzt und zerzaust und mit schiefsitzendem Hut, aber angefüllt mit dem mysteriösen Gefühl, etwas erreicht zu haben. Und in dieser Nacht träumte ich von meinem Vater. Er war eine Miniaturausgabe seiner selbst, ein verhutzeltes Kind mit Schnurrbart, in einen Matrosenanzug gekleidet, das verkniffene kleine Gesicht war geschrubbt und die Haare ordentlich gescheitelt, und an der Hand führte er eine große, dunkeläugige Matrone, die griechische Gewänder und einen Myrtenkranz trug und die mir mit einem irgendwie obszönen und verzeihenden Lächeln ins Gesicht blickte.

Ich habe einen harten Schlag erlitten. Mein Verteidiger war heute bei mir und hat eine ganz außerordentliche Neuigkeit berichtet. Für gewöhnlich genieße ich unsere kleinen Besprechungen, wenn auch auf eine eher schwermütige Art und Weise. Wir sitzen an einem viereckigen Tisch in einem kleinen, stickigen Raum ohne Fenster. Die Wände sind aktenschrankgrau gestrichen. Aus einer Neonröhre über unseren Köpfen senkt sich das Licht gleich feinkörnigem Nebel auf uns herab. Die Röhre gibt ein winziges, ununterbrochenes Summen von sich. Zunächst ist Maolseachlainn immer voller Energie, durchwühlt seine Tasche, kramt in seinen Papieren herum und brummelt vor sich hin. Er wirkt wie ein großer, besorgter Bär. Er bemüht sich immer, Sachen zu finden, über die er sich mit mir unterhalten kann, neue Aspekte des Falls, unbekannte Seiten des Gesetzes, die er ins Feld führen könnte, die Möglichkeit, daß wir vielleicht an einen uns wohlgesonnenen Richter geraten könnten und ähnliches Zeug. Er spricht zu schnell und stolpert über seine Worte, als wären sie Steine. Allmählich durchdringt ihn die Atmosphäre des Raumes wie Feuchtigkeit, und er verfällt in Schweigen. Er nimmt seine Brille ab, sitzt da und blinzelt mich an. Besonders liebenswert ist die Art, wie er seinen Nasenrücken zwischen zwei Fingern und Daumen zusammendrückt. Er tut mir leid. Ich glaube, daß er mich wirklich gern hat. Das verwirrt ihn, und ich vermute, daß es ihn auch beunruhigt. Er hat das Gefühl, daß er mich im Stich läßt, sobald er so energielos in sich zusammenfällt, aber in Wirklichkeit gibt es gar nichts mehr zu sagen. Wir wissen beide, daß ich lebenslänglich kriegen werde. Er kann meine Gelassenheit angesichts dieses Schicksals nicht verstehen. Ich erzähle ihm, daß ich mich entschlossen habe, ein Buddhist zu werden. Er lächelt vorsichtig; unsicher, ob es ein Witz sein soll. Ich unterhalte ihn mit Geschichten aus dem Gefängnisleben, denen ich ein wenig fleischliche Substanz gebe, indem ich Leute imitiere – meine Darstellung unseres Gefängnisdirektors ist sehr überzeugend. Wenn Maolseachlainn lacht, dann gibt es kein Geräusch, nur ein langsames Auf- und Abwogen der Schultern und ein blankes, gedehntes Grinsen.

Übrigens, was ist das doch für eine merkwürdige Formulierung: lebenslänglich. Worte bedeuten so selten das, was sie eigentlich bedeuten.

Heute sah ich sofort, daß er wegen irgend etwas aufgeregt war. Unaufhörlich zerrte er an seinem Hemdkragen herum, räusperte sich, nahm seine Brille ab und setzte sie sich wieder auf. Auch war der Blick in seinen Augen irgendwie schmierig. Er druckste herum und murmelte etwas über den Begriff der Gerechtigkeit und das Ermessen des Gerichts und anderen ähnlichen Schnickschnack, ich hörte ihm kaum zu. Er war so kummervoll und fühlte sich offensichtlich so unwohl, wie er da mit seinem fetten Hintern auf dem Gefängnisstuhl herumrutschte und überall hinschaute, außer auf mich, daß ich mir kaum das Lachen verbeißen konnte. Ich spitzte jedoch die Ohren, als er begann, etwas darüber zu nuscheln, daß ich mich ja möglicherweise doch schuldig bekennen könnte – und das nach all der Zeit und Mühe, die er zu Beginn darin investiert hatte, mich davon zu überzeugen, daß ich mich nicht schuldig bekennen sollte. Als ich ihn nun, wie ich zugeben muß, ziemlich scharf zur Rede stellte, wechselte er mit einem erschrockenen Blick sofort das Thema. Ich frage mich, was er wohl vorhat. Ich hätte mich dahinterklemmen und es aus ihm herausholen sollen. Als Ablenkungsmanöver tauchte er in seine Aktentasche und holte eine Kopie des Testaments meiner Mutter hervor. Ich hatte den Inhalt noch nicht erfahren und war, wie ich kaum zu bemerken brauche, sehr daran interessiert. Wie mir auffiel, fand Maolseachlainn dieses Thema kaum leichter als das vorherige. Er hüstelte häufig, runzelte die Stirn, las eine Menge Zeug über Geschenke und Verpflichtungen und kleinere Nachlassenschaften vor und brauchte eine lange Zeit, um zur Sache zu kommen. Ich kann es immer noch nicht fassen. Diese miese Ratte hat Coolgrange an dieses Stallmädchen, an Dingsbums, Joanne vererbt. Es ist ein wenig Geld für Daphne da, und für Vans Erziehung, aber für mich – nichts. Ich nehme an, daß ich nicht überrascht sein sollte, aber ich bin es. Ich war kein besonders guter Sohn, aber ich war der einzige, den sie hatte. Maolseachlainn betrachtete mich voller Mitgefühl. Es tut mir leid, sagte er. Ich lächelte und zuckte mit den Schultern, obwohl es mir nicht leicht fiel. Ich wünschte, er würde jetzt weggehen. Na ja, sagte ich, es ist schließlich verständlich, daß sie nach alledem ein neues Testament machen würde. Er sagte nichts. Ein merkwürdiges Schweigen entstand. Dann gab er mir fast liebevoll das Dokument, und ich schaute auf das Datum. Das Ding war sieben, fast acht Jahre alt. Sie hatte mich schon vor langer Zeit abgesägt, lange bevor ich zurückkommen sollte, um ihr und dem Familiennamen Schande zu machen. Ich erinnerte mich mit erschreckender Klarheit an die Art, wie sie mich an jenem Tag in der Küche in Coolgrange angeschaut hatte und hörte wieder dieses heiser gackernde Lachen. Nun, ich bin froh, daß sie ihren Witz genossen hat. Es ist ein guter Witz. Ich empfand überraschend wenig Bitterkeit. Ich lächle, obwohl es wahrscheinlich eher so aussieht, als verzerrte ich das Gesicht. Dies ist ihr Beitrag zu der langen Reihe von Lektionen, die ich zu lernen habe.

Maolseachlainn stand auf und nahm, wie immer, seinen herzlichsten Ton an, um dadurch die Erleichterung zu verbergen, die er darüber empfand, nun gehen zu können. Ich schaute ihm dabei zu, wie er sich in seinen marineblauen Mantel zwängte und sich seinen rotwollenen Schal um den Hals knotete. Manchmal entweicht seinen Kleidern ganz am Anfang seines Besuchs ein kaum wahrnehmbarer Hauch, ein winziger Bruchteil der Luft draußen, und ich schnüffle ihn mit verstohlenem Genuß in mich hinein, als sei er das kostbarste aller Parfüms. Wie ist es denn so, draußen? fragte ich jetzt. Er blieb stehen und blinzelte mich erschrocken an. Ich glaube, er dachte, daß ich ihn um ein allumfassendes Bild bat, so als hätte ich vergessen, wie es in der Welt aussah. Der Himmel, sagte ich, das Wetter. Sein Gesicht entspannte sich. Ach, sagte er, ziemlich grau, wissen Sie. Und sofort hatte ich ihn schmerzlich vor Augen, den Spätnachmittag im November, der matte Glanz auf den nassen Straßen, die Kinder, die von der Schule nach Hause schlendern; Krähen, die hoch oben gegen den Hintergrund zerklüfteter Wolkenmassen wirbelnd ihre Kreise ziehen, und das trübe Leuchten des Himmels über nackten, schwärzlichen Ästen. Das war die Zeit, die ich früher immer geliebt habe, die vom Wetter unbedachten Momente, wenn sich das gewaltige Getriebe der Welt einfach still für sich alleine dreht, so als gäbe es niemanden, dem es auffiele oder dem es irgendwie wichtig wäre. Und ich sehe mich selbst als Kind dort draußen, wie ich auf der nassen Straße entlang bummele, einen Stein vor mir herschieße und den gewaltigen Traum der Zukunft träume. Es gab da einen Pfad, an den ich mich noch gut erinnere; ein paar Kilometer von zu Hause entfernt ging er vom Weg ab und schnitt sich quer durch den Eichenwald, und ich wußte, daß er letztendlich nach Coolgrange führen mußte. Wie grün das Dunkel in jener Richtung zu sein schien, wie geheimnisvoll der Weg, wie rastlos die Stille. Jedesmal, wenn ich von der Kreuzung heraufkam und dort vorbeiging, sagte ich mir: nächstes Mal, nächstes Mal ganz bestimmt. Aber immer, wenn das nächste Mal kam, hatte ich es schrecklich eilig, oder es wurde dunkel, oder ich war einfach nicht in der Stimmung, neue Wege zu erkunden, und so blieb ich also auf der gewöhnlichen Strecke, die Straße entlang. Am Ende bin ich diesen versteckten Pfad nie gegangen, und nun ist es, natürlich, zu spät.

Ich habe in meinem Kopf ein wenig herumgerechnet – es lenkt meine Gedanken von anderen Dingen ab – und stelle zu meiner großen Überraschung fest, daß ich nicht länger als insgesamt zehn Tage in Charlies Haus verbracht habe, vom Tag der Sommersonnenwende, oder besser gesagt, der Nacht, bis zu dem letzten bedeutsamen Tag des Monats Juni. Das sind doch zehn, oder? Dreißig Tage hat der September, der April, der Juni – ja, es sind zehn. Oder sind es neun. Es sind auf jeden Fall neun Nächte. Aber wo endet der Tag und beginnt die Nacht, und umgekehrt? Und warum ist für mich die Nacht eine leichter zu quantifizierende Einheit als der Tag? In dieser Art von Überlegung bin ich noch nie gut gewesen. Je einfacher eine Rechnung ist, desto mehr verblüfft sie mich. Jedenfalls waren es mehr oder weniger zehn Tage, die ich bei Charlie French verbrachte, dessen Gastfreundschaft und Güte zu verraten nicht meine Absicht war. Es kommt mir länger vor als nur zehn Tage. Es schienen endlose Wochen zu sein. Ich war dort nicht unglücklich. Das heißt, ich war dort nicht unglücklicher, als ich es irgendwo sonst gewesen wäre. Unglücklich! Was für ein Wort! Während die Tage vergingen, wurde ich immer ruheloser. Meine Nerven waren zum Zerreißen gespannt, und in meinen Eingeweiden war ständig ein schmerzlicher Knoten. Ich erlitt plötzliche Anfälle von Ungeduld. Was machten sie bloß, warum in aller Welt kamen sie mich nicht holen? Insbesondere nahm ich den beiden Behrenses ihr Schweigen übel, ich war davon überzeugt, daß sie ein grausames Spiel mit mir trieben. Aber hinter all dieser Aufregung war die ganze Zeit ein beharrliches, dumpfes Gefühl der Müdigkeit. Ich war enttäuscht. Ich fühlte mich im Stich gelassen. Das Wenigste, was ich von den Ungeheuerlichkeiten, derer ich schuldig war, erwartet hatte, war, daß sie mein Leben ändern würden, daß sie Dinge in Gang setzen würden, egal wie schrecklich sie sein mochten; ich hatte erwartet, daß ein entsetzliches Ereignis das andere jagen würde, daß es eine nicht abreißende Folge von Ängsten, plötzlichen Schocks und Entkommen um Haaresbreite geben würde. Ich weiß nicht mehr, wie ich es schaffte, die Tage hinter mich zu bringen. Ich fuhr jeden Morgen mit einem qualvollen Schrecken aus dem Schlaf hoch, so als wäre ein Tropfen reinen, destillierten Schmerzes auf meine Stirn gefallen. Dieses große, alte Haus mit seinen Gerüchen und Spinnweben war erdrückend. Ich trank natürlich sehr viel, aber nicht genug, um mich bewußtlos zu machen. Ich versuchte verzweifelt, diese Bewußtlosigkeit zu erreichen, weiß Gott, ich habe mir den Fusel heruntergekippt, bis meine Lippen taub wurden und meine Knie sich kaum mehr beugen ließen, aber es hatte keinen Zweck, ich konnte mir selbst nicht entkommen. Mit der gespannten Erwartung eines Liebenden sah ich den Abenden entgegen, wenn ich meinen neuen Hut aufsetzen und meine neuen Kleider anziehen würde – meine neue Maske! –, um dann vorsichtig hinauszugehen, ein zitternder Dr. Jekyll, in dessen Innern jene andere, schreckliche Kreatur wütend an den Fesseln riß und nach Abenteuern lüstete. Ich hatte das Gefühl, daß ich niemals zuvor die alltägliche Welt um mich herum wirklich angesehen hatte, die Menschen, die Orte, die Gegenstände. Wie unschuldig es alles zu sein schien, unschuldig und dem Untergang geweiht. Wie kann ich das Gewirr von Gefühlen beschreiben, das auf mich eindrang, als ich die Straßen der Stadt durchstreifte, und meine abscheuliche Seele sich währenddessen an dem Klang und Aussehen des Gewöhnlichen sattfraß? Das Gefühl der Macht zum Beispiel, wie kann ich das verständlich machen? Es entsprang nicht dem, was ich getan hatte, sondern der Tatsache, daß ich es getan hatte, und *keiner wußte es.* Es war das Geheimnis an sich, *das* war es, was mich über die Dumpfäugigen stellte, unter denen ich mich bewegte, während der lange Tag verging, die Straßenbeleuchtung sich einschaltete und der Verkehr nach Hause glitt, wobei er in der dunkler werdenden Luft einen blauen Dunst zurückließ, ähnlich dem Rauch von Gewehren. Und dann war da diese unablässige, brennende Aufregung, wie ein Fieber im Blut, die zur Hälfte die Angst vor der Demaskierung und zur Hälfte die Sehnsucht danach war. Ich wußte, daß irgendwo, in diesem Augenblick, in Tagesräumen und verrauchten, schäbigen Büros gesichtslose Männer gewissenhaft das Beweismaterial gegen mich zusammenhäuften. Des Nachts dachte ich an sie, wenn ich in Mama Frenchs großem, klumpigen Bett lag. Es war merkwürdig, der Gegenstand so großer, sorgfältiger Aufmerksamkeit zu sein, merkwürdig und nicht unbedingt unerfreulich. Kommt Ihnen das pervers vor? Aber ich war ja jetzt in einem anderen Land, in dem die alten Regeln nicht mehr gültig waren.

Es war natürlich nicht leicht einzuschlafen. Ich denke, ich wollte nicht schlafen, aus Angst vor dem, was mir in meinen Träumen begegnen könnte. Bestenfalls schaffte ich ein oder zwei unruhige Stunden, in der Dunkelheit vor der Morgendämmerung, und wachte dann erschöpft wieder auf, mit Schmerzen in der Brust und brennenden Augen. Auch Charlie litt unter Schlaflosigkeit, ich hörte zu allen möglichen Stunden seinen knarrenden Schritt auf der Treppe, das Klappern der Teekanne in der Küche, das mühsame, krampfartige Plätschern, wenn er im Badezimmer seine Altmännerblase entleerte. Wir sahen sehr wenig voneinander. Das Haus war groß genug, daß wir beide zur gleichen Zeit da sein und doch das Gefühl dabei haben konnten, daß wir allein waren. Seit jener ersten, durchsoffenen Nacht war er mir aus dem Weg gegangen. Er schien keine Freunde zu haben. Niemals klingelte das Telefon, keiner kam zu Besuch. Deswegen war ich überrascht und auch furchtbar beunruhigt, als ich eines Abends ziemlich früh von meinen Streifzügen durch die Stadt zurückkehrte und feststellen mußte, daß drei große schwarze Autos auf der Straße geparkt waren und ein uniformierter Wächter in Gesellschaft von zwei aufmerksam umherschauenden Männern im Anorak an der Hafenmauer herumlungerte. Ich zwang mich, langsam an ihnen vorbeizugehen und den ehrlichen Bürger auf einem Feierabendspaziergang zu mimen, obwohl mein Herz hämmerte und meine Handflächen feucht waren. Dann floh ich hinter das Haus und betrat von dort das Grundstück. Auf halbem Weg durch den urwaldhaften Garten stolperte ich, fiel hin und riß meine linke Hand an einem verwilderten Rosenbusch auf. Ich kauerte mich in das hohe Gras und lauschte. Ein Geruch nach Lehm, nach Blättern, das Gefühl dickflüssigen Blutes an meiner verwundeten Hand. Das gelbe Licht im Küchenfenster verwandelte die Dämmerung hinter mir in zartestes Blau. Drinnen war eine unbekannte Frau in einer weißen Schürze, die sich am Herd zu schaffen machte. Als ich die Hintertür öffnete, drehte sie sich rasch um und kreischte kurz auf. Gütiger Gott, sagte sie, wer sind Sie denn? Sie war eine ältliche Person mit einer Hennaperücke, einem schlecht sitzenden Gebiß und einem zerstreuten Wesen. Wie wir gleich erfahren werden, hieß sie Madge. Sie sind alle oben, sagte sie, entließ mich damit und drehte sich wieder zu ihren Kochtöpfen.

Es waren fünf – oder sechs, wenn man Charlie mitzählt, obwohl es mir zunächst so vorkam, als wären es doppelt so viele. Sie waren in dem großen, kargen Wohnzimmer im ersten Stock, duckten und bückten sich gegeneinander wie nervöse Störche und schnatterten, als hinge ihr Leben davon ab. Hinter ihnen schimmerten die Lichter des Hafens, und gleich einem schweren Tuch schloß sich weit hinten am Himmel eine riesige, blaugraue Wolkenbank über dem letzten schwelenden Streifen des entflammten Sonnenuntergangs. Bei meinem Eintreten brach das Schnattern ab. Es befand sich nur eine Frau unter ihnen, sie war groß und dünn, hatte fuchsrotes Haar und ein Gesicht von außerordentlicher, grellweißer Farbe. Charlie, der mit dem Rücken zu mir stand, sah zunächst nur mein Spiegelbild in ihren sich drehenden Blicken. Er wandte sich sofort mit einem gequälten Lächeln um. Ah, sagte er, da bist du ja. Sein Haarschopf glänzte wie ein polierter Helm. Er hatte einen Schlips an. Nun, hörte ich mich in einem Ton fröhlicher Trotzigkeit zu ihm sagen, das hättest du mir ja auch sagen können! Meine Hände zitterten. Einen Moment lang herrschte ein unsicheres Schweigen, dann fing die Unterhaltung ziemlich abrupt wieder an. Die Frau fuhr fort, mich anzusehen. Ihre blasse Gesichtsfarbe, das lebhafte Haar und der lange, schlanke Hals gaben ihr ein permanent erschrecktes Aussehen, so als hätte sie vor einiger Zeit ein schockierendes Geheimnis erfahren und es nie ganz verarbeitet. Charlie hatte mit einer gemurmelten Entschuldigung seine zittrige alte Hand unter meinen Ellbogen gelegt und lotste mich sanft, aber bestimmt rückwärts aus dem Zimmer. Die Angst, die ich vor kurzem noch verspürt hatte, hatte sich in Ärger verwandelt. Ich hatte das Bedürfnis, ihn zu schlagen und eine Delle in diesen lächerlichen prätorianischen Haarhelm zu machen. Sag Madge, sagte er unterdessen, sag Madge, sie soll dir was zu essen geben, ich komme gleich zu dir runter. Er war so beunruhigt, daß ich dachte, er würde gleich anfangen zu heulen. Während ich nach unten ging, stand er auf der obersten Stufe und beobachtete mich, so als hätte er Angst, daß ich zurückgehuscht kommen könnte, sobald er mich aus den

Augen ließ. Erst als ich wohlbehalten das Ende der Treppe erreicht und mich in Richtung Küche aufgemacht hatte, ging er zurück ins Wohnzimmer und zu seinen Gästen.

Die Küche war voller Dampf, und Madge, deren Perücke schief saß, sah sogar noch erhitzter und abgespannter aus als eben. Dieses Haus, sagte sie bitter, ehrlich, ich sage Ihnen! Sie war, wie sie sich malerisch ausdrückte, Mr. Frenchs Gelegenheitsfrau und kam immer dann, wenn Einladungen zum Essen anstanden oder ähnliches. Wie interessant. Einladungen zum Essen. Na so was. Ich half ihr, indem ich den Wein öffnete, nahm mir selbst eine Flasche und setzte mich damit an den Küchentisch. Ich hatte sie gerade zur Hälfte ausgetrunken, als jemand so laut an der Eingangstür klopfte, daß mein Herz wieder zu hämmern begann. Ich ging in die Diele, aber Charlie donnerte bereits hastig die Treppen hinunter. Als er die Tür öffnete, konnte ich draußen zwei Anoraks sehen, die den Eintritt eines stämmigen Mannes und einer großen schlanken Frau beschirmten, welche hoheitsvoll in die Diele schritten. Ah, Max, sagte Charlie und ging mit unbeholfenem Eifer einen Schritt vor. Die Frau ignorierte er. Max reichte ihm kurz die Hand, zog diese dann rasch wieder zurück und strich sich damit über die tiefe, eigensinnige Stirn. Also wirklich, sagte er, du bist ganz schön weit draußen, ich dachte schon, wir würden nie ankommen. Sie gingen in Richtung Treppe, Charlie und Max zuerst, und die Frau kam hinter ihnen. Sie hatte ein häßliches blaues Kleid an und trug eine dreifache Perlenkette um den Hals. Sie schaute die Diele hinunter, fing meinen Blick auf und hielt ihn so lange fest, bis ich meine Augen abwandte. Madge war aus der Küche gekommen und lauerte hinter meiner Schulter. Da ist Seine Herrlichkeit, flüsterte sie spöttisch, samt seiner Ollen.

Ich wartete eine Weile, bis sie nach oben gegangen waren, und als Madge zu ihren Töpfen zurückkehrte, folgte ich ihnen und schlüpfte wieder ins Wohnzimmer. Charlie und Max und Mrs. Max standen an einem der Fenster und bewunderten die Aussicht, während die anderen herumtänzelten und gackerten und sich bemühten, nicht zu offensichtlich in ihre Richtung zu starren. Ich grapschte mir einen Armvoll Flaschen vom Kaminsims, ging zwischen ihnen hin und her und goß ihre Gläser wieder voll. Die Männer wirkten geschniegelt, eifrig und ziemlich unsicher; sie waren wie große Schuljungen in blauen Anzügen, die das erste Mal wie Erwachsene für einen Abend ausgehen. Die einzige Ausnahme bildete ein alter Kerl mit einer Nase wie eine Blutorange und lauter Flecken vorne auf seiner Weste, der ganz für sich allein ein wenig abseits stand, deprimiert und mit glasigem Blick. Die anderen schauten sorgfältig durch mich hindurch, er aber wurde sofort munter und war zu einem Plausch aufgelegt. Na, was denken Sie darüber, sagte er laut, werden wir gewinnen, eh, werden wir das? Ich hielt es für eine rhetorische Frage. Das werden wir, sagte ich entschieden und zwinkerte ihm zu. Er jedoch hob seine Augenbrauen, ging einen Schritt zurück und starrte mich zweifelnd an. Bei Gott, sagte er, ich weiß nicht, jetzt nicht mehr. Ich zuckte mit den Schultern und ging höflich nickend weiter. Charlie hatte mich entdeckt und setzte ein steifes, besorgtes Lächeln auf. Ich hatte einen Wodka, sagte Mrs. Max kühl, als ich ihr einen Gin anbot. Meine Aufmerksamkeit war auf ihren Mann gerichtet. Er hatte etwas Rohes, Struppiges an sich, so als sei er für lange Zeit einem erbarmungsloseren Licht und Wetter ausgesetzt gewesen, als es die anderen hier im Zimmer je erlebt hatten. Auch seine Bewegungen, die Art, wie er sich hielt, die langsame, bedächtige Art, in der er seinen Blick wandte oder seine Hand zur Stirn hob, all das bewies einen einzigartigen Charakter und wurde noch gewichtiger durch das Geschick, mit dem er seine Ausstrahlung einzusetzen wußte. Seine Stimme war langsam und guttural, und in seiner Art zu sprechen lag etwas Brutales, das beeindruckend und sogar auf seltsame Weise verführerisch war. Es war die Stimme eines Mannes, der sich unaufhaltsam durch einen Wald voll kleiner Hindernisse schlägt. Ich stellte ihn mir vor, wie er unbekümmert Dinge am Boden zermalmte, Blumen oder Schnecken oder die Füße seiner Feinde. Nun Charlie, sagte er gerade, kaufst du immer noch billig ein und verkaufst es dann teuer? Charlie wurde rot und warf mir einen kurzen Blick zu. So ist's recht, sagte Mrs. Max, bring du nur alle in Verlegenheit. Sie sprach laut, mit träger Betonung und schaute ihn nicht an. Es war, als werfe sie ihre Bemerkung an seiner Schulter vorbei einem hämisch grinsenden Verbündeten zu, der dort stand und zuhörte. Er schaute sie genausowenig an, es hätte ebensogut eine körperlose Stimme sein können, die gesprochen hatte. Er lachte rauh. Hast du die Sache mit den holländischen Bildern für mich erledigt? fragte er. Charlie grinste verzweifelt und schüttelte stumm den Kopf. Sein linkes Augenlid fing an zu flattern, als wäre darunter plötzlich eine Motte zum Leben erwacht. Ich bot ihm die Whiskeyflasche an, aber er legte schnell eine Hand über sein Glas. Auch Max winkte mir ab. Die Frau mit dem fuchsigen Haar kam von hinten an mich heran. Ihre Hand, sagte sie, Sie haben sich geschnitten. Für einen Moment standen wir alle schweigend da, Max und seine Frau, Charlie, Foxy und ich, und betrachteten den perligen Kratzer quer über meine Knöchel. Ja, sagte ich, ich bin über einen Rosenbusch gefallen. Ich lachte. Die halbe Flasche Wein war mir sofort in den Kopf gestiegen. Charlie trat verstohlen von einem Fuß auf den anderen, ich nehme an, er hatte Angst, ich könnte jeden Moment etwas Entsetzliches tun. Zum ersten Mal fiel mir auf, wieviel Furcht ich ihm einjagte. Armer Charlie. Eine hell erleuchtete Yacht glitt lautlos durch den tiefschwarzen Hafen. Herrliche Aussicht, sagte Max mit grimmiger Miene.

Im Eßzimmer schaute die ausgestopfte Eule aus ihrer Glasglocke mit einem Ausdruck von Überraschung und ziemlicher Bestürzung auf die Gesellschaft. Mittlerweile befand sich Patch, ich meine, Madge, in einem Zustand der Panik. Ich trug die Teller und Schüsseln für sie herein und knallte sie mit dem extravaganten Schwung eines Kellners auf den Tisch. Ich muß zugeben, daß mir das Ganze Spaß machte. Ich war ganz ausgelassen und floß regelrecht über vor manischer Vergnügtheit, wie ein Kind in einem Verkleidungsspiel. Ich schien mich wie unter einem magischen Bann zu bewegen, ich weiß nicht, wie es zuging, aber für eine Weile, für die ein oder zwei Stunden, in denen ich mich als Charlies Faktotum ausgab, war ich von mir selbst und den Schrecken, die mich tagelang unerbittlich verfolgt hatten, befreit. Ich erfand während dieser Zeit sogar eine Geschichte für mich, das heißt, ich – wie soll ich es ausdrücken – ich nahm ein Wesen an, das nicht das meine war und das trotzdem, selbst für mich, nicht weniger authentisch, oder jedenfalls plausibel schien als mein wahres Selbst. (Mein wahres Selbst!) Ich wurde Frederick der Unentbehrliche, Mr. Frenchs berühmter Diener, ohne den dieser verkrustete und reiche alte Junggeselle nicht zu überleben imstande wäre. Er hatte mich aus unerfreulichen Umständen gerettet, als ich noch ein junger Mann war – sagen wir mal, ich war Barkeeper in irgendeiner schäbigen Kneipe unten in der Stadt – und nun war ich ihm völlig ergeben und auf eine fast grimmige Art loyal. Ich tyrannisierte ihn natürlich auch und konnte ein wahrer Schrecken sein, wenn er Besuch bekam. (Eifersucht? Bekannte stellten manchmal, wenn sie unter sich waren, dahingehende Vermutungen auf, aber nein, entschieden sie dann, Charlie neigte nicht in diese Richtung, erinnert ihr euch nicht an diese pferdegesichtige Frau unten auf dem Land, die große unglückliche Liebe seines Lebens?) Wirklich, wir waren wie Vater und Sohn, außer daß kein Sohn so absolut treu und kein Vater so nachsichtig mit meinen kleinen Eigenheiten wäre. Manchmal war es schwer festzustellen, wer der Herr und wer der Diener war. Heute abend zum Beispiel, als der Hauptgang vorbei war, setzte ich mich zwischen die Gäste und goß mir ein Glas Wein ein, als sei das die natürlichste Sache der Welt. Ein Schweigen senkte sich herab, und Charlie verzog das Gesicht, rollte Brotkrumen auf dem Tischtuch hin und her und tat so, als dächte er an etwas anderes. Max starrte indessen böse aus dem Fenster auf die Lichter des Hafens, während um ihn herum seine Spießgesellen hin- und herzappelten und einander nervös anglotzten. Schließlich nahm ich mein Glas, stand auf und sagte, Nun! Ich denke, wir Damen ziehen uns jetzt besser zurück, und dann stolzierte ich aus dem Zimmer. In der Diele lehnte ich mich gegen die Wand und lachte. Immerhin, meine Hände zitterten. Ich nehme an, das war das Lampenfieber. Was für ein Schauspieler ist doch an mir verlorengegangen!

Und nun, was mache ich jetzt?

Ich ging nach oben in das Wohnzimmer. Nein, ich ging in die Küche. Madge: Perücke, falsche Zähne, weiße Schürze, das hatten wir alles schon. Wieder nach draußen. In der Diele fand ich Foxy. Sie war aus dem Eßzimmer heraus geschlendert. Unter der Treppe war ein dunkles Örtchen, dort trafen wir uns. Ich konnte im Dunkeln ihr Gesicht sehen, ihre Augen, die mich so ernst und ängstlich beobachteten. Warum bist du traurig? fragte ich, und einen Moment lang wußte sie nicht, was sie mit ihren Händen tun sollte; tat sie dann jedoch hinter ihren Rücken, beugte ein Knie und wiegte sich kurz in den Schultern und Hüften, wie ein Schulmädchen, das die Kokette spielt. Wer sagt, daß ich traurig bin? sagte sie, ich bin nicht traurig. Dabei wirkte sie so, als würde sie jeden Moment anfangen zu weinen. Sah sie es in meinem Innern, den Schrecken und die Scham, hatte sie es von Anfang an gesehen? Denn sie hatte nach mir gesucht, das wußte ich. Ich griff hinter sie und öffnete eine Tür und wir traten plötzlich auf nackte Dielen in einem leeren Zimmer. Es hing ein trockener Geruch nach Zwiebeln in der Luft; das war der Geruch einer bestimmten Dachkammer in Coolgrange. Ein Parallelogramm aus Mondlicht stand wie ein zerbrochener Spiegel gegen die Wand gelehnt. Ich hatte immer noch diese verdammten Teller in der Hand. Ich stellte sie auf den Boden vor unsere Füße, und während ich mich noch bückte, berührte sie meine Schulter und sagte etwas, das ich nicht verstand. Sie lachte leise und ihr Lachen klang überrascht, so als hätte sie den Klang ihrer eigenen Stimme nicht erwartet. Nichts, sagte sie, es ist nichts. Sie bebte in meinen Armen. Und dann bestand sie nur noch aus Zähnen, Atem, klammernden Fingern. Sie hielt meinen Kopf zwischen ihren Händen, als wollte sie ihn zerdrücken. Ihre Schuhe hatte sie abgeworfen, sie fielen mit lautem Gepolter zu Boden. Sie hatte einen Fuß hinter sich gehoben und preßte ihn gegen die Tür, preßte und preßte. Ihre Schenkel waren kalt. Sie weinte, ihre Tränen fielen auf meine Hände. Ich biß sie in den Hals. Wir waren wie – ich weiß es nicht. Wir waren wie zwei Boten, die sich im Dunkeln treffen, um ihre furchtbaren Nachrichten auszutauschen. O Gott, sagte sie, o Gott. Sie lehnte ihren Kopf gegen meine Schulter. Unsere Hände waren vollgeschmiert von einander. Das Zimmer kehrte zurück, das Mondlicht, der Geruch nach Zwiebeln. Nichts denken außer: ihr weißes Gesicht, ihr Haar. Vergib mir, sagte ich. Ich weiß nicht, warum ich lachte. Es war ohnehin kein wirkliches Lachen.

Wie friedlich die Tage nun sind, hier in der Sackgasse des Jahres. Wenn ich so in der Feste dieses grauen Raumes sitze, dann stelle ich mir manchmal vor, daß ich völlig allein bin, daß es um mich herum meilenweit keinen einzigen Menschen gibt. Es ist so, als säße ich in dem tiefen Frachtraum eines großen, grauen Schiffes. Die Luft ist schwer und bewegungslos, sie drückt auf meine Ohren, meine Augen und auf meine Schädeldecke. Endlich wurde ein Verhandlungstermin festgesetzt. Ich weiß, das sollte dazu führen, daß ich meine Gedanken konzentriere, das sollte mir etwas geben, auf das ich hinleben kann, das mich aufgeregt macht oder ängstlich und so weiter, aber das tut es nicht. Etwas ist mit meinem Zeitgefühl passiert, ich denke jetzt in Äonen. Die Tage, die Wochen dieses banalen kleinen Dramas im Gerichtssaal werde ich nicht mehr als einen Nadelstich empfinden. Ich bin ein Lebenslänglicher geworden.

Heute hat Maolseachlainn erneut das Thema aufgebracht, wie ich mich bekennen soll, schuldig oder nicht. Ich ließ ihn für eine Weile weiterfaseln, dann hatte ich genug und sagte ihm, daß ich auf seine Dienste verzichten würde, wenn er nicht bald zur Sache käme und mir sagte, was er sich denn nun eigentlich gedacht habe. Dar war nicht ganz aufrichtig von mir, denn seit seinem letzten Besuch war mir natürlich klar geworden, daß er auf die Möglichkeit einer Vereinbarung anspielte – aus den Gesprächen, die ich hier drin hatte, habe ich erfahren, daß kaum ein Urteilsspruch gefällt wird, der nicht vorher zwischen den Anwälten und dem Gericht abgesprochen worden ist. Ich war neugierig zu wissen, was das Gericht von mir wollen könnte. Als ich nun den armen Mac dabei betrachtete, wie er sich schwitzend wand, dachte ich, ich hätte es gefunden: Charlie, natürlich, sie wollten versuchen, so viel wie möglich von Charlies Ruf zu retten. (Wie konnte ich mir bloß einbilden, daß sie sich auch nur einen feuchten Dreck um Charlie oder dessen Ruf kehrten?) Ich würde alles für ihn tun, was ich konnte, das war selbstverständlich, auch wenn es mir jetzt ein bißchen spät dafür vorkam. Also gut, Mac, sagte ich und hielt eine Hand hoch, ich werde mich schuldig bekennen – und was dann? Er sah mich über den Rand seiner Brille an. Dann wird es eine Verhandlung, die nur aus einer Eröffnung und einem Schluß besteht, nicht wahr? sagte er. Erst allmählich wurde mir klar, daß das geistreich wirken sollte. Er setzte ein trauriges Grinsen auf. Was er damit meinte war, daß man die Verhandlung eröffnen würde, ich würde die Anklage, so wie sie erhoben war, bestreiten, mich des Totschlags schuldig bekennen, der Richter würde das Urteil fällen und dabei als Gegenleistung für meine Kooperation ein wenig davon abknapsen, und dann wäre, Hokuspokus, das Ganze vorbei, die Verhandlung wäre zu Ende, der Fall abgeschlossen. Er könne nichts garantieren, sagte Mac, aber er habe seinem Klienten gegenüber die Verpflichtung, das im Rahmen des Gesetzes bestmögliche Urteil zu erzielen. Er ist ganz reizend, wenn er so hochtrabend wird wie eben jetzt. Und was haben wir davon, fragte ich, worin besteht der Trick dabei? Er zuckte mit den Schultern. Der Trick ist, daß es keine Aussagen vor Gericht geben wird. Ganz einfach. Einen Moment lang schwiegen wir. Und wird das funktionieren, wird ihn das retten? fragte ich. Er verzog verwirrt das Gesicht, und sofort sah ich, daß ich mich geirrt hatte, daß Charlie und seine Blamage hier nicht zur Debatte standen. Ich lachte. Ich habe es schon einmal gesagt, manchmal glaube ich, daß ich hoffnungslos naiv bin. Maolseachlainn schaute über seine Schulter hinter sich das hat er getan, ehrlich, er hat's getan – und lehnte sich dann verschwörerisch über den Tisch. Keiner macht sich Gedanken über Charlie French, sagte er, über *ihn* macht sich keiner Gedanken.

Euer Ehren, mir gefällt das nicht, mir gefällt das ganz und gar nicht. Ich werde mich schuldig bekennen, natürlich – habe ich das nicht schon die ganze Zeit getan? – aber es gefällt mir nicht, daß ich keine Aussage machen darf, nein, das gefällt mir überhaupt nicht. Es ist nicht fair. Selbst für einen gemeinen Hund wie mich muß doch einmal der Tag kommen. Ich habe mich immer im Zeugenstand stehen sehen, gelassen, leger gekleidet, wie ich geradeaus vor mich in den Saal schaue, so wie es den Zeitungen gefällt. Und dann kommt jene gebieterische Stimme und erzählt die Sache aus meiner Sicht, mit meinen eigenen Worten. Nun soll mir mein dramatischer Auftritt vorenthalten werden, sicherlich der letzte dieser Art, den ich in diesem Leben haben werde. Nein, das ist nicht recht.

Sehen Sie, Tatsache ist, daß ich mich kaum an diesen Abend bei Charlie French erinnere. Das heißt, ich erinnere mich an den Abend, aber nicht an die Leute, jedenfalls ohne jede Deutlichkeit. Viel lebhafter sehe ich die Lichter auf dem Wasser draußen vor mir, den letzten Streifen des Sonnenuntergangs und die dunkle Wolkenbank, lebhafter als die Gesichter dieser strammen, knabenhaften Männer. Selbst Max Molyneaux ist in meiner Erinnerung nicht viel mehr als ein teurer Anzug und eine gewisse gepflegte Brutalität. Was bedeuten er und seinesgleichen mir denn schon, verdammt nochmal! Sollen sie doch ihren Ruf behalten, es bedeutet mir gar nichts, so oder so, ich bin nicht daran interessiert, einen Skandal ins Rollen zu bringen. Der Abend zog in einer Art glasigen Verschwommenheit an mir vorbei, wie so vieles in jenen zehn Tagen. Ja, selbst die arme Foxy bedeutete mir in meinem verzweifelten Zustand kaum mehr als etwas aus einem feuchten Traum. Nein, Moment, ich nehme das zurück. Sie mögen noch so sehr in johlendes Gelächter ausbrechen, die Leute auf den Galerien, ich erklärte hiermit, daß ich mich sehr deutlich an sie erinnere, voller Mitleid und Zärtlichkeit. Sie ist die letzte Frau, mit der ich geschlafen, mit der ich die Liebe geteilt habe, und sie wird wahrscheinlich auch die letzte bleiben. Liebe? Kann ich es denn so nennen? Wie sonst kann ich es nennen. Sie vertraute mir. Sie roch das Blut und das Entsetzen und schreckte nicht zurück, sondern öffnete sich wie eine Blume und ließ mich in ihrem Schoß ein wenig ruhen, mich und mein bebendes Herz, während wir unsere wortlosen Geheimnisse austauschten. Ja, ich erinnere mich an sie. Ich fiel, und sie fing mich auf, mein Gretchen.

In Wirklichkeit hieß sie Marian. Nicht, daß es irgendwie wichtig wäre.

Sie blieben sehr lange, alle außer Mrs. Max, die direkt nach dem Essen ging. Ich schaute zu, als sie wegfuhr, sie saß sehr aufrecht hinten in einer der schwarzen Limousinen, einem ziemlich mitgenommenen Nefertiti. Max und seine Kumpel gingen wieder nach oben und zechten, bis die Dämmerung heranbrach. Ich verbrachte die Nacht in der Küche und spielte Karten mit Madge. Wo war Marian? Ich weiß es nicht – wie gewöhnlich war ich nach einer Weile sternhagelvoll. Unser Moment war ohnehin vorbei, wenn wir uns jetzt getroffen hätten, wären wir nur verlegen geworden. Und doch glaube ich, daß ich gegangen bin, um nach ihr zu suchen, denn ich erinnere mich daran, daß ich oben in den Schlafzimmern herumgetappt und im Dunkeln wiederholt über Sachen gefallen bin. Ich erinnere mich auch daran, daß ich an einem weit geöffneten Fenster stand, ganz hoch oben, und auf Klänge von Musik draußen in der Luft lauschte, ein geheimnisvolles Trompeten und Trillern, das sich zu bewegen, zu verklingen schien, so als breche eine lärmende Kavalkade auf in die Nacht. Ich nehme an, es kam von irgendeinem Tanzsaal, oder einem Nachtclub unten am Hafen. In meiner Vorstellung jedoch ist es der Lärm Gottes und seines Gefolges, die mir den Rücken kehrten.

Am nächsten Tag schlug das Wetter um. Als mein dicker Kopf und ich am späten Morgen aufstanden, schien die Sonne fröhlich und herzlos, wie sie es schon die ganze Woche getan hatte, und die Häuser an der Küste schimmerten in einem blaßblauen Dunst, als sei dort der Himmel irgendwie zerbröckelt, in lauter einzelne Striche und Figuren aus Luft. Ich stand in meiner Unterhose am Fenster, kratzte mich und gähnte. Es fiel mir auf, daß ich mich fast an diese merkwürdige Art zu leben gewöhnt hatte. Es war, als paßte ich mich nach der ersten Phase der Ängste und Fieberanfälle einer Krankheit an. Eine Kirchenglocke läutete. Sonntag. Schon waren die Spaziergänger unterwegs, mit ihren Hunden und Kindern. Auf der anderen Seite der Straße, an der Hafenmauer, stand ein Mann in einem Regenmantel, hatte die Hände hinter dem Rücken verschränkt und schaute auf das Meer hinaus. Ich konnte unten Stimmen hören. Madge war in der Küche und spülte das Geschirr vom Vorabend. Sie warf mir einen seltsamen Blick zu. Ich hatte Charlies Morgenmantel an. Ich frage mich, wie es kommt, daß ich ihn da nicht gehört habe, diesen neuen, grüblerischen Klang in ihrer Stimme, der mich hätte warnen sollen. Sie hatte sich an diesem Morgen eine Helferin mitgebracht, ihre Nichte, ein etwas beschränkt aussehendes, ungefähr zwölf Jahre altes Kind mit – ach was, was bedeutet es schon, was sie hatte, wie sie war. All diese unwichtigen Zeugen, von denen man nun niemanden mehr aufrufen wird. Ich saß am Tisch, trank meinen Tee und schaute ihnen bei der Arbeit zu. Ich konnte sehen, daß das Kind Angst vor mir hatte. Grrrr – ich bin der böse Wolf! Er ist nach draußen gegangen, sagte Madge, ihre

Arme tief ins Seifenwasser getaucht, Mr. French, er ging raus, als ich reinkam. Ihr Ton war unerklärlicherweise anklagend, so als wäre Charlie meinetwegen aus dem Haus geflohen. Aber eigentlich war er das ja auch.

Am Nachmittag türmte sich am Horizont eine riesige Wolke auf, so grau und körnig wie Schlick in einem leeren Flußbett, und das Meer schäumte; ein schwärzliches Blau mit weißen Tupfern. Ich schaute einem wallenden Regenvorhang zu, der langsam von Osten her heranfegte. Der Mann an der Hafenmauer knöpfte seinen Regenmantel zu. Die sonntäglichen Spaziergänger waren schon lange verschwunden, aber er, *er* war noch immer da.

Seltsam, wie ich mich fühlte, jetzt, wo es endlich so weit gekommen war. Ich hatte Entsetzen, Panik, kalten Schweiß, Schüttelfrost erwartet, aber nichts davon stellte sich ein. Statt dessen erfaßte mich eine wilde Euphorie. Ich schritt durch das Haus wie der betrunkene Kapitän eines vom Sturm hin- und hergeworfenen Schiffes. Alle möglichen verrückten Ideen schossen mir durch den Kopf. Ich würde Madge und ihre Nichte als Geiseln nehmen und sie für einen Hubschrauber in die Freiheit einhandeln. Ich würde warten, bis Charlie zurückkam und ihn als menschlichen Schild benutzen, ihn mit einem Messer an der Kehle vor mir herschieben – ich ging sogar in die Küche hinunter, um zu diesem Zweck eine geeignete Klinge zu suchen. Madge war mit dem Spülen fertig geworden und saß mit einer Kanne Tee und der Sonntagszeitung am Küchentisch. Sie beobachtete mich ängstlich dabei, wie ich in der Besteckschublade herumwühlte. Sie fragte mich, ob ich mein Mittagessen haben wollte, oder ob ich auf Mr. French warten würde. Ich lachte wild. Mittagessen! Auch die Nichte lachte, ein kleines papageienhaftes Kreischen, bei dem sich ihre Oberlippe kräuselte und ein kleines Stück weißlich schimmerndes Zahnfleisches entblößte. Als ich sie anschaute, schloß sie abrupt ihren Mund, es war, als wäre eine Jalousie heruntergerasselt. Jacintha, sagte Madge in scharfem Ton zu ihr, geh nach Hause! Bleib, wo du bist! schrie ich. Sie zuckten beide zusammen, Jacinthas Kinn bebte, und ihre Augen füllten sich mit Tränen. Ich gab die Suche nach dem Messer auf und stürzte wieder die Treppe hinauf. Der Mann im Regenmantel war verschwunden. Ich stieß einen tiefen Atemzug der Erleichterung aus, so als hätte ich die ganze Zeit den Atem angehalten, und sank gegen den Fensterrahmen. Der Regen strömte herab, große Tropfen tanzten auf der Straße und brachten die Wasseroberfläche im Hafen zum Brodeln. Ich hörte, wie die Eingangstür geöffnet und wieder zugeknallt wurde, und unten erschienen Madge und das Mädchen und huschten mit über die Köpfe gezogenen Mänteln die Straße hinauf davon. Ich lachte, als ich sie so davonlaufen sah, das Kind sprang über die Pfützen und Madge wälzte sich hinter ihr her. Dann entdeckte ich das Auto, das ein kleines Stück die Straße hinauf auf der anderen Seite geparkt war, mit zwei verschwommenen, großen, bewegungslosen Gestalten auf den Vordersitzen, deren Gesichter hinter der wasserüberströmten Windschutzscheibe undeutlich schimmerten.

Ich saß in einem Stuhl im Wohnzimmer und starrte vor mich hin, meine Hände hatten die Armlehnen umklammert, und meine Füße standen parallel nebeneinander auf dem Boden. Ich weiß nicht, wie lang ich so sitzen blieb, in jenem schillernden, grauen Ort. Es kommt mir vor, als seien Stunden vergangen, aber das kann unmöglich stimmen. Von letzter Nacht hing noch der Geruch nach Zigaretten und abgestandenem Alkohol in der Luft. Der Regen machte ein beruhigendes Geräusch. Ich versank in eine Art Trance, einen Wachschlaf. Ich sah mich selbst als Kind, wie ich über einen bewaldeten Hügel in der Nähe von Coolgrange ging. Ich glaube, es war im März, einer jener stürmischen Tage wie aus einem niederländischen Gemälde, mit porzellanblauem Himmel und durcheinanderwirbelnden glühenden Wolken. Über meinem Kopf wiegten sich ächzend die Bäume im Wind. Plötzlich gab es ein kurzes, gewaltiges Rauschen, die Luft verdunkelte sich, und es schien, als krachte der riesige Flügel eines Vogels neben mir zu Boden und schlüge peitschend um sich. Ein Ast war herabgefallen. Ich war nicht verletzt, konnte mich jedoch nicht bewegen, stand nur wie betäubt und völlig entgeistert da und zitterte. Die Schnelligkeit und Gewalt dieses Vorgangs jagte mir Entsetzen ein. Ich empfand nicht etwa Angst, sondern einen tiefen Schock darüber, wie wenig meine Gegenwart gezählt hatte. Genausogut hätte ich ein Stäubchen in der Luft sein können. Boden, Ast, Wind, Himmel, Welt, all das waren die präzisen und notwendigen Bestandteile des Ereignisses. Nur ich war fehl am Platz, nur ich spielte keine Rolle. Die Dinge um mich herum machten sich nichts aus meinem Schicksal. Wenn ich erschlagen worden wäre, dann wäre ich dort niedergefallen, mit dem Gesicht in das tote Laub, und der Tag wäre so weitergegangen wie vorher, als sei nichts passiert. Das, was passiert wäre, wäre ja wirklich nichts gewesen, jedenfalls nichts Besonderes. Die Umgebung hätte sich dem neuen Sachverhalt angepaßt. Ein paar kleine Tiere hätten sich unter mir hervorwinden müssen. Eine verirrte Ameise hätte vielleicht das blutige Innere meiner Ohrmuschel erkundet. Aber das Licht wäre dasselbe geblieben, und der Wind hätte genauso geweht wie zuvor, und das Rad der Zeit hätte sich weiter gedreht, ohne auch nur einen Moment innezuhalten. Ich stand starr vor Staunen. Nie habe ich diesen Moment vergessen. Und nun stand der Sturz eines anderen Astes kurz bevor, ich konnte dasselbe Rauschen über meinem Kopf hören, konnte spüren, wie sich derselbe dunkle Flügel auf mich herabsenkte.

Das Telefon klingelte mit einem Geräusch wie zerbrechendes Glas. Aus der Leitung klang mir ein turbulentes Brausen und Knistern entgegen. Jemand schien nach Charlie zu fragen. Nein, rief ich, nein, er ist nicht da! und warf den Hörer auf die Gabel. Fast sofort begann das Ding wieder schrill zu läuten. Warte, warte, häng nicht auf, sagte eine Stimme, hier *ist* Charlie! Ich lachte natürlich. Ich bin ein Stück die Straße runter, sagte er, nicht weit von dir. Ich lachte immer noch. Dann entstand ein Schweigen. Die Kriminalpolizei ist hier, Freddie, sagte er, sie möchten mit dir reden, es hat da wohl ein Mißverständnis gegeben. Ich schloß die Augen. Es wurde mir klar, daß ein Teil von mir gegen alle Hoffnung immer noch gehofft hatte und nicht hatte glauben wollen, daß das Spiel aus war. Das Summen in der Leitung schien die direkte klangliche Äußerung von Charlies Besorgnis und Verlegenheit zu sein. Charlie, sagte ich, Charlie, Charlie, warum versteckst du dich in einer Telefonzelle, was glaubst du denn, was ich mit dir tun werde? Ich hängte auf, bevor er antworten konnte.

Ich hatte Hunger. Ich ging hinunter in die Küche, machte mir ein gewaltiges Omelett, verschlang einen halben Laib Brot und trank einen Liter Milch. Ich saß zusammengekauert am Tisch, hatte meine Ellbogen auf beiden Seiten des Tellers aufgepflanzt, ließ meinen Kopf hängen und stopfte das Essen mit animalischer Gleichgültigkeit in mich hinein. Der Regen draußen tauchte den Raum in Dämmerlicht. Ich hörte Charlie, sobald er das Haus betrat, er war noch nie sehr gut darin gewesen, sich seinen Weg durch das Mobiliar seines Lebens zu bahnen. Er steckte seinen Kopf zur Küchentür herein und versuchte ein Lächeln, ohne viel Erfolg. Ich wies auf einen Stuhl mir gegenüber, und er setzte sich vorsichtig hin. Ich hatte begonnen, mich über die kalten Reste der Salzkartoffeln vom Vorabend herzumachen. Ein wahrer Heißhunger hatte mich erfaßt, und ich konnte nicht genug zu essen kriegen. Charles, sagte ich, du siehst furchtbar aus. Es stimmte. Er wirkte grau und zusammengeschrumpft und hatte dunkle Höhlen unter den Augen. Der Kragen seines Hemdes war zugeknöpft, obwohl er keine Krawatte trug. Er strich sich mit einer Hand an der Wange herab, und ich hörte das Kratzen der Bartstoppeln. Er sei früh aufgestanden, sagte er, sie hatten ihn aufgeweckt und gebeten, mit auf die Station zu kommen. Eine Sekunde lang verstand ich ihn nicht, ich dachte, er meinte die Bahnstation. Er schaute beharrlich auf meinen Teller und auf den daraufgehäuften Kartoffelmatsch. Etwas war mit der uns umgebenden Stille passiert. Ich merkte, daß der Regen aufgehört hatte. Um Gottes Willen, Freddie, sagte er leise, was hast du getan? Er schien mehr verwirrt zu sein als schockiert. Ich holte mir eine zweite halbvolle Flasche Milch aus den Tiefen des Kühlschranks. Erinnerst du dich an diese Essen, Charlie, sagte ich, die du mir spendiert hast, im Jammet's, oder im Paradieso? Er zuckte mit den Achseln. Es war nicht ganz deutlich, ob er überhaupt zuhörte. Die Milch war sauer. Ich trank sie trotzdem. Ich habe sie sehr genossen, diese Treffen mit dir, weißt du, selbst wenn ich es nicht immer gezeigt habe, sagte ich. Ich verzog das Gesicht. Etwas stimmte nicht, war ganz falsch, so verdorben wie die Milch. Wenn ich die Unwahrheit sage, gibt das meiner Stimme immer einen merkwürdig dumpfen Tonfall, ein mattes Plärren, das ganz hinten aus dem Hals kommt. Und warum hatte ich eine uralte, unwichtige Lüge wiederauferstehen lassen? Wollte ich mich nur lieb Kind machen, ein wenig für das große Turnier üben, das mir bevorstand? Nein, das ist zu hart ausgedrückt. Es war ein Versuch, mich zu entschuldigen, ich meine ganz allgemein, und wie hätte ich das tun sollen, ohne zu lügen? Er sah so alt aus, wie er da so zusammengesunken am Tisch saß. Sein Kopf hing an dem sehnigen Hals herab, sein Mund war auf einer Seite ganz heruntergezogen, und er starrte mit trüben Augen vor sich hin. Ach verdammt, Charlie, sagte ich. Es tut mir leid.

War es Zufall, daß sich der Polizist gerade diesen Moment für sein Handeln aussuchte, oder hatte er an der Tür gelauscht? In Filmen wartet der Typ mit der Pistole, wie mir aufgefallen ist, immer im Flur, mit funkelnden Augen, den Rücken an die Wand gepreßt, bis die Leute drinnen ausgeredet haben. Und dieser hier war, wie ich vermute, ein eifriger Schüler des Kinos. Er hatte ein scharfgeschnittenes Gesicht, strähniges schwarzes Haar und trug eine gepolsterte Armeejacke. Die Maschinenpistole, die er in der Hand hielt, war ein stumpfes, klobiges Modell mit ziemlich kurzem Lauf und sah einem Spielzeug bemerkenswert ähnlich. Von uns dreien schien er derjenige zu sein, der am meisten überrascht war. Ich konnte nicht umhin, die geschickte Art zu bewundern, in der er die Hintertür eingetreten hatte. Sie hing zitternd in den Angeln, und der abgebrochene Riegel pendelte wie die Zunge eines hechelnden Hundes hin und her. Charlie stand auf. Es ist schon in Ordnung, Wachtmeister, sagte er. Der Polizist kam zur Tür herein. Er starrte mich haßerfüllt an. Sie sind verhaftet, hören Sie, verhaftet, Sie Scheißkerl! sagte er. Hinter ihm im Garten kam plötzlich die Sonne hervor, und alles glänzte und glitzerte vor Nässe.

Andere Polizisten kamen durch die Vordertür herein, es schien eine große Menge von ihnen da zu sein, tatsächlich waren es jedoch nur vier. Einer von ihnen war der Typ, den ich an diesem Morgen an der Hafenmauer hatte stehen sehen, ich erkannte den Regenmantel. Alle hatten sie Pistolen, in gemischten Formen und Größen. Ich war beeindruckt. Sie stellten sich an den Wänden auf und schauten mich mit unterdrückter Neugier an. Die Tür zur Diele stand offen. Charlie machte eine Bewegung in diese Richtung, und einer der Polizisten sagte mit teilnahmsloser Stimme: Warten Sie. Es herrschte Stille, außer dem leisen, metallischen Gequassel in den Polizeifunkgeräten draußen. Es war, als warteten wir auf den Eintritt eines Monarchen. Die Person, die schließlich hereinkam, war eher überraschend. Er war ein zarter, knabenhafter Mann von ungefähr dreißig, mit rotblonden Haaren und durchsichtigen blauen Augen. Mir fiel sofort auf, wie klein seine Hände und Füße waren, man hätte sie fast zierlich nennen können. Er ging in einem irgendwie schrägen Winkel auf mich zu und schaute dabei mit einem seltsamen kleinen Lächeln auf den Boden. Sein Name, sagte er, sei Haslet. (Hallo Gerry, ich hoffe, es macht dir nichts aus, daß ich deine zierlichen Hände erwähnt habe – aber es stimmt, weißt du, sie *sind* zierlich.) Das Merkwürdige an seinem Verhalten – dieses Lächeln, und der schiefe Blick – war, wie mir schnell klar wurde, eine Folge seiner Schüchternheit. Ein schüchterner Polizist! Das war nicht das, was ich erwartet hatte. Er schaute sich um. Einen Moment lang entstand ein peinliches Schweigen. Niemand schien zu wissen, was man als nächstes tun sollte. Er wandte seine niedergeschlagenen Augen wieder in meine Richtung. Nun, sagte er zu niemandem im besonderen, sind wir bereit? Und dann ging plötzlich alles ganz schnell. Der mit der Maschinenpistole – nennen wir ihn mal Sergeant Hogg – trat vor, schmiß seine Waffe auf den Tisch und legte mir geschickt ein Paar Handschellen um die Handgelenke. (Übrigens sind sie nicht so ungemütlich wie es scheinen mag –, tatsächlich fand ich, daß fast etwas Beruhigendes darin lag, gefesselt zu werden, so als sei dies ein natürlicherer Zustand als die unbeschränkte Freiheit.) Charlie verzog das Gesicht. Ist das denn nötig, Inspektor? sagte er. Es war ein so großartiger alter Spruch, und so glänzend vorgebracht, mit genau dem richtigen Grad von feierlichem Hochmut, daß ich eine Sekunde lang dachte, er würde der Runde vielleicht einen kleinen Applaus entlokken. Ich schaute ihn mit erneuter Bewunderung an. Er hatte diese gebrechliche Haltung von eben abgeworfen und sah nun wirklich sehr beeindruckend aus, mit seinem dunklen Anzug und seinem silbrigen Haarschopf. Selbst seine unrasierten Wangen und der schlipslose Kragen dienten nur dazu, ihm die Erscheinung eines Staatsmannes zu geben, den man aus dem Schlaf geholt hat, damit er sich um eine schwere Krise seines Landes kümmerte.

Glauben Sie mir, ich bin ganz ehrlich, wenn ich sage, daß ich sein Geschick als Verwandlungskünstler zutiefst bewundere. Alles Vertrauen in die Maske zu setzen, das scheint mir nunmehr das echte Zeichen verfeinerter Menschlichkeit zu sein. Habe ich das gesagt, oder jemand anderes? Egal. Ich fing seinen Blick auf, um ihm meine Anerkennung zu zeigen und um ihn – ja, irgendwie um Verzeihung zu bitten, nehme ich an. Nachher machte ich mir Sorgen, daß mein Blick vielleicht eher spöttisch als entschuldigend gewirkt haben könnte, denn ich glaube, ich habe während dieser ganzen grotesken Küchenkomödie ein breites Grinsen im Gesicht gehabt. Sein Mund war grimmig zusammengepreßt und in seinem Kinn zuckte ein Nerv – er hatte jedes Recht der Welt, wütend zu sein – aber alles, was ich in seinen Augen sehen konnte, war eine vage, abwesende Traurigkeit. Dann stieß Hogg mich in den Rücken, und ich wurde rasch durch die Diele nach draußen in das blendende Sonnenlicht geführt.

Es gab einen Moment der Verwirrung unter den Polizisten, die auf der Straße herumliefen, sie reckten ihre kurzen Hälse und spähten scharf nach links und rechts über den Hafen. Was erwarten sie, einen Befreiungsversuch? Mir fiel auf, daß sie alle Turnschuhe anhatten, außer Haslet, der gute Junge vom Lande, der feste braune Schnürschuhe trug. Einer seiner Männer stieß aus Versehen gegen ihn. Zu viele Bullen verderben den Fang, sagte ich fröhlich. Keiner lachte, und Haslet tat so, als hätte er nichts gehört. Ich meinerseits fand es natürlich wahnsinnig geistreich. Ich befand mich immer noch in dieser verrückten Hochstimmung, ich kann es nicht erklären. Ich schien nicht zu gehen, sondern in großen Sätzen voraus zu springen, ich floß über vor pantherhafter Energie. In der vom Regen gewaschenen Seeluft funkelte alles. Das Sonnenlicht war von einer flimmernden, halluzinatorischen Beschaffenheit, ich hatte das Gefühl, daß ich irgendwie mitten in seine Entstehung hineinsah, daß ich die Photonen im Flug erkennen konnte. Wir überquerten die Straße. Das Auto, das ich vom Wohnzimmerfenster aus gesehen hatte, stand immer noch da, seine Windschutzscheibe war mit Regentropfen betupft. Die beiden Gestalten auf den Vordersitzen beobachteten uns mit vorsichtiger Neugier, als wir vorbeigingen. Ich mußte lachen – sie waren keine Polizisten, sondern ein dicker Mann und sein dickes Weib auf einem Sonntagsausflug. Die Frau, die träge an einem Bonbon kaute, glotzte die Handschellen an, und ich hob ihr in einem freundlichen Gruß die Hände entgegen. Hogg stieß mich wieder zwischen die Schulterblätter, und ich stolperte fast. Ich merkte, daß ich mit ihm Schwierigkeiten bekommen würde. Es waren zwei Autos da, beide waren keine Streifenwagen und ganz unauffällig, ein blaues und ein schwarzes. Dann kam die Komödie des Autotür-Öffnens, auf, zu, wie die Flügel eines dicken Käfers. Man steckte mich auf den Rücksitz, mit Sergeant Hogg auf der einen und einem milchgesichtigen Strolch auf der anderen Seite. Haslet lehnte sich gegen die Tür. Haben Sie ihn über seine Rechte aufgeklärt? fragte er sanft. Ein Schweigen entstand. Die beiden Kriminalbeamten auf den Vordersitzen wurden ganz steif, als wagten sie nicht, sich zu bewegen, aus Angst, sie könnten in ein Lachen ausbrechen. Hogg starrte grimmig vor sich hin, sein Mund war zu einem dünnen Strich zusammengepreßt. Haslet seufzte und ging weg. Der Fahrer ließ vorsichtig den Motor an. Sie haben das Recht, jede Aussage zu verweigern, bla bla bla, sagte Hogg giftig und ohne mich anzusehen. Vielen Dank, Sergeant, sagte ich. Ich fand, daß ich damit eine weitere herrlich schlagfertige Antwort geliefert hatte. Wir stießen uns mit kreischenden Reifen vom Bordstein ab und ließen eine kleine Rauchwolke hinter uns in der Luft zurück. Ich fragte mich, ob Charlie vom Fenster aus zusah. Ich habe nicht zurückgeschaut.

Ich unterbreche mich, um festzuhalten, daß Helmut Behrens gestorben ist. Das Herz. Du liebe Güte, das hier ist auf dem besten Wege, sich in eine Sammlung von Todesanzeigen zu verwandeln.

Wie gut ich mich an diese Fahrt erinnere. Noch nie zuvor war ich so schnell gefahren. Wir flogen gleichsam, schlängelten uns durch den lahmen Sonntagsverkehr, donnerten auf der Überholspur entlang und nahmen die Kurven auf zwei Reifen. Es war sehr heiß, alle Fenster waren geschlossen, und es herrschte ein moschusartiger, animalischer Gestank. Die Luft knisterte spannungsgeladen. Das Ganze begeisterte mich irgendwie; ich war seltsam vergnügt und gleichzeitig von panischer Angst erfüllt, während wir so daherrasten, und ich eingezwängt zwischen diesen großen, schweigend schwitzenden Männern saß, die mit fest verschränkten Armen auf die Straße starrten und verbissen ihre Aufregung und aufgestaute Wut unterdrückten. Ich konnte spüren, wie sie atmeten. Die hohe Geschwindigkeit beruhigte sie; sie war eine Verkörperung von Gewalt. Die Sonne schien uns in die Augen, ein dichtes, grelles Leuchten. Ich wußte, daß sie sich bei der geringsten Provokation auf mich stürzen und mich halb zu Tode schlagen würden, sie warteten nur auf die Gelegenheit. Und doch gab mir selbst dieses Wissen Kraft. Ich hatte niemals zuvor in meinem Leben so völlig im Mittelpunkt der Aufmerksamkeit gestanden. Man würde mich pflegen, mir zuhören und mich füttern wie ein großes, gefährliches Baby. Kein Weglaufen mehr, kein Verstecken und Warten, keine Entscheidungen mehr. Ich kuschelte mich zwischen meinen Wächtern in den Sitz und genoß das brennende Scheuern des Metalls an meinen Handgelenken. Und doch nahm während dieser ganzen Zeit ein anderer Teil meines Gehirns eine andere Version der Dinge in sich auf – dachte zum Beispiel an all das, was ich verlieren würde. Ich schaute auf die Straßen, die Gebäude, die Menschen, als wäre es das letzte Mal. Ich, der ich im Grunde meines Herzens ein Mensch vom Land bin – ja, ja, das stimmt – und die Stadt niemals wirklich gekannt oder mir etwas aus ihr gemacht hatte, selbst dann nicht, als ich hier wohnte, hatte sie nun zu lieben begonnen. Lieben? Ich benutze dieses Wort nicht oft. Vielleicht meine ich etwas anderes. Es war der Verlust, der immanente Verlust von – von was, weiß ich nicht. Beinahe hätte ich gesagt, von der *Gemeinschaft der Menschen*, oder irgend so etwas Großartiges und Feierliches, aber wann wäre ich je ein Teil dieser Ansammlung gewesen? Wie dem auch sei, als wir so daherfuhren, füllte sich eine versteckte Höhle meines Herzens mit dem Kummer des Verzichts und des Abschieds. Ich erinnere mich besonders an eine Stelle nahe am Fluß, wo wir für kurze Zeit durch eine defekte Ampel aufgehalten wurden. Es war eine Straße, in der ein paar kleine Häuser zwischen grauen, gesichtslosen, Gebäuden, Warenhäusern und ähnlichem, eingezwängt waren. Ein alter Mann saß auf einer Fensterbank, ein kleines Kind spielte im Rinnstein mit einem jungen, schmutzigen Hund. Leinen voll leuchtender Wäsche waren wie bunte Fähnchen kreuz und quer über einen Hofeingang gespannt. Es war ganz still. Die Ampel blieb rot. Und dann, als wäre irgendwo ein versteckter Hebel heruntergedrückt worden, wurde die ganze, zusammenhangslose kleine Szene langsam und schüchtern lebendig. Als erstes fuhr ein grüner Zug über eine rote Metallbrücke. Dann öffneten sich gleichzeitig zwei Türen in zwei verschiedenen Häusern, und zwei Mädchen in Sonntagskleidern traten ins Sonnenlicht hinaus. Das Kind krähte, der kleine Hund jaulte. Ein Flugzeug flog über unseren Köpfen vorbei, und eine Sekunde später huschte sein Schatten über die Straße. Der alte Mann hüpfte mit erstaunlicher Rüstigkeit von der Fensterbank herunter. Es gab eine Pause, so als sollte der Effekt vergrößert werden, und dann glitt mit einem herrlichen Tuten des Nebelhorns die weiße Kommandobrücke und der schwarze Schornstein eines gigantischen Schiffes über den Dächern ins Blickfeld. All das war so malerisch, so unschuldig und so erwartungsvoll, glich so sehr einer Illustration in einem Erdkundebuch für die Grundschule, daß ich beinahe laut aufgelacht hätte, obwohl das, was dabei herausgekommen wäre, wahrscheinlich eher wie ein Schluchzen geklungen hätte. In diesem Moment fluchte der Fahrer und fuhr einfach über die rote Ampel, und ich wandte rasch meinen Kopf und schaute zu, wie das Ganze in einem Wirbel verschwand, die Mädchen in leuchtenden Kleidern, und das Schiff, Kind und Hund, alter Mann, rote Brücke, alles wurde hinausgewirbelt in die Vergangenheit.

Die Polizeistation befand sich in einer Art Palast im Renaissancestil, der eine hohe graue Fassade aus Stein mit zahlreichen Fenstern hatte. Ein Torbogen führte in einen grausigen kleinen Hof, in dem sicherlich einst ein Galgen gestanden hatte. Ich wurde grob aus dem Auto gezogen und durch niedrige Türen und dunkle Flure geführt. Es roch nach Internat, und in der Luft lag die typische Lethargie eines Sonntag nachmittags. Wie ich zugeben muß, hatte ich erwartet, daß das Gebäude voller Spannung meiner Ankunft entgegensehen, daß sich in den Fluren die Büroangestellten, Sekretärinnen und Polizisten in Hosenträgern drängeln würden, um einen Blick auf mich zu erhaschen; aber es war so gut wie niemand da, und die Wenigen, die an mir vorbeigingen, schauten mich kaum an. Ich konnte nicht umhin, mich ein wenig beleidigt zu fühlen. In einem kahlen, unangenehmen Raum blieben wir stehen und mußten ein paar Minuten auf die Ankunft von Inspektor Haslet warten. Zwei hohe, extrem schmutzige Fenster, deren untere Scheiben durch Drahtgitter verstärkt wurden, gingen auf den Hof hinaus. Es stand ein zerkratzter Schreibtisch da und ein paar Holzstühle. Keiner setzte sich. Wir scharrten mit den Füßen und schauten an die Decke. Jemand räusperte sich. Ein älterer Beamte in Hemdsärmeln kam herein. Er war kahl und hatte ein warmes, fast kindliches Lächeln. Mir fiel auf, daß er ein Paar dicker schwarzer Stiefel trug, die fest zugeschnürt und auf Hochglanz poliert waren. Sie waren ein tröstlicher Anblick, diese Stiefel. In den folgenden Tagen beurteilte ich meine Wächter immer nach ihrem Schuhwerk. Schnürschuhen und Stiefeln, so fühlte ich, konnte ich vertrauen, Turnschuhe dagegen waren unheilverkündend. Das Auto mit Inspektor Haslet kam im Hof an. Einmal mehr standen wir herum und erwarteten seinen Auftritt. Er kam genauso herein wie eben, mit demselben zaghaften Lächeln. Ich stand vor dem Schreibtisch, während er die Anklagepunkte vorlas. Es war eine seltsam feierliche, kleine Zeremonie. Sie erinnerte mich an meinen Hochzeitstag, und ich mußte ein Grinsen unterdrücken. Der kahle alte Beamte tippte das Anklagepapier in eine uralte schwarze Schreibmaschine. Er hatte die Zungenspitze in den Mundwinkel geklemmt, und es wirkte so, als suche er sich mühsam eine Melodie auf dem Klavier zusammen. Als Inspektor Haslet fragte, ob ich irgend etwas zu sagen hätte, schüttelte ich den Kopf. Ich hätte nicht gewußt, wo ich anfangen sollte. Dann war das Ritual vorüber. Es folgte eine allgemeine Entspannung, und die anderen Kriminalbeamten, außer Hogg, schlurften aus dem Zimmer. Es war wie das Ende des Gottesdienstes. Hogg zog eine Schachtel Zigaretten hervor und bot sie Haslet und dem Beamten an der Schreibmaschine an, und sogar, nach einem kurzen Zögern, auch mir. Ich hatte das Gefühl, daß ich unmöglich ablehnen konnte, und versuchte, beim Rauchen nicht zu husten. Sagen Sie mal, wandte ich mich an Haslet, wie haben Sie mich eigentlich gefunden? Er zuckte mit den Achseln. Er wirkte wie ein Schuljunge, der in einer Prüfung so gute Noten erzielt hat, daß es schon fast peinlich ist. Das Mädchen in dem Zeitungskiosk, sagte er. Man liest nicht immer nur dieselbe Story, jeden Tag. Ah, sagte ich, ja, natürlich. Überzeugend fand ich das jedoch absolut nicht. Wollte er Binkie Behrens damit decken, oder vielleicht sogar Anna? (Das wollte er keineswegs. Die beiden haben bis zum Schluß geschwiegen.) Für eine Weile rauchten wir kameradschaftlich. Zwei parallele Sonnenstrahlen fielen schräg durch das Fenster. Irgendwo quäkte ein Radio. Ich fühlte mich plötzlich zutiefst gelangweilt.

Hören Sie, sagte Hogg, erklären Sie uns das doch mal, warum haben Sie es getan?

Ich starrte ihn erschreckt und ratlos an. Es war dies die einzige Frage, die ich mir nie zuvor gestellt hatte, nicht mit solch simpler, unumgänglicher Eindringlichkeit. Wissen Sie, Sergeant, sagte ich, das ist eine sehr gute Frage. Sein Gesichtsausdruck veränderte sich überhaupt nicht, in der Tat schien es so, als bewegte er sich überhaupt nicht, außer daß seine strähnigen Haare ein wenig flatterten, und einen Moment lang dachte ich, daß ich einen Anfall gehabt hatte, daß etwas in meinem Innern, meine Leber, oder eine Niere, ganz von selbst geplatzt sei. Mehr als alles andere jedoch war ich erstaunt – erstaunt und auf eine seltsame perverse Weise befriedigt. Ich fiel in die Knie, und ein glühender Schleier senkte sich über meine Augen. Ich konnte nicht atmen. Der ältliche Beamte kam hinter dem Schreibtisch hervor und zog mich auf die Füße – hat er wirklich »Hopsala« gesagt, oder bilde ich mir das nur ein? – zwang mich, durch die Tür und einen Gang hinunter zu stolpern und schob mich in ein enges, widerliches Klo. Ich kniete mich über das Becken und würgte Eierklumpen, fettigen Kartoffelmatsch und einen Faden geronnener Milch heraus. Der Schmerz in meinen Eingeweiden war außerordentlich, ich konnte es kaum fassen, ich, der ich eigentlich alles über solche Dinge hätte wissen müssen. Als nichts mehr übrig war, was ich hätte auskotzen können, legte ich mich auf den Boden und umklammerte meine Knie mit den Armen. Aha, dachte ich, jetzt kommen wir der Sache schon näher, das ist schon eher, was ich erwartet hatte: mich mit brennenden Eingeweiden auf dem Boden einer verdreckten Latrine zu winden. Der Alte klopfte an die Tür und wollte wissen, ob ich fertig sei. Er half mir wieder auf die Füße und führte mich langsam den Gang zurück. Immer dasselbe, sagte er im Plauderton, da kommt Zeug hoch, wo man denkt, daß man's nie gegessen hat.

Hogg stand am Fenster, mit den Händen in den Hosentaschen, und schaute auf den Hof hinunter. Er warf mir über die Schulter einen Blick zu. Geht's jetzt besser? fragte er. Inspektor Haslet saß vor dem Schreibtisch, machte ein abwesend finsteres Gesicht und trommelte mit den Fingern auf einen Stapel von Papieren. Er deutete auf den Stuhl neben sich. Ich setzte mich behutsam. Als er sich seitlich zu mir drehte, berührten sich fast unsere Knie. Nun, sagte er, wollen Sie jetzt mit mir reden? Oh ja, das wollte ich, ich wollte reden und reden, wollte mich ihm anvertrauen, alle meine armseligen Geheimnisse hervorsprudeln lassen. Aber was konnte ich sagen? Welche Geheimnisse? Der kahle Beamte saß wieder an seiner Schreibmaschine, seine stumpfen Finger hingen über den Tasten, und seine Augen waren in lebhafter Erwartung auf meine Lippen geheftet. Auch Hogg wartete, neben dem Fenster, und klimperte mit den Münzen in seiner Hosentasche. Es wäre mir egal gewesen, was ich zu diesen beiden gesagt hätte, sie bedeuteten mir nichts. Der Inspektor jedoch war eine andere Angelegenheit. Er erinnerte mich unaufhörlich an jemanden, den ich von der Schule her hätte kennen können, einer von diesen bescheidenen, schweigsamen Helden, die nicht nur in Sport, sondern auch in Mathe gut waren, aber jedes Lob mit einem Achselzucken abtaten und durch ihren eigenen Erfolg und ihre Beliebtheit ganz schüchtern wurden. Ich brachte es nicht über mich, ihm zu gestehen, daß es gar nichts zu gestehen gab, daß es keinen Plan gegeben hatte, der diesen Namen verdient hätte, daß ich fast von Anfang an gehandelt hatte, ohne nachzudenken. Und so ließ ich also irgendeinen Quatsch darüber vom Stapel, daß es mein Plan gewesen sei, den Diebstahl als das Werk von Terroristen hinzustellen, und eine Menge anderen solchen Kram, den ich mich schäme, hier zu wiederholen. Und dann hat das Mädchen, sagte ich, dann hat diese Frau – und für eine Sekunde konnte ich mich nicht an ihren Namen erinnern! – und dann hat *Josie,* sagte ich, alles ruiniert, indem sie versuchte, mich daran zu hindern, das Bild mitzunehmen, indem sie auf mich losging, indem sie drohte, zu, zu, zu – mir gingen die Worte aus, und ich saß da und glotzte ihn hilflos an, während ich verzweifelt an meinen Lippen nagte. Ich wollte so sehr, daß er mir glaubte. In diesem Augenblick schien mir das fast so erstrebenswert zu sein wie Vergebung. Ein Schweigen fiel herab. Er betrachtete immer noch die Zimmerdecke. Es schien, als hörte er mir überhaupt nicht zu. Mein Gott, sagte Hogg leise, ohne besondere Betonung, und der Beamte hinter dem Schreibtisch räusperte sich. Dann stand Haslet auf, verzog ein wenig das Gesicht und beugte ein Knie, schlenderte aus dem Zimmer und schloß leise die Tür hinter sich. Ich konnte hören, wie er in demselben gemächlichen Schritt den Gang hinunterging. Leise Stimmen erklangen, seine und die von anderen. Hogg sah mich voll Ekel über seine Schulter an. Sie sind ein ziemlicher Spaßvogel, was? sagte er. Ich überlegte, ob ich ihm antworten sollte, beschloß dann jedoch, lieber vorsichtig zu sein. Die Zeit verging. In einem der benachbarten Räume lachte jemand. Ein Motorrad wurde im Hof gestartet. Ich betrachtete ein vergilbtes Plakat über Tollwutgefahr, das an der Wand hing. Ich mußte lächeln. Den wildgewordenen Hund Montgomery hat man endlich eingefangen.

Dann kam Inspektor Haslet zurück und ließ einen dicken, schwitzenden, rotgesichtigen Mann in einem gestreiften Hemd eintreten, sowie einen jüngeren, gefährlich aussehenden Typen, offensichtlich einer von Hoggs Sorte. Sie scharten sich um mich und sahen mich an, wobei sie sich konzentriert nach vorne lehnten, laut atmeten und ihre Hände flach auf den Schreibtisch legten. Ich erzählte zum zweiten Mal meine Geschichte und versuchte, mich an die Details zu erinnern, um mir nicht zu widersprechen. Diesmal klang es sogar noch unwahrscheinlicher. Als ich fertig war, gab es wieder ein Schweigen. Ich begann, mich an diese abwartenden und, wie es mir schien, zutiefst skeptischen Pausen zu gewöhnen. Der rotgesichtige Mann, meiner Vermutung nach eine sehr hochstehende Person, schien seine Wut nur mit großen Schwierigkeiten zügeln zu können. Nennen wir ihn mal – Barker. Er schaute mich einen Moment lang scharf an. Na, kommen Sie schon, Freddie, sagte er, warum haben Sie sie getötet? Ich starrte zurück. Sein geringschätzig vertraulicher Ton gefiel mir nicht – »Freddie«, also wirklich – aber ich entschloß mich, ihn durchgehen zu lassen. Ich erkannte in ihm einen Typ meines Schlages, der Typ der fetten, unbeherrschten, schweratmenden Leute dieser Welt. Und das Ganze begann mir ohnehin auf die Nerven zu gehen. Ich habe sie getötet, weil ich sie töten konnte, sagte ich, was soll ich weiter dazu sagen? Wir waren alle erschreckt darüber, ich nicht weniger als die anderen. Der Jüngere, Hickey – nein, Kickham, gab eine Art Lachen von sich. Er hatte eine dünne, piepsende, fast melodische Stimme, die in einem merkwürdigen Gegensatz zu seinem drohenden Aussehen stand. Dieser Typ, äh, Dingsbums, sagte er, das is'n Schwuler, oder? Ich schaute ihn hilflos an. Ich hatte keine Ahnung, wovon er sprach. Wie bitte? fragte ich. Na, French, sagte er ungeduldig, ist der ein Homo? Ich mußte lachen. Ich wußte nicht, ob ich die Vorstellung von Charlie, wie er in Wally's Pub hineintänzelte und die Jungen da in den Hintern kneift, eher komisch oder eher grotesk finden sollte. (Allem Anschein nach hat Wallys Geschöpf, der smaragdgrüne Sonny, irgendwelche verleumderischen Lügen über die Vorlieben des armen Charlie erzählt. Wahrlich, wie schlecht ist doch die Welt.) Oh nein, sagte ich, nein –, er hat eine Gelegenheitsfrau. Es war nur die Nervosität und Überraschung, die mich das sagen ließ, es war nicht meine Absicht gewesen, einen Witz zu machen. Keiner lachte. Sie fuhren nur fort, mich anzusehen, während die Stille um uns her immer enger und enger wurde, wie etwas, das zugeschraubt wird. Und dann, wie auf ein Zeichen, drehten sie sich alle auf ihren Absätzen um, gingen hinaus und knallten die Tür hinter sich zu; und ich blieb alleine mit dem ältlichen Beamten zurück, der mir sein warmes Lächeln zulächelte und mit den Achseln zuckte. Ich sagte ihm, mir sei wieder übel, woraufhin er nach draußen ging und mir eine Tasse klebrig-süßen Tees und einen Klumpen Brot holte. Wie kommt es, daß ich mich von Tee, von dem bloßen Anblick von Tee immer ganz elend fühle, so wie ein verlassenes, heimatloses Kind? Und wie verloren und einsam kam mir das alles vor, dieser muffige Raum und das dumpfe unbestimmte Geräusch von Leuten, die anderswo ihrem Leben nachgingen, und das Sonnenlicht im Hof, dasselbe dichte, beständige Licht, das über die Jahre hinweg aus der entferntesten Kindheit herüberscheint. Die ganze Hochstimmung, die ich vor einer Weile noch verspürt hatte, war jetzt verschwunden.

Haslet kam zurück, diesmal allein, und setzte sich genau wie eben vor dem Schreibtisch neben mich. Er hatte seine Jacke und seinen Schlips ausgezogen und seine Ärmel hochgekrempelt. Seine Haare waren zerzaust. Er sah noch jungenhafter aus als eben. Auch er hatte sich Tee geholt, die Tasse sah in seiner kleinen weißen Hand geradezu riesig aus. Ich stellte ihn mir als Kind vor, draußen auf irgendeinem Sumpf in der Einöde des Landesinnern, wie er zusammen mit seinem Papa Torf sticht: das Zittern des Wassers in den Gräben, der Geruch nach Rauch und Bratkartoffeln, die weite Ebene von der Farbe eines Hasenfells, und dann der riesige, senkrechte Himmel, in dem sich ein leuchtendes Wolkenbündel über das andere türmt.

Also, sagte er, fangen wir von vorne an.

Wir machten stundenlang weiter. Ich war fast glücklich, wie ich so mit ihm dasaß und meine Lebensgeschichte vor ihm ausschüttete, während die Sonnenstrahlen in den Fenstern immer länger wurden und der Tag zur Neige ging. Er war unendlich geduldig. Es schien kein noch so winziges oder rätselhaftes Detail zu geben, das ihn nicht interessiert hätte. Nein, das stimmt nicht ganz. Es schien eher so, als wäre er überhaupt nicht interessiert. Er nahm alles, jeden Strang und Knoten meiner Erzählung, mit derselben, passiv duldenden Haltung und demselben abwesenden kleinen Lächeln in sich auf. Ich erzählte ihm, daß ich Anna Behrens kannte, und über ihren Vater erzählte ich ihm, über seine Diamantenminen und seine Firmen und seine Kunstsammlung von unschätzbarem Wert. Ich beobachtete ihn genau und versuchte herauszufinden, wieviel davon neu für ihn war, aber es hatte keinen Zweck, er verriet nichts. Und doch muß er mit ihnen gesprochen, muß ihre Aussagen zu Protokoll genommen haben und das alles. Sicher hätten sie ihm doch von mir erzählt, sie deckten mich doch sicherlich nicht noch immer. Er rieb sich die Wangen und starrte wieder an die Zimmerdecke. Er ist ein Selfmademan, sagte er, oder, dieser Behrens? Aber sind wir das denn nicht alle, Inspektor? sagte ich. Daraufhin warf er mir einen seltsamen Blick zu und stand auf. Es fiel mir auf, wie er wieder vor Schmerz kurz das Gesicht verzog. Eine Knieverletzung. Fußballspieler. Sonntag nachmittags, gedämpfte Rufe in der grauen Luft, das dumpfe Geräusch von Leder, das auf Leder trifft. Und jetzt, sagte ich, was passiert jetzt? Ich wollte nicht, daß er mich jetzt schon verließ. Was würde ich tun, wenn die Dunkelheit kam? Er sagte, ich solle dem Beamten den Namen meines Rechtsanwalts nennen, damit man ihm mitteilen könne, daß ich hier sei. Ich nickte. Ich hatte natürlich keinen Rechtsanwalt, aber ich hatte das Gefühl, daß ich das unmöglich sagen konnte – alles war so entspannt und kameradschaftlich, und ich wollte keinerlei Unbehagen entstehen lassen. Ich hatte ohnehin fest vor, meine Verteidigung selbst zu übernehmen und sah mich bereits, wie ich von der Anklagebank her brilliante und leidenschaftliche Reden hielt. Gibt es sonst noch was, was ich tun sollte, fragte ich und schaute ihn ernsthaft und mit gerunzelter Stirn an, gibt es sonst noch was, was ich sagen sollte? (Oh, ich war ja so brav, so entgegenkommend, was für ein warmer Schauder des Nett-Seins durchströmte mich, als ich mich auf solche Weise den Wünschen dieses guten Mannes fügte!) Er warf mir wieder diesen seltsamen Blick zu, es war Ärger und Ungeduld darin, aber auch eine gewisse ironische Belustigung, und sogar eine Spur von Komplizenhaftigkeit. Was Sie tun können, sagte er, ist, daß Sie Ihre Geschichte in Ordnung bringen, ohne diese ganzen überspannten Kinkerlitzchen. Was meinen Sie damit, fragte ich, sagen Sie, was meinen Sie damit? Ich war bestürzt. Bob Cherry war plötzlich streng geworden, hatte sich fast einen Moment lang in Mr. Quelch verwandelt. Sie wissen ganz genau, was ich damit meine, sagte er. Dann ging er, und Hogg kam zurück, und er und der ältliche Beamte – ach, verdammt noch mal, er braucht einen Namen – er und Cunningham, der alte Schreibmaschinenschreiber, führten mich hinunter zu den Zellen.

Trage ich noch die Handschellen?

Ich weiß nicht, warum ich sage, daß sie mich *hinunter* führten (nun, natürlich weiß ich es eigentlich doch), denn wir gingen einfach nur ein kleines Stück den Flur entlang, an dem Klo vorbei und durch eine Stahltür.

Ich muß zugeben, daß mich nunmehr eine bedenkliche Angst ergriff, aber die wurde schnell von Überraschung verdrängt: es war alles genau so, wie ich es mir vorgestellt hatte! Es sind tatsächlich Gitter da, und tatsächlich steht dort ein Eimer, und es gibt eine Pritsche mit einer gestreiften, klobigen Matratze, und an den zerkratzten Wänden ist lauter Graffiti. Es war sogar ein stoppelbärtiger Veteran da, der mich mit wortlosem, wütendem Spott anstarrte und seine Zellentür so fest umklammerte, daß seine Knöchel weiß wurden. Man gab mir ein Stück Seife, ein winziges Handtuch und drei Stücke glänzendes Toilettenpapier. Ich gab dafür meinen Gürtel und meine Schnürsenkel her. Mir wurde sofort die Bedeutung dieses Rituals klar. Wie ich da so kauerte, mit heraushängenden Schuhlaschen, wie ich mir mit der einen Hand den Hosenbund hochzog und in der anderen, für alle deutlich sichtbar, die elementaren Hilfen für meine privatesten Verrichtungen hielt, war ich nicht mehr länger wirklich menschlich. Ich beeile mich hinzuzufügen, daß ich das ganz in Ordnung fand, daß es mir in der Tat eine Art Richtigstellung zu sein schien, eine offizielle und äußerliche Definition dessen, was bei mir schon die ganze Zeit der Fall gewesen war. Ich hatte meine Apotheose erreicht. Sogar der alte Cunningham und sogar Sergeant Hogg schienen das zu erkennen, denn sie behandelten mich jetzt sehr schroff und mit einer mürrischen, gleichgültigen Rücksicht, so als seien sie nicht meine Gefängnis-, sondern meine Tierwärter. Genausogut hätte ich ein alter, kranker, zahnloser Löwe sein können. Hogg steckte die Hände in die Hosentaschen und ging pfeifend davon. Ich setzte mich auf den Rand des Bettes. Die Zeit verging. Der alte Typ in der anderen Zelle fragte mich nach meinem Namen. Ich gab ihm keine Antwort. Leck mich doch am Arsch, Mensch, sagte er dann. Die Dämmerung brach herein. Ich habe diese Stunde des Tages immer schon geliebt, wenn jenes sanfte durchscheinende Licht heraufsickert, so als käme es aus der Erde selbst, und wenn es so scheint, als würden die Dinge ganz nachdenklich und verschlossen. Es war fast dunkel, als Sergeant Hogg zurückkam und mir ein schmuddeliges Blatt Papier in die Hand drückte. Er hatte Pommes Frites gegessen, ich konnte es an seinem Atem riechen. Ich starrte verblüfft auf das schlecht getippte Blatt. Das ist Ihr Geständnis, sagte Hogg. Haben Sie Lust, es zu unterschreiben? Der Knastbruder nebenan stieß ein meckerndes Lachen aus. Wovon reden Sie eigentlich? sagte ich. Das hier habe ich alles nie gesagt. Er zuckte die Schultern und rülpste in seine Faust. Machen Sie was Sie wollen, sagte er, Sie werden sowieso lebenslänglich kriegen. Dann verschwand er wieder. Ich setzte mich hin und studierte dieses seltsame Dokument. Oh, Cunningham mit dem treffenden Namen! Hinter der Maske des kahlen alten Kauzes war ein teuflischer Künstler am Werk gewesen; die Sorte Künstler, die ich niemals sein könnte, direkt und doch subtil, ein Meister des kargen Stils, ein Meister der Kunst, die Kunst zu verbergen. Ich staunte darüber, wie er es vermocht hatte, alles zu seinem Zweck dienen zu lassen, die Rechtschreibfehler, der unbeholfene Satzbau und sogar das grauenhafte Schriftbild. Welche Bescheidenheit, welcher Respekt, welch unbarmherzige Unterdrückung des Egos um des Textes willen. Er hatte sich meine Geschichte genommen, mit all ihren – wie hatte sich Haslet ausgedrückt? – mit all ihren überspannten Kinkerlitzchen, und hatte sie auf das rein Wesentliche beschränkt. Es war eine Darstellung meines Verbrechens, die ich kaum wiedererkannte, und doch glaubte ich an sie. Er hatte einen echten Mörder aus mir gemacht. Ich hätte das Ganze sofort und auf der Stelle unterschrieben, aber ich hatte keinen Stift. Ich durchsuchte sogar meine Kleidung nach irgendetwas Spitzem, einer Nadel oder so was, womit ich mich hätte stechen können, um dann meine Unterschrift mit Blut darunterzuschmieren. Aber was sollte es schon, das hier brauchte meine Billigung nicht. Ich faltete das Blatt ehrfürchtig zusammen und steckte es an dem Ende, wo mein Kopf sein würde, unter die Matratze. Dann zog ich mich aus, legte mich nackt in die Dunkelheit, verschränkte meine Hände über der Brust, wie ein Marmorritter auf einem Grabmal, und schloß meine Augen. Ich war nicht länger mehr ich selbst. Ich kann es nicht erklären, aber es ist wahr. Ich war nicht länger mehr ich selbst.

Diese erste Nacht in Gefangenschaft war recht turbulent. Ich schlief sehr unruhig, es war nicht wirklich Schlaf, sondern ein hilfloses Hin- und Hergeworfenwerden auf der Oberfläche eines dunklen Meeres. Ich konnte die Tiefe unter mir spüren, die schwarze, grenzenlose Tiefe. Die Stunde vor der Morgendämmerung war, wie immer, die Schlimmste. Ich masturbierte wiederholt – entschuldigen Sie diese schmutzigen Details – nicht wirklich um des Vergnügens willen, sondern um mich zu ermüden. Was für eine buntgemischte kleine Schar von Gestalten beschwor ich herauf, um mir bei diesen melancholischen Reibereien Gesellschaft zu leisten. Daphne war natürlich dabei, und Anna Behrens, die amüsiert und leicht schockiert war über die Dinge, die ich ihr abverlangte, und die arme Foxy war auch da, die wieder in meinen Armen weinte, während ich sie, leise und verstohlen in meinen verbrecherischen Absichten, wieder und wieder gegen die Tür preßte, in jenem leeren, vom Mond beschienenen Raum meiner Phantasie. Aber es waren auch andere da, die ich nicht erwartet hätte: Madges Nichte zum Beispiel – erinnern Sie sich an Madges Nichte? – und das fette Mädchen mit dem roten Hals, dem ich durch die Straßen gefolgt war – erinnern Sie sich an *die* – und sogar, Gott möge mir verzeihen, meine Mutter und das Stallmädchen. Und zum Schluß, als sie alle gekommen und wieder gegangen waren und ich ganz ausgeleert auf meiner Gefängnispritsche lag, da stieg aus meinem Innern wieder, wie das Gespenst einer schweren und unausweichlichen Aufgabe, das Bild jener geheimnisvollen dunklen Tür herauf, und die unsichtbare Gegenwart darin, die sich danach sehnte, zu erscheinen, da zu sein. Zu leben.

Montag morgen. Ach Gott, Montag morgen. Das aschgraue Licht, der Lärm, das Gefühl der sinnlosen, aber obligatorischen Hetze. Ich glaube, es wird ein Montagmorgen sein, an dem ich in der Hölle ankommen werde. Ich wurde ziemlich früh von einem Polizisten aufgeweckt, der wieder eine Tasse Tee und einen Klumpen Brot brachte. Ich hatte vor mich hingedöst, es war als hätte ich fest in der Umklammerung eines großen, heißen, stinkenden Tieres gelegen. Ich wußte sofort genau, wo ich war, dieser Ort war unverkennbar. Es war ein junger Polizist, ein riesiger Typ mit einem winzigen Kopf; als ich die Augen öffnete und zu ihm aufschaute, schien er über mir fast bis zur Decke emporzuragen. Er sagte etwas Unverständliches und ging wieder weg. Ich setzte mich auf die Bettkante und hielt meinen Kopf mit beiden Händen. In meinem Mund war ein übler Geschmack, hinter meinen Augen lauerte ein Schmerz, und in der Gegend meines Zwerchfells hatte ich ein zittriges Gefühl. Ich fragte mich, ob ich diese Übelkeit wohl für den Rest meines Lebens behalten würde. Blasses Sonnenlicht fiel schräg durch die Gitter meines Käfigs. Mir war kalt. Ich wickelte mir eine Decke um die Schultern und hockte mich mit zitternden Knien über den Eimer. Es hätte mich durchaus nicht überrascht, wenn sich im Flur eine Menge versammelt hätte, um mich auszulachen. Ich dachte immer wieder, ja, so ist es, so wird es von jetzt an immer sein. In einer schrecklichen Weise war es fast erfreulich.

Sergeant Cunningham kam, um mich zu dem ersten Verhör dieses Tages abzuholen. Ich hatte mich, so gut es ging, in dem dreckigen Waschbecken in der Ecke gewaschen. Ich fragte ihn, ob ich mir ein Rasiermesser ausleihen könnte. Er lachte und schüttelte seinen Kopf über diese köstliche Idee. Er fand, daß ich wahrhaftig ein ulkiger Vogel sei. Ich bewunderte seine gute Laune, er war die ganze Nacht hier gewesen, seine Schicht ging erst jetzt zu Ende. Ich schlurfte hinter ihm her den Flug entlang und hielt meine Hose fest umklammert, um sie am Runterfallen zu hindern. In dem Tagesraum herrschte ein mürrisches Chaos. Schreibmaschinen klapperten, Kurzwellenempfänger gaben näselnde Geräusche von sich, Leute gingen durch die Türen aus und ein und sprachen über ihre Schultern, krümmten sich über Schreibtische oder brüllten in Telefone. Ein Schweigen fiel herab, als ich hindurch ging – nein, nicht gerade ein Schweigen, aber der Lärm ließ um einiges nach. Es hatte sich allem Anschein nach etwas herumgesprochen. Sie starrten mich nicht gerade an, ich nehme an, das wäre unprofessionell gewesen, aber sie registrierten mich nichtsdestoweniger genau. Ich sah mich in ihren Augen, eine große, verwirrte Kreatur; ein Tanzbär, der hinter den eisenbeschlagenen Absätzen von Cunninghams freundlichen Stiefeln hertrottet. Er öffnete die Tür und schob mich in ein kahles graues Zimmer, in dem ein Plastiktisch und zwei Stühle standen. So, sagte er, bis dann mal, zwinkerte mir zu, zog seinen Kopf zurück und schloß die Tür. Ich setzte mich vorsichtig hin und legte meine Hände flach vor mich auf den Tisch. Die Zeit verging. Ich war überrascht, wie ruhig ich da sitzen konnte, wenn ich nichts anderes zu tun hatte, als zu warten. Es war, als sei ich nicht ganz da, als hätte ich mich irgendwie von meinem körperlichen Selbst losgelöst. Das Zimmer glich dem Inneren eines Totenschädels. Der Tumult aus dem Tagesraum wirkte, als käme er von einem anderen Planeten.

Barker und Kickham waren die ersten, die ankamen. Barker hatte heute einen blauen Anzug an, der in großen, breiten Bahnen zugeschnitten war, so als wäre er nicht zum Anziehen bestimmt, sondern um irgendwelche Gegenstände damit einzuwickeln, Kisten und Kästen vielleicht. Er hatte schon jetzt ein rotes Gesicht und schwitzte. Kickham hatte dieselbe Lederjacke und dasselbe dunkle Hemd an wie gestern – er schien mir nicht zu den Menschen zu gehören, die oft ihre Kleidung wechseln. Sie wollten wissen, warum ich das Geständnis nicht unterschrieben hatte. Ich hatte es ganz vergessen und es unter der Matratze liegen lassen, aber ich sagte ihnen, warum, weiß ich nicht, daß ich es zerrissen hätte. Es gab wieder eines von diesen beredten Schweigen, während sie über mir standen, die Fäuste ballten und heftig durch die Nasenlöcher atmeten. Die Luft wogte von unterdrückter Gewalt. Dann verließen sie das Zimmer, und ich war wieder allein. Als nächstes trat ein ältlicher Typ in Erscheinung, der sich in den Twill-Stoff gekleidet hatte, den man bei der Kavallerie trägt, und der einen schicken kleinen Hut aufhatte. In seiner Begleitung war ein muskulöser junger Mann mit schmalen Augen, der aussah, als sei er der mißgelaunte Sohn des Älteren. Zunächst standen sie nur im Türrahmen und schauten mich eine Weile prüfend an, so als wollten sie mich genau abschätzen. Dann kam Inspektor Twill herein, setzte sich mir gegenüber, schlug die Beine übereinander und nahm seinen Hut ab, wodurch er einen flachen, kahlen Kopf freilegte, der wächsern und merkwürdig löchrig aussah, wie der eines kränklichen Babys. Er holte eine Pfeife hervor und zündete sie sich mit ernster Bedächtigkeit an, verschränkte dann seine Beine andersherum, setzte sich bequemer hin und fing an, mir eine Reihe von hintergründigen Fragen zu stellen, die, wie ich nach einer Weile merkte, dazu dienen sollten herauszufinden, wieviel ich über Charlie French und seine Bekannten wußte. Ich antwortete so vorsichtig wie möglich, da ich nicht wußte, worauf sie hinauswollten – ich habe den Verdacht, daß sie das ebensowenig wußten. Ich lächelte sie alle beide unaufhörlich an, um zu zeigen, wie bereitwillig ich war, wie entgegenkommend. Der Jüngere, der immer noch an der Tür stand, machte sich Notizen. Oder jedenfalls führte er Bewegungen aus, die aussahen, als schriebe er in das Notizbuch; ich hatte nämlich das merkwürdige Gefühl, daß das Ganze nur vorgetäuscht war, um mich abzulenken oder einzuschüchtern. Das einzige, was passierte, war jedoch, daß ich anfing, mich zu langweilen – ich konnte die beiden einfach nicht ernst nehmen –, mich daraufhin verhedderte und mir zu widersprechen begann. Nach einer Weile schienen auch sie entmutigt zu sein und verzogen sich dann schließlich. Dann kam mein Kumpel Inspektor Haslet mit seinem schüchternen Lächeln und seinem abgewandten Blick hereingeschlichen. Du liebe Güte, sagte ich, wer waren *die* denn? Von einer Sonderkommission, sagte er. Er setzte sich hin und trommelte mit den Fingern auf den Tisch. Hören Sie, sagte ich, ich mache mir Sorgen, meine Frau, ich – Er hörte nicht zu, war nicht interessiert. Statt dessen sprach er die Sache mit meinem Geständnis an. Warum hatte ich es nicht unterschrieben? Er sprach leise, es klang, als spräche er über das Wetter. Sie hätten sich eine Menge Schwierigkeiten ersparen können, sagte er. Plötzlich hatte ich einen Wutanfall, ich weiß nicht, was über mich kam, ich schlug mit den Fäusten auf den Tisch, sprang auf und brüllte ihn an, daß ich nichts tun und nichts unterschreiben würde, wenn ich nicht endlich ein paar Antworten kriegen würde. Das habe ich wirklich gesagt: *Wenn ich nicht endlich ein paar Antworten kriege!* Sofort danach verrauchte meine Wut natürlich, und ich setzte mich verlegen wieder hin und nagte an meinen Knöcheln. Der Sturm, der in der Luft gelegen hatte, legte sich wieder. Ihre Frau, sagte Haslet sanft und schaute auf seine Armbanduhr, steigt ungefähr in diesem Augenblick in ein Flugzeug. Ich starrte ihn an. Oh, sagte ich dann. Ich war natürlich erleichtert, aber nicht wirklich überrascht. Ich hatte schon die ganze Zeit gewußt, daß

Señor Aguirre zu sehr Gentleman war, um sie nicht gehen zu lassen.

Als Maolseachlainn ankam, war es schon zwölf Uhr, und trotzdem hatte er das zerzauste Aussehen von jemand, der gerade erst aus dem Bett gestiegen ist. Er sieht immer so aus, auch das ist eine seiner liebenswerten Eigenschaften. Das erste, was mir auffiel, war, wie ähnlich wir gebaut waren; zwei große, weiche, breite und schwere Männer. Wenn wir uns nach vorne lehnten, ächzte der Tisch zwischen uns, und die Stühle gaben unter unseren massiven Hintern kleine, warnende Geräusche von sich. Ich mochte ihn sofort. Er sagte, ich würde mich wahrscheinlich fragen, auf wessen Veranlassung hin er meine Verteidigung übernommen habe. Ich nickte heftig, obwohl mir in Wirklichkeit kein derartiger Gedanke in den Kopf gekommen war. Daraufhin wurde er ausweichend und murmelte irgendetwas über meine Mutter und eine Sache, wegen der er früher einmal für sie tätig geworden sei, so behauptete er. Es sollte sehr lange dauern, bis ich zu meiner Überraschung und nicht geringen Bestürzung entdeckte, daß es in Wahrheit Charlie French gewesen war, der alles arrangiert hatte, der meine Mutter an jenem Sonntagabend angerufen, ihr schonend die Nachricht von meiner Verhaftung mitgeteilt und ihr dann gesagt hatte, sie solle sich sofort an seinen guten alten Freund Maolseachlainn Mac Giolla Gunna, den berühmten Rechtsanwalt, wenden. Charles war es auch, und ist es noch, der Macs nicht unbeträchtliches Honorar bezahlt. Er überweist das Geld an die Bank; und meine Mutter, oder nun wird es ja wohl das Stallmädchen sein, sendet es weiter, so als käme es von Coolgrange. (Tut mir leid, dir das verschwiegen zu haben, Mac, aber Charles wollte es so.) Sie haben eine Art Geständnis abgelegt, sagte Maolseachlainn, ist das richtig? Ich erzählte ihm von Cunninghams wunderbarem Dokument. Ich muß während meiner Erzählung ganz aufgeregt geworden sein, denn seine Stirn verdüsterte sich, er schloß hinter seiner Brille die Augen, als habe er Schmerzen, und hob die Hand, um mir Einhalt zu gebieten. Sie werden nichts unterschreiben, sagte er, gar nichts – sind Sie denn verrückt? Ich ließ meinen Kopf hängen. Aber ich bin schuldig, sagte ich leise, ich *bin* schuldig. Er tat so, als hätte er das nicht gehört. Hören Sie mir zu, sagte er, hören Sie. Sie werden nichts unterschreiben, nichts sagen und nichts tun. Sie werden eine Erklärung über Ihre Unschuld ablegen. Ich öffnete meinen Mund, um zu protestieren, aber er ließ sich nicht unterbrechen. Sie werden sich nicht schuldig bekennen, sagte er, und wenn ich den Augenblick für günstig halte, dann werden Sie Ihre Vorlage ändern und sich des Totschlags schuldig bekennen. Haben Sie mich verstanden? Er schaute mich kühl über seine Brille hinweg an. (Das war in der ersten Zeit, bevor er mein Freund wurde.) Ich schüttelte meinen Kopf. Es scheint mir nicht recht zu sein, sagte ich. Er gab eine Art Lachen von sich. Recht! sagte er, fügte jedoch nicht hinzu: wie amüsant, daß gerade *Sie* das sagen. Wir schwiegen einen Moment lang. Mein Magen machte ein schepperndes Geräusch. Mir war schlecht, und zur gleichen Zeit hatte ich Hunger. Übrigens, sagte ich, haben Sie mit meiner Mutter gesprochen, kommt sie mich besuchen? Er tat so, als hörte er nicht, packte seine Papiere weg, nahm seine Brille ab und drückte seinen Nasenrücken zwischen den Fingern zusammen. Gab es irgend etwas, das mir fehlte? Nun war es an mir zu kichern. Ich meine, gibt es irgend etwas, von dem ich veranlassen kann, daß man es Ihnen gibt? sagte er in einem vornehm mißbilligenden Tonfall. Ein Rasiermesser sagte ich, und meinen Gürtel könnten sie mir auch zurückgeben, ich werde mich schon nicht aufhängen. Er stand auf, um zu gehen. Plötzlich wollte ich ihn zurückhalten. Danke, sagte ich so leidenschaftlich, daß er innehielt und mich eulenhaft anstarrte. Es war meine Absicht, sie umzubringen, wissen Sie, sagte ich, ich habe keine Erklärung dafür, und keine Entschuldigung. Er seufzte nur.

Am Nachmittag wurde ich vor Gericht gebracht. Inspektor Haslet und zwei uniformierte Beamte begleiteten mich. Meine Hand hatte sich da, wo ich sie mir an dem Rosenbusch verletzt hatte, entzündet. O Frederick, ach, wie bist du krank. Von dieser ersten Verhandlung ist mir nur eine merkwürdig verschwommene Erinnerung zurückgeblieben. Ich hatte erwartet, daß der Gerichtssaal eher großartig sein würde, so ähnlich wie eine kleine Kirche, mit Sitzbänken aus Eichenholz, einer mit Schnitzereien verzierten Decke und einer Atmosphäre voll Prunk und Feierlichkeit. Ich war sehr enttäuscht, als sich herausstellte, daß der Gerichtssaal nichts weiter als ein schäbiges Büro war, von der Sorte, wo völlig unbedeutende Genehmigungen von völlig unfähigen Beamten ausgestellt werden. Als ich hereingeführt wurde, entstand so etwas wie gereizte Hektik, die ich für die allgemeinen letzten Vorbereitungen hielt, die jedoch in Wirklichkeit, wie ich zu meiner Überraschung entdeckte, die Verhandlung selbst war. Sie kann nicht länger als ein oder zwei Minuten gedauert haben. Der Richter, der einen ganz gewöhnlichen Straßenanzug trug, war ein fröhlicher alter Kerl mit Schnurrbart und roter Nase. Er muß den Ruf gehabt haben, ein Witzbold zu sein, denn als er mich mit einem vergnügten Blick ins Auge faßte und sagte, Ah, Mr. Montgomery, da schüttelten sich alle vor Lachen. Ich lächelte höflich, um ihm zu zeigen, daß ich einen Spaß vertragen konnte, auch wenn ich ihn nicht verstand. Ein Polizist stieß mich in den Rükken, ich stand auf, setzte mich, stand wieder auf, und dann war alles vorbei. Ich schaute mich voll Überraschung um.

Ich hatte das Gefühl, daß ich etwas verpaßt haben mußte. Maolseachlainn verlangte eine Freilassung gegen Kaution. Richter Fielding schüttelte milde den Kopf, so als tadelte er ein vorlautes Kind. Ach nein, sagte er, ich glaube denn doch lieber nicht, werter Herr. Das rief ein zweites fröhliches Beben im Gerichtssaal hervor. Nun, ich war froh, daß sie sich alle so gut amüsierten. Der Polizist hinter mir sagte etwas, aber ich konnte mich nicht konzentrieren; ich hatte ein scheußliches, hohles Gefühl in der Brust und merkte, daß ich jeden Moment anfangen würde zu heulen. Ich fühlte mich wie ein Kind, oder ein sehr alter Mann. Maolseachlainn berührte meinen Arm. Ich wandte mich hilflos ab. Kommen Sie jetzt, sagte der Polizist nicht unfreundlich, und ich tappte hinter ihm her. Alles verschwamm. Haslet war hinter mir, mittlerweile kannte ich seinen Schritt. Auf der Straße hatte sich eine kleine Menge versammelt. Woher wußten sie, wer ich war, in welchem Gebäude ich sein würde, zu welcher Zeit ich vor Gericht erscheinen würde? Als sie mich erblickten, schrien sie auf, es war ein Art wehklagendes Heulen voller Furcht und Abscheu, das mir eine Gänsehaut den Rücken hinunterjagte. Ich war so ängstlich und verwirrt, daß ich mich vergaß und winkte – ich winkte ihnen zu! Der liebe Himmel mag wissen, was ich mir dabei einbildete. Ich nehme an, es sollte als beschwichtigende Geste gemeint sein, ein animalisches Zeichen des Rückzugs und der Unterwerfung. Es machte sie natürlich nur noch wütender. Sie schüttelten ihre Fäuste und schrien. Ein oder zwei von ihnen schienen drauf und dran zu sein, sich aus der Menge zu lösen und sich auf mich zu stürzen. Eine Frau spuckte mich an und nannte mich ein dreckiges Schwein. Ich stand einfach nur da, nickte und winkte wie ein Aufziehmännchen, und mein Gesicht war zu einem entsetzten Grinsen erstarrt. Da erkannte ich zum ersten Mal, daß die, die ich getötet hatte, *eine der Ihren* gewesen war. Während ich mich drinnen aufgehalten hatte, hatte es geregnet, und nun schien die Sonne wieder. Ich erinnere mich an das Glänzen der nassen Straße, an eine Wolke, die verstohlen hinter den Dächern verschwand und an einen Hund, der mit einem ängstlichen Blick in den Augen einen Bogen um die wütende Menge schlug. Immer die nebensächlichen Dinge, sehen Sie, die kleinen Dinge. Dann warf man die Decke über mich, ich wurde kopfüber in das Polizeiauto geschoben, und wir sausten mit zischenden Reifen davon. Tatü tata, Tatü tata. In der heißen, wolligen Dunkelheit weinte ich mich aus.

Gefängnis. Dieser Ort hier. Ich habe es schon beschrieben.

Mein erster Besuch war eine Überraschung. Als man mir sagte, es sei eine Frau, dachte ich, es sei Daphne, direkt vom Flughafen, oder sonst meine Mutter; und als ich in den Besucherraum kam, erkannte ich sie zunächst nicht. Sie schien jünger zu sein denn je in ihrem formlosen Pullover, ihrem karierten Rock und ihren vernünftigen Schuhen. Sie hatte das unfertige, sommersprossige und blasse Aussehen eines Schulmädchens; die Klassendümmste, die nachts im Schlafsaal vor sich hin heult und nach Ponys verrückt ist. Nur ihr wundervolles, flammenfarbenes Haar verriet, daß sie eine Frau war. Jenny! sagte ich, und sie wurde rot. Ich ergriff ihre Hände. Ich war unsinnig froh, sie zu sehen. Damals wußte ich noch nicht, daß sie sich bald als mein Usurpator herausstellen würde. Eigentlich heiße ich Joanne, murmelte sie und biß sich auf die Lippen. Ich lachte verlegen. Joanne, sagte ich, natürlich, verzeihen Sie mir, ich bin immer so verwirrt in letzter Zeit. Wir setzten uns. Ich strahlte sie unaufhörlich an. Ich fühlte mich unbeschwert und fast übermütig. Genausogut hätte ich der Besucher sein können, ein alter Junggeselle und Freund der Familie, der das arme, kleine Küken am ersten Schultag besuchen kommt. Sie hatte meine Tasche aus Coolgrange hergebracht. Das Ding kam mir fremd vor, vertraut und doch unbekannt, so als hätte es, seit ich es zuletzt gesehen hatte, eine endlose Reise zu einem anderen Planeten, einer anderen Galaxis gemacht, von der es völlig verändert zurückgekehrt war. Ich fragte nach meiner Mutter. Ich war taktvoll genug, nicht zu fragen, warum sie nicht gekommen war. Sagen Sie ihr, daß es mir leid tut, sagte ich. Es klang lächerlich, so als entschuldige ich mich für eine nicht eingehaltene Verabredung. Wir schauten verstohlen aneinander vorbei und verfielen in ein langes, peinliches Schweigen. Ich habe hier drinnen schon einen Spitznamen, sagte ich, sie nennen mich Monty, natürlich. Sie lächelte, und ich freute mich darüber. Wenn sie lächelt und sich dabei so auf die Lippen beißt, sieht sie mehr denn je wie ein Kind aus. Ich kann nicht glauben, daß sie eine Intrigantin ist. Wahrscheinlich war sie bei der Verlesung des Testaments genauso überrascht wie ich. Ich kann sie mir nur schwer als die Herrin von Coolgrange vorstellen. Vielleicht ist es das, was meine Mutter beabsichtigt hat – frei nach dem Motto »Nach mir die Sintflut«. Ah, das ist meiner nicht wert, diese neue Humorlosigkeit. Ich glaube, daß sie auf ihre Art versucht hat, mich etwas zu lehren, mich vielleicht dazu zu bringen, die Dinge näher zu betrachten, den Menschen mehr Aufmerksamkeit zu schenken, wie zum Beispiel diesem armen, unbeholfenen Mädchen mit ihren Sommersprossen, ihrem ängstlichen Lächeln und ihren fast unsichtbaren Augenbrauen. Ich muß dabei an das denken, was Daphne mir gerade gestern erst gesagt hat, unter Tränen, es hat mich im Innersten getroffen: *Du hast nichts über uns gewußt, nichts, gar nichts!* Sie hat recht, natürlich. Sie sprach von Amerika und über sich und Anna Behrens und das Ganze, aber es trifft ganz allgemein zu – ich weiß nichts. Doch ich gebe mir Mühe. Ich beobachte, ich höre zu, ich grübele nach. Ab und zu wird mir ein kurzer Blick in etwas gewährt, das eine neue Welt zu sein scheint, ich merke jedoch, daß sie schon die ganze Zeit da gewesen ist, ich habe sie nur nicht bemerkt. In diesen Erforschungen ist mein Freund Billy mir ein wertvoller Führer. Ich habe Billy noch gar nicht erwähnt, oder? Er hat sich mir ziemlich am Anfang angeschlossen, ich glaube, er ist ein wenig verliebt in mich. Er ist neunzehn, hat viele Muskeln, öliges schwarzes Haar und die wohlgeformten Hände eines Killers, genau wie meine eigenen. Unsere Verhandlungen sind für denselben Tag angesetzt, er hält das für ein glückliches Omen. Er ist des Mordes und der mehrfachen Vergewaltigung angeklagt. Er besteht auf seiner Unschuld, kann dabei jedoch ein schuldbewußtes kleines Lächeln nicht ganz unterdrücken. Ich glaube, daß er insgeheim stolz auf seine Verbrechen ist. Und doch strahlt er eine Art Unschuld aus, so als gäbe es in seinem Innern etwas, einen winzigen, kostbaren Teil von ihm, den nichts besudeln kann. Wenn ich mir Billy so betrachte, dann könnte ich fast an die Existenz einer Seele glauben. Seit seiner Kindheit ist er mit kurzen Unterbrechungen immer wieder im Knast gelandet, er ist eine wahre Fundgrube für Gefängnisgeschichten. Von ihm habe ich über die zahllosen raffinierten Methoden des Hereinschmuggelns von Drogen erfahren. Bevor die Trennwand aus Glas eingebaut wurde, haben zum Beispiel die Frauen und Freundinnen in ihren Mündern kleine Plastikbeutel voll Heroin versteckt, die während eines langen, innigen Kusses weitergegeben, heruntergeschluckt und später in den Klos wieder ausgekotzt wurden. Ich war von dieser Vorstellung sehr angetan, sie hat mich zutiefst berührt. Welche Not, welche Leidenschaft und Barmherzigkeit, welcher Wagemut! – wann hätte ich je dergleichen gekannt?

Worüber sprach ich noch gleich? Ich bin so zerstreut geworden. Das passiert uns allen hier drin. Sie ist eine Art Verteidigung, diese schleichende Lethargie, diese Abgestumpftheit, die es uns ermöglicht, sofort, überall und zu jeder Zeit in einen kurzen, betäubten Schlaf zu fallen.

Joanne. Sie hat mich besucht, brachte mir meine Tasche. Ich war froh, sie wiederzuhaben. Das meiste, was darin gewesen war, hatte die Gefängnisverwaltung konfisziert, aber es waren noch ein paar Hemden da, ein Stück Seife – der parfümierte Geruch traf mich wie ein Schlag – ein Paar Schuhe und meine Bücher. Ich riß mir diese Sachen, diese Ikonen, an mein Herz und trauerte um die tote Vergangenheit.

Aber Trauer, diese Art von Trauer, ist die große Gefahr hier drinnen. Sie untergräbt die Willenskraft. Diejenigen, die sich ihr überlassen, werden hilflos, und eine zerstörerische Teilnahmslosigkeit überkommt sie. Sie sind wie Hinterbliebene, für die die Trauerzeit nie ein Ende nehmen wird. Ich sah diese Gefahr und war fest entschlossen, sie zu vermeiden. Ich würde arbeiten, würde studieren. Das Thema war schon da, schon vorgefertigt. Ich veranlaßte Daphne, mir große, dicke Bücher über die niederländische Malerei zu bringen; nicht nur über die Geschichte, sondern auch über die Technik, die Geheimnisse der großen Meister. Ich studierte Berichte über die Methoden des Zermahlens von Farbe, über den Öl- und Farbstoffhandel, über die Flachsherstellung in Flandern. Ich las die Lebensgeschichten der Maler und ihrer Förderer. Ich wurde so etwas wie ein Experte über den niederländischen Staat im siebzehnten Jahrhundert. Aber letztendlich hatte es keinen Zweck: all diese Gelehrsamkeit, diese Kenntnisse, die nur entstanden waren, um sofort zu erstarren; wie Korallen, die ein versunkenes Wrack überkrusten. Wie könnten denn bloße Tatsachen den Vergleich mit jenem erstaunlichen Wissen aushalten, das mir entgegenblitzte, als ich da stand und auf das Bild starrte, das hochkant in der Grube lag, in die ich es jenes letzte Mal hatte fallen lassen?

Dieses Wissen, dieses Alles-Verstehen, ich hätte damit nicht leben können. Ich schaue die Reproduktion an, die ich mir hier über meinem Kopf an die Wand geheftet habe, aber etwas darin ist tot. Etwas ist tot.

Es war dieselbe Stimmung eifriger Erforschung, die mich veranlaßte, stundenlang über den Akten der Zeitungsberichte in der Gefängnisbibliothek zu hocken. Ich las jedes Wort, das sich mit meinem Fall beschäftigte, las sie immer und immer wieder, kaute auf ihnen herum, bis sie sich in meinem Hirn in geschmacklosen Matsch verwandelten. Ich erfuhr alles über Josie Bells Kindheit, über ihre Schulzeit – die jämmerlich kurz war – über ihre Familie und über ihre Freunde. Die Nachbarn wußten nur Gutes über sie zu sagen. Sie war ein stilles Mädchen. Einmal hätte sie fast geheiratet, aber irgend etwas ging schief, ihr Verlobter ging nach England und kam nicht wieder. Zunächst arbeitete sie in ihrem Heimatdorf als Ladenmädchen. Dann, bevor sie nach Whitewater ging, war sie eine Zeitlang in Dublin, wo sie im Southern Star Hotel als Zimmermädchen arbeitete. Im Southern Star! – mein Gott, ich hätte hingehen können, als ich bei Charlie wohnte, hätte mir ein Zimmer nehmen, hätte in einem Bett schlafen können, das sie irgendwann einmal gemacht hatte! Ich lachte mich selbst aus. Was hätte ich dabei erfahren? Es wäre für mich nicht mehr von ihr dort gewesen, als was in den Zeitungsgeschichten war, als was an jenem Tag da gewesen war, als ich mich umdrehte und sie zum ersten Mal sah, wie sie dort in der offenen Verandatür stand, mit dem Blaugold des Sommers in ihrem Rücken; nicht mehr, als was da gewesen war, als sie sich im Auto zusammenkauerte und ich wieder und wieder auf sie einschlug und ihr Blut das Fenster bespritzte. Das ist die schlimmste, die wesentliche Sünde, glaube ich, diejenige, für die es keine Vergebung geben wird: daß ich sie mir nie lebhaft genug vorgestellt habe, daß ich sie niemals genügend habe *da* sein lassen, daß ich sie nicht zum Leben erwachen ließ. Ja, dieses Versagen meiner Vorstellungskraft ist mein wahres Verbrechen, ist dasjenige Verbrechen, das die anderen erst ermöglichte. Was ich diesem Polizisten gesagt habe, ist die Wahrheit – ich habe sie getötet, weil ich sie töten konnte, und ich konnte sie töten, weil sie für mich nicht lebendig war. Und darum ist es nun meine Aufgabe, sie wieder zum Leben zu erwecken. Ich bin mir nicht ganz sicher, was das bedeutet, aber es drängt sich mir auf mit der Kraft eines unumgänglichen Imperativs. Wie kann ich ihn zustande kommen lassen, diesen Geburtsakt? Muß ich sie mir von Beginn an vorstellen, von der frühesten Kindheit an? Ich bin verwirrt und nicht wenig verängstigt, und doch gibt es etwas in mir, das sich bewegt, und ich bin seltsam aufgeregt. Ich scheine ein neues Gewicht, eine neue Dichte auf mich genommen zu haben. Ich fühle mich froh und zur selben Zeit wunderbar ernst. Ich gehe schwanger mit Möglichkeiten. Ich lebe für zwei.

Ich habe mich entschieden und werde mich nicht umstimmen lassen: Ich werde mich des Mordes schuldig bekennen. Ich glaube, daß das das Richtige ist. Daphne brach sofort in Tränen aus, als ich es ihr sagte. Ich war erstaunt; erstaunt und entsetzt. Was ist mit *mir*, schluchzte sie, was ist mit dem Kind? Ich sagte so sanft wie ich konnte, daß ich dachte, ich hätte ihr Leben doch ohnehin schon zerstört, und daß es das Beste wäre, was ich tun könnte, mich von ihnen so lange wie möglich fern zu halten – vielleicht sogar für immer – damit sie die Möglichkeit hätte, von vorne anzufangen. Das war, wie es scheint, nicht sehr taktvoll. Sie weinte und weinte, saß da hinter der Glaswand, mit bebenden Schultern, und umklammerte ihr durchweichtes Taschentuch. Und dann brach alles hervor, die Wut und die Enttäuschung, ich konnte wegen ihres Schluchzens nur die Hälfte verstehen. Sie griff Sachen aus der fernsten Vergangenheit auf, was ich getan hatte, was ich nicht getan hatte. Wie wenig ich wußte, wie wenig ich verstanden hatte. Ich saß da und starrte sie an, fassungslos, mit offenem Mund. Ich konnte nicht sprechen. Wie war es möglich, daß ich mich so in ihr getäuscht hatte, all diese Zeit? Wie war es möglich, daß ich nicht gesehen hatte, daß hinter ihrer Zurückhaltung all diese Leidenschaft, dieser Schmerz war? Ich mußte an eine Kneipe denken, an der ich ziemlich spät auf einem meiner nächtlichen Streifzüge durch die Stadt vorbeigekommen war, in der Woche, bevor ich verhaftet wurde. Es war in, ich weiß es nicht mehr, in Stoney Batter, oder einer ähnlichen Gegend, eine Arbeiterkneipe mit einem Stahlgitterschutz vor den Fenstern und alten Flekken von Erbrochenem vor dem Eingang. Als ich vorbeiging, stolperte ein Betrunkener heraus, und eine Sekunde lang, bevor die Tür wieder zufiel, erhaschte ich einen kurzen Blick ins Innere. Ich ging weiter, ohne stehenzubleiben, und trug die Szene im Kopf mit mir herum. Es war wie aus einem Gemälde von Jan Steen: das verrauchte Licht, das Gedränge rotgesichtiger Trinker, die alten Kerle, die sich auf die Theke stützen, die fette Frau, die beim Singen einen Mund voll kaputter Zähne entblößt. Ein langsames Erstaunen erfaßte mich, eine Art Verwirrung und Kummer darüber, wie sehr ich mich von dieser simplen, häßlichen, herumtollenden Welt ausgeschlossen fühlte. Es kommt mir vor, als hätte ich so mein Leben verbracht, als sei ich immer nur an offenen, lärmenden Türen vorbei und weiter hinein in die Dunkelheit gegangen. Und doch gibt es Momente, die es mir erlauben zu denken, daß ich noch nicht ganz verloren bin. Letztens zum Beispiel, auf dem Weg zu einer meiner zahlreichen Vorverhandlungen, teilte ich mir den Polizeitransporter mit einem alten Penner, der in der Nacht zuvor verhaftet worden war, weil er, wie er mir erzählte, seinen Freund getötet hatte. Ich konnte mir nicht vorstellen, daß er einen Freund hatte, und noch viel weniger, daß er einen umgebracht haben soll. Während wir dahinbrausten, redete er ausgiebig auf mich ein, das meiste von dem, was er sagte, war ziemlicher Mumpitz. Er hatte ein blutunterlaufenes Auge und eine riesige, tränende Wunde am Mund. Ich sah durch das vergitterte Fenster zu, wie die Straßen der Stadt an uns vorbeiflogen und ignorierte ihn so gut es ging. Dann, als wir in eine scharfe Kurve gingen, fiel er von seinem Sitz herunter auf mich drauf, und ich hielt plötzlich dieses alte Vieh in den Armen. Der Geruch war natürlich entsetzlich, und die Lumpen, die er anhatte, fühlten sich so schleimig an, daß ich die Zähne zusammenbiß, aber trotzdem hielt ich ihn fest und ließ ihn nicht auf die Erde fallen, und ich habe ihn sogar – sicherlich schmücke ich hier nur aus – ich glaube, ich habe ihn sogar einen Moment lang an mich gezogen, in einer Geste von, ich weiß nicht, von Mitleid, von Kameradschaft, Solidarität, irgend etwas in der Art. Ja, ein Entdecker, das ist es, was ich bin, ich erspähe vom Bug meines sinkenden Schiffes einen neuen Kontinent. Und mißverstehen Sie mich nicht, ich bilde mir nicht eine Sekunde lang ein, daß solche Begebenheiten wie diese, solche Exkurse in die Neue Welt, meine Schuld auch nur das kleinste bißchen abtragen. Aber vielleicht bedeuten sie etwas für die Zukunft.

Sollte ich diesen letzten Absatz nicht lieber wieder streichen? Nein, was soll's, lassen wir ihn stehen.

Daphne brachte mir eine von Vans Zeichnungen. Ich habe sie mir hier an die Wand geklebt. Es ist ein Portrait von mir, sagt sie. Ein riesiger, keulenhafter Fuß, Wurstfinger, ein merkwürdig friedliches Zyklopenauge. Eigentlich ein recht gutes Portrait, wenn ich es so bedenke. Sie brachte mir auch ganz überraschende Neuigkeiten. Joanne hat sie und das Kind eingeladen, nach Coolgrange zu kommen und dort zu leben. Sie werden sich einen gemeinsamen Haushalt einrichten, meine Frau und das Stallmädchen. (Wie originell sich die Dinge arrangieren, um so etwas wie einen Abschluß, ein Ende zu schaffen!) Es mißfällt mir nicht, und das überrascht mich. Anscheinend soll auch ich dort leben, wenn ich hier rauskomme. Oh, ich sehe mich schon vor mir, in Hut und Gummistiefeln, beim Ausmisten der Ställe. Aber ich habe nichts gesagt. Arme Daphne, wenn nur – o ja, wenn nur.

Auch Maolseachlainn war entsetzt, als ich ihm von meiner Entscheidung erzählte. Machen Sie sich keine Sorgen, sagte ich, ich werde mich schuldig bekennen, aber ich will dafür keinerlei Zugeständnisse. Er konnte es nicht verstehen und ich hatte nicht genug Energie, um es ihm zu erklären. Es ist das, was ich tun will, mehr nicht. Es ist das, was ich tun muß. Apollons Schiff hat die Segel gesetzt, um nach Delos zu fahren, das Heck von Lorbeeren bekränzt, und ich muß meine Zeit absitzen. Übrigens, Mac, sagte ich, ich schulde Charlie French einen Teller. Er verstand den Witz nicht, lächelte aber trotzdem. Sie war nicht tot, als ich sie verließ, wissen Sie, sagte ich. Ich war nicht Manns genug, um ihr den Gnadenstoß zu geben. Selbst für einen Hund hätte ich mehr getan. (Das ist die Wahrheit – hat es denn kein Ende mit den Dingen, die ich bekennen muß?) Er nickte und versuchte, seinen Abscheu nicht zu zeigen, oder vielleicht verbarg er auch nur, wie schockiert er war. Zähe Leute, sagte er, die sterben nicht leicht. Dann sammelte er seine Papiere zusammen und wandte sich zum Gehen. Wir schüttelten uns die Hände. Die Gelegenheit schien diese kleine Formalität zu erfordern.

Oh, und übrigens, der Komplott: fast hätte ich es vergessen. Charlie French hat meiner Mutter die Bilder billig abgekauft und sie teuer an Binkie Behrens weiterverkauft, dann hat er sie Binkie billig wieder abgekauft und sie weiter an Max Molyneaux verkauft. Etwas in der Art. Was macht es schon? Üble Taten, übel, übel. Genug davon.

Die Zeit vergeht. Ich esse Zeit. Ich stelle mich mir selbst als eine Art Larve vor, die ruhig und methodisch Zeit vertilgt; das, was die Welt draußen die Zukunft nennt. Ich muß aufpassen, daß ich mich nicht der Verzweiflung überlasse, jener Abulie, die eine Bedrohung für alles war, das ich zu tun versucht habe. Ich habe schon so lange in den Abgrund geschaut, daß ich manchmal das Gefühl habe, daß es der Abgrund ist, der in mich hineinschaut. Ich habe meine guten und meine schlechten Tage. Ich denke an die Ungeheuer, auf deren Seite mich mein Verbrechen gestellt hat, die Killer und Folterknechte, die dreckigen kleinen Biester, die daneben stehen und zusehen, wie es passiert, und ich frage mich, ob es nicht besser wäre, einfach aufzuhören. Aber ich habe meine Aufgabe, meine Frist. Heute in der Werkstatt habe ich ihren Geruch aufgefangen, ganz entfernt, scharf, metallisch, unverwechselbar. Es ist der Geruch von Metallpolitur – sie muß an jenem Tag das Silber poliert haben. Ich war so glücklich, als ich den Geruch identifiziert hatte! Alles schien möglich geworden zu sein. Es kam mir sogar so vor, als ob ich vielleicht eines Tages aufwachen würde, um zu sehen, wie jemand aus dem verdunkelten Zimmer durch die Tür hervortritt, jene Tür, an den ich nun unaufhörlich denken muß; ein Kind, ein Mädchen, eine, die ich sofort erkennen werde, ohne den Schatten eines Zweifels.
Es ist Frühling. Selbst hier drin spüren wir es, das Wachsen in der Luft. Ich habe ein paar Pflanzen in meinem Fenster, es macht mir Spaß, sie dabei zu beobachten, wie sie das Licht in sich aufsaugen. Nächsten Monat findet die Gerichtsverhandlung statt. Die Sache wird ganz rasch über die Bühne gehen.

Die Zeitungen werden enttäuscht sein. Ich habe daran gedacht, das hier zu veröffentlichen, dies, meine Aussage, mein Testimonium. Aber nein. Ich habe Inspektor Haslet gebeten, es zu meinen Akten zu legen, zusammen mit den anderen, offiziellen Fiktionen. Er hat mich heute besucht, hier in meiner Zelle. Er hat die Seiten aufgehoben und sie in der Hand gewogen. Es sollte meine Verteidigung werden, sagte ich. Er warf mir einen ironischen Blick zu. Haben Sie das mit den Geldschulden da reingeschrieben, fragte er, und daß Sie ein Wissenschaftler sind und daß Sie die Behrens kennen und der ganze andere Kram? Ich lächelte. Das ist meine Geschichte, sagte ich, und ich bleibe dabei. Daraufhin lachte er. Nun kommen Sie schon, Freddie, sagte er, wieviel davon ist wahr? Es war das erste Mal, daß er mich beim Namen genannt hatte. Wahr, Inspektor? sagte ich. Alles ist wahr. Nichts ist wahr. Nur die Scham bleibt.

Roddy Doyle

Paddy Clarke Ha Ha Ha

Roman

Aus dem Englischen
von Renate Orth-Guttmann
Band 13176

Es ist 1968. Patrick Clarke ist zehn Jahre alt, und abends sitzt
er vor dem Fernseher, knabbert Chips und sinniert über die
amerikanischen Soldaten, die im Mekong-Delta gegen 'Goril-
las' kämpfen. Er liebt den Geruch seiner Wärmflasche und das
Gefühl im Mund, wenn er eine Lebertrankapsel zerbeißt. Er
haßt Zoos, läßt sich ungern küssen und empfindet die Jungs aus
der neuerbauten Sozialsiedlung als seine natürlichen Feinde.
Seinen kleinen Bruder Sinbad kann er nicht ausstehen, dafür ist
Kevin sein bester Freund, mit dem er Fußball und Verbrechen
spielt. Dennoch ist Paddys Welt alles andere als heil: Sein Vater
trinkt zuviel und streitet immer häufiger mit seiner Mutter, und
schließlich bekommt auch die Freundschaft mit Kevin einen
Riß. Ohne Psychologisierungen, unsentimental und nüchtern,
zeichnet Doyle das Leben dieses kleinen Jungen nach, der aus
dem Paradies der Kindheit vertrieben wird. Ein einfühlsames,
stilsicheres Portrait eines zehnjährigen Jungen und seiner Welt.

Fischer Taschenbuch Verlag

fi 1913 / 3

Irland erzählt

15 Erzählungen

Herausgegeben und mit einem Nachwort
von Michael Krieger

Band 13180

Außerhalb der englischsprachigen Welt sind Werke von irischen Autoren nicht annähernd so bekannt, wie sie es verdienten. Dabei kann dieses kleine Land auf eine solche Fülle von schriftstellerischen Begabungen verweisen wie wenige größere Nationen. Das läßt sich an diesem Band nachprüfen. Die meisten der hier versammelten Geschichten sind in den achtziger und neunziger Jahren entstanden. Alle erscheinen erstmals auf deutsch und wurden eigens für diesen Band übersetzt.

Es erzählen:

Sara Berkeley, Clare Boylan, Anne Enright,
Dermot Healy, Desmond Hogan, Neil Jordan, Philip MacCann,
Bernard Mac Laverty, Aidan Mathews, Patrick McCabe,
John McGahern, Brian Moore, Edna O'Brien,
Joseph O'Connor und William Trevor

Fischer Taschenbuch Verlag

fi 1007 / 3

Richard Ford
Wildlife
Wild Leben
Roman

Aus dem Amerikanischen
von Martin Hielscher

Band 11299

Joe ist sechzehn Jahre alt, als er im Laufe von drei Tagen die
Ehe seiner Eltern zerbrechen sieht. Sein Vater hat seine Arbeit
als Golfprofi beim örtlichen Golfclub verloren, und er schließt
sich den Mannschaften an, die in den Hügeln hinter der Stadt
einen großen Waldbrand bekämpfen. Seine Mutter Jeanette hat
sich in einen älteren wohlhabenden Mann verliebt und ist entschlossen, die Familie zu verlassen. In ihrer Einsamkeit machen
beide, Mutter und Vater, den Sohn zum Zeugen dessen, was sie
tun, zum Gesprächspartner und Vertrauten. Als Joes Vater zu-
rückkehrt, versucht er in wilder Eifersucht, das Haus des Lieb-
habers seiner Frau anzuzünden. All dies ist durch Joes Augen
gesehen, und seine Unschuld, seine Trauer geben dem Roman
eine unvergleichliche Intensität. Joe versteht sowohl seine Mutter als auch seinen Vater, und er versucht verzweifelt seine Welt,
die Familie zu erhalten. Fords großes Thema ist die Unsicherheit aller Existenz, die Brüchigkeit jeder Bindung, die ständige
Gefährdung jedes Glücks.

Fischer Taschenbuch Verlag

fi 1938 / 4

Alan Hollinghurst

Die Schwimmbad-Bibliothek

Roman

Aus dem Englischen von
Eike Schönfeld

Band 11884

Bis zum Sommer 1983 war die Welt für die Schwulen von
London noch in Ordnung. Ohne viel Hemmung lebten sie
Liebe, Lust und Laster aus – bis die ersten verstörenden Nachrichten über Aids auftauchten. Vom letzten Swinging Summer
also, bevor der drohende Schrecken alles umwertete, handelt
dieses frech fröhliche Buch. An seiner Oberfläche. Die Rede ist
von Saunen, Homotreffs, Pornokinos, sexuellen Vergnügungen
aller Arten. Die tieferen Schichten handeln anspielungsreich
von der Homosexuellen-Kultur quer durch die Jahrhunderte.
Lord Nantwich zum Beispiel, der mit Hilfe des jungen Ich-Er-
zählers seine Erinnerungen aufzeichnen will, hat bis in die Details hinein eine frappante Ähnlichkeit mit Mr. Warburton in
Somerset Maughams ›The Outstation‹. Direkt oder indirekt
treten Lord Byron und Oscar Wilde auf, Evelyn Waugh, E. M.
Forster, Ronald Firbank, Benjamin Britten oder Peter Pears.
Aufs ergötzlichste wird aus britischen Clubs ebenso kolportiert
wie aus Internaten. Dieser durch und durch emanzipatorisch
aufklärerische Roman hält unter anderem Rückschau auf die
britische Kolonialgeschichte, auf das vermuffte Sexualstrafrecht,
schildert Wonnen und Wehklagen der Upper Class.

Fischer Taschenbuch Verlag

William Carpenter

Ein Hüter der Herden

Roman

Aus dem Amerikanischen
von Erwin Einzinger

Band 12165

Penelope Solstice, genannt Penguin, weil ein dunkles Mut-
termal über eine Gesichtshälfte und ihren Rücken verläuft,
ist vom College verwiesen worden. Sie hatte das Wohnheim
einer Studentenverbindung angezündet, in dessen Keller Stu-
dentinnen vergewaltigt worden waren. Unschlüssig, wie es
künftig mit ihr weitergehen soll, besucht Penguin ihren Vater, einen Bildhauer, der im Sommer auf Cape Cod arbeitet.
Nebenan lebt der Kunstwissenschaftler Joshua, dessen Haus
für Penelope zum Schicksalsort wird. Joshua pflegt dort seinen aidskranken Freund, den Komponisten Arnold, entschlossen, ihn in würdigen Umständen sterben zu lassen.
Vor allem soll er seine Komposition »*Ein Hüter der Herden*« nach einem Gedicht von Fernando Pessoa beenden
können. Zwischen Penelope und Arnold entwickelt sich
eine enge Freundschaft. Carpenter karikiert die inkonse-
quenten Pseudo-Ideologen der bürgerlichen Gesellschaft,
die den Aidskranken fürchten und terrorisieren. Er stellt
Krankheit, Fürsorge und Freundschaft ungewöhnlich ein-
fühlsam dar. Dabei entsteht eine spannende, dialogreiche
Handlung, deren anklingende Pathetik immer wieder durch
Witz und Ironie gebremst wird.

Fischer Taschenbuch Verlag

fi 1104 / 5

Scott Bradfield
Die Geschichte der leuchtenden Bewegung
Roman
Aus dem Amerikanischen von
Manfred Allié und Gabriele Kempf-Allié
Band 12303

Für den siebenjährigen Philipp Davies ist die Kindheit eine endlose Autofahrt durch Kalifornien. Gemeinsam mit seiner Mutter ist er ständig unterwegs, im fließenden Licht der Auto-
scheinwerfer, im Neon der Motels, im Schein der Städte und
Sterne. Solange die Mutter nur nah ist, fühlt er sich in dieser
Bewegung, in diesem Licht geborgen; verschwindet seine Mam
einmal kurz mit einer Zufallsbekanntschaft, deren Kreditkarte
dann die Weiterreise garantiert, liest Philipp auf der Rückbank
in abgegriffenen Schulbüchern und versucht, sich einen Planeten zurechtzuträumen, auf dem die Mutter-Kind-Einheit nie
endet. Die leuchtende Bewegung kommt erstmals zum Stillstand, als Pedro, ein Liebhaber von Mam, ihr und Philipp ein
Zuhause anbietet. Die Wonnen eines ›normalen‹ mittelständi-
schen Familienlebens verträgt das frühreife und hochbegabte
Kind aber so schlecht, daß es auf die bizarre Idee verfällt, seinen
Möchtegern-Vater zu beseitigen. Und gemeinsam mit seiner
Mutter ist Philipp wieder on the road. Doch als diese ein weiteres Mal versucht, eine feste Bleibe zu finden und sich zudem
noch der leibliche Vater einstellt, gleitet Philipps destabilisierte
Welt hinüber in einen apokalyptischen Albtraum, in dem er
versucht – radikal, zynisch, brutal – sein ödipales Paradies zu
retten. Ein »Kindheitsroman«, der vom Verschwinden der Kindheit erzählt und die frostige Atmosphäre dieses Verlustes festhält – in einer emotionslosen, kristallinen Sprache und mit küh-
nen Metaphern aus dem Bereich der Naturwissenschaften.

Fischer Taschenbuch Verlag

Lore Segal

Ihr erster Amerikaner

Roman

Aus dem Amerikanischen von
Inge Leipold

Band 12834

Sie heißt Ilka Weissnix, konnte vor den Nazis mit Müh und Not
aus Wien entkommen und landet schließlich in New York. Er
heißt Carter Bayoux, trinkt nicht zu knapp, ein schwarzer In-
tellektueller – er wird ihr erster Amerikaner. Dieser Roman erzählt die Liebesgeschichte dieser beiden: er nicht ganz frei von
Antisemitismus; sie nicht ganz frei von Rassismus. Eine der
komischsten und traurigsten Liebesgeschichten der jüngeren
amerikanischen Literatur.

»Während der gesamten
Lektüre muß man immer schmunzeln.«
The New York Times Book Review

Fischer Taschenbuch Verlag

Peter Henisch
Vom Wunsch, Indianer zu werden
Wie Franz Kafka Karl May traf
und trotzdem nicht in Amerika landete

Band 12868

Im September 1908 verläßt der Ozeandampfer ›Der Große Kur-
fürst‹ Bremerhaven und nimmt Kurs auf New York. Auf dem
Promenadendeck: der alternde Karl May mit seiner zwanzig
Jahre jüngeren Frau Klara. Auf dem Zwischendeck, zwischen
all den Auswanderern: Franz Kafka. Die drei begegnen sich,
als Kafka an der Reling steht – schmal und blaß und so merkwürdig zappelnd, daß das Ehepaar May sich Sorgen macht. Ob
er nicht auf ein Gläschen Cognac mit in ihre Kabine kommen
wolle? Kaum wieder bei Kräften, verrät sich Kafka, irritiert durch
Klaras Weiblichkeit und an Alkohol nicht gewöhnt, als Schriftsteller. Das läßt Karl May natürlich aufhorchen: ein Kollege also? Gespräche über Literatur entspinnen sich, die schnell deutlich machen, wie wenig Gemeinsames sich finden läßt. Und
doch fühlen sich beide Männer beflügelt, ja inspiriert. May
schlägt vor, in Koproduktion einen Amerikaroman zu entwerfen, und drängt Kafka zu einem ersten Satz. Dies ist die Geburt von Kafkas Roman ›Der Verschollene‹... So und nicht anders könnte es gewesen sein. Dieser Meinung ist zumindest Peter Henisch. Denn was spricht schon dagegen, daß Kafka, von
seiner Arbeiter- und Unfall-Versicherung im September 1908
erstmals auf Dienstreise geschickt, auf der Flucht vor seinem
Vater wie ein Somnambuler über die Grenze geht, ein Schiff
nach Amerika besteigt und das Ehepaar May kennenlernt, das
auf diesem Schiff tatsächlich gefahren ist?

Fischer Taschenbuch Verlag